斗罗大陆

第三部

龙王传说 4

唐家三少 ◎著

CNS
PUBLISHING & MEDIA
中南出版传媒

四 湖南少年儿童出版社
HUNAN JUVENILE & CHILDREN'S PUBLISHING HOUSE

图书在版编目（CIP）数据

斗罗大陆. 第3部. 龙王传说. 4 / 唐家三少著. 一
长沙：湖南少年儿童出版社，2016.4
ISBN 978-7-5562-2118-9

Ⅰ. ①斗… Ⅱ. ①唐… Ⅲ. ①长篇小说—中国—当代
Ⅳ. ①I247.5

中国版本图书馆CIP数据核字(2016)第050295号

DOULUODALU DISAN BU LONGWANG CHUANSHUO
斗罗大陆 第三部 龙王传说 4

策划编辑：李　芳　　　　　　　　责任编辑：唐　龙　向艳艳

质量总监：郑　瑾　　　　　　　　特约编辑：梁　洁

统筹编辑：黄香春 刘柳伶　　　　　装帧设计：杨　洁

出版人：胡　坚

出版发行：湖南少年儿童出版社

社址：湖南省长沙市晚报大道89号　　　邮编：410016

电话：0731-82196340（销售部）　　　82196313（总编室）

传真：0731-82199308（销售部）　　　82196330（综合管理部）

常年法律顾问：北京市长安律师事务所长沙分所　　　张晓军律师

经销：新华书店　印刷：湖南天闻新华印务有限公司

印张：18　　　字数：310千字

开本：710 mm×1000 mm　1/16

版次：2016年5月第1版

印次：2016年6月第2次印刷

定价：28.00元

目录

CONTENTS

目录
CONTENTS

第一百七十九章
城市般的学院

史莱克城，史莱克学院。

作为大陆第一大城市，大陆第一学院，这里，是无数人向往的地方。

史莱克学院面积极为广阔，因为它本身就是一座城市。

事实上，在上古时期，现在的史莱克学院就是史莱克城，后来因为传灵塔组织创建，第一代传灵塔塔主灵冰斗罗霍雨浩提议，扩建史莱克城，这才有了现在大陆第一城市的规模。而原本的史莱克城就全部融入史莱克学院之中，让史莱克学院变成了一座城市般大小的学院。

史莱克学院每三年招收一次新生，对于魂师来说，这是全大陆最重要的盛事。

能够来到史莱克学院参加考试，就已经是众多年轻魂师心中的骄傲了。在大陆魂师界甚至有这么一种说法：凡是能够前来报考史莱克学院的魂师，即使失败了，也都能够被其他高等学院免试入学。

而事实上，这种说法是成立的。被选出来参加史莱克学院考试的，无不是精英中的精英。

而就是这些精英，也只有很少一部分人能够通过考试进入史莱克学院，而且进入的仅仅是外院而已。

史莱克学院每三年招收两百名外院学员。这两百个名额之中，有五十个是留给报考内院的那些失败者的。

报考内院的名额，每届只有五十个，考上当然最好，考不上也可以进入外院，未来还有参加内院考试的资格。

这也是当初天海学院院长龙唤天对五个内院考试名额那么珍视的缘故，这几乎是确保了五个顶尖人才的存在啊！

当然，如果他们在外院站不住脚的话，也有可能被淘汰，在史莱克学院历史上这种情况并不少见。

从史莱克学院外院毕业，就已经是大陆上的顶尖人才了，任何组织、家族都愿意用超高的待遇来聘用他们。

至于史莱克学院内院，那是一个特殊的世界。凡是从内院毕业的学员，很少有离开史莱克学院的，他们之中，大多数都会选择留在内院。

在教育界有这么一个说法，史莱克学院内院弟子，必成斗铠师。

要知道，每一位斗铠师，在联邦之中都是战略性的存在啊！当然，也有极少数的内院弟子会因为种种原因选择离开内院。他们自然都是各方招揽的超级人才。

明天就是考试的时间了，史莱克学院附近的所有酒店早就住满了人，有参加考试的少年魂师，也有他们的师长、家长。这些人形成了一个庞大的群体。

而围绕着史莱克学院的招生考试，也有很多商家趁机赚钱，有贩卖历届考题、考试规则的，有贩卖灵物的，还有趁机贩卖魂导器的。

这些贩卖活动也形成了一条巨大的利益链。

史莱克学院的报考要求有三个：第一，要是各大城市选送的；第二，年龄不能超过十五岁；第三，魂力修为不得低于二十五级。

这是基本要求，而最重要的一条要求是史莱克学院在两万年前建立时就已经定下来的。

这里，只收怪物不收普通人，所以，史莱克学院在上古时代也被称为"怪物学院"。

舞长空缓缓地走向史莱克学院西面的大门，他的神情依旧冷峻，但眼神之中，似乎多了一些什么。

当他看到史莱克学院那原本是城墙的巨大门楼上悬挂着的"史莱克学院"五个字时，不由得停下了脚步，抿着嘴唇，情绪有些不稳。

沈熠来到他身边："走吧，进去吧。老师其实一直都念着你，只是，你们都是那样倔强的脾气。你肯跟我回来，其实，我很开心啊！"

舞长空低下头，没有说话，大步朝着史莱克学院大门走去，他走路的速度比先前快了不少，就像是怕自己临阵退缩似的。

史莱克学院还有个名字，叫史莱克内城，城门前有两名身穿墨绿色制服的青年守在那里。

"师姐。"看到沈熠，他们同时恭敬地行礼。

沈熠道："这位是我朋友，这是我申请的准入令。"她一边说着，一边拿出一个六边形的金属牌递了过去。其中一名青年走过来用仪器扫描了一下金属牌，然后向沈熠点了点头，让开了道路。

沈熠和舞长空这才走入史莱克内城之中。

"本来这准入令是给你那女弟子准备的，没想到，却用在了你身上。"在今天去找舞长空之前，沈熠从来没想过舞长空会愿意和她一起回来。

舞长空没有吭声，现在的他，似乎已经进入了自己的世界。

走进内城，就像是到了另一个地方。和外面的喧嚣与热闹不同，内城显得十分安静，青砖铺就的宽阔街道古色古香，两旁店铺林立，都是上古时期的建筑风格，很多建筑甚至还是木质结构的。来到这里，就像是跨越了万年一般。

天斗城和这里相比，建筑风格近似，却远没有这里的建筑那么集中，在天斗城，各种植被穿插于建筑之中，是另外一番风情。

街道上人很少，但所有店铺都开着门，舞长空的脚步加快，沿着街道一直向深处走去。

沈熠跟在他身边，神情有些恍惚，她仿佛又回到了当年，自己如同跟屁虫一般跟着他，在史莱克城内到处闲逛。

可是，这一切都已经过去了，一切都已经不同。当年那充满阳光气息、脸上总是挂着微笑的少年，现在却已经成了白衣蓝剑的青年。她已经不记得有多长时间没有见过他的笑容了，自从那个女生走后，他的笑容就被冻结了。多年来，他一直隐居在东海城那偏僻的地方，始终没有回来。

有的时候，她甚至觉得他的灵魂已经消失了，他之所以还活着，都是因为他曾经答应过那个女生，要用那个女生的名字和他的名字一起组成斗铠的名字。

哪怕是离开了学院，他还是那么优秀。他今年才多大？三十二岁吧，却已经是七环魂圣，已经是可以去尝试冲击三字斗铠的层次了。而且她相信，就算困难再大，他也一定会成功，因为信念，执着的信念。

当她看到他肯带学员，而且那么用心的时候，她真的为他高兴。总算，在他生命中，又有了一件可以惦念的事情。总算，在他心中，又有了除了那个女生之外其他能够引起他关注的东西。

这次，他更是肯为了自己的学员重返学院，沈熠心中不知道有多高兴。

"老师在哪里？"穿过了几条街道，感受着周围熟悉的一切，舞长空突然停下脚步，向沈熠问道。

沈熠的身体却直接撞在了他的背上，她惊呼一声，捂着鼻子，不由得嗔怪道："你怎么突然停下来？"

舞长空的眼神变得柔和了几分，他仿佛看到了当年那个一直跟在自己身边的小师妹，那时候，她似乎也说过同样的话。

十多年转瞬逝去，自己不是当初的舞长空，而她也不是那个天真懵懂的小丫头了。他们都长大了，只是，成长的代价太大了。

"老师在哪里？"舞长空再次问道，他下意识地摸了摸沈熠的头。

沈熠呆住了，突然间，泪水不可抑制地从墨绿色的大眼睛中奔涌而出，她哽咽着叫道："师兄。"然后就扑入他怀中放声大哭。

突如其来的哭声引起了路人的注意，很多人都不禁投来惊讶的目光。

沈熠的一头白发太好认了，更何况，她在学院中本来就很有名。

"那不是白发魔女沈熠师姐吗？她这是怎么了？平时她都不苟言笑的，学院里的很多学员都很怕她。她这是？那个男的是谁？好帅啊！"

"咦，看着有点眼熟。他是谁啊？"

不绝于耳的声音传来，舞长空拍拍沈熠的背："走啦。"

沈熠抬起头，泪眼蒙眬地看着他："还做我的师兄，好吗？"

舞长空脸上露出一丝苦笑："我说了不算。走吧。"说着，他拉着她大步朝着史莱克内城深处走去。

"老师在内院。"沈熠擦掉泪水，轻声说道。

内院！听到这两个字，舞长空的身体震了震。这两个字，对他来说曾经是多么重要啊！为了这两个字，他付出过无数的努力，但也因为这两个字，他……

用力地深吸一口气，舞长空突然松开沈熠的手，大步跑了起来，就像是一阵风，就这样在史莱克内城的街道上狂奔。

寒意涌出，他不断发力，速度越来越快，朝着史莱克内城东边狂奔。

沈熠赶忙跟上，同样加快了步伐，追着舞长空的身影。

终于，一片绿色环绕的建筑出现在他面前。那建筑的围墙很高，从外面看不到里面的情况。绕到正面，巨大的牌楼上，也只有两个大字：内院。

内院门口并没有人守卫。舞长空到了那两个大字下面，尽管速度很快，但还是瞬间停下了脚步，仿佛那两个字拥有无尽的魔力，使他整个人都僵在那里。

是的，这里就是传说中的史莱克学院内院，在整个大陆上有着赫赫威名，令无数魂师向往，又让整个联邦为之忌惮的史莱克学院内院。

只有真正来到这里的人才会知道，这是一个如同公园的地方，绿色几乎覆盖了整个区域。

这里也从来都不需要人守护，内院，这简单的两个字，就已经足够了。

"师兄。"沈熠追了上来，停在他身边。

"我没资格做你师兄，不要这么叫，让老师听到，你要受到惩罚的。"面对"内院"二字，舞长空膝盖一弯，就那么跪了下去。

平日里那么高傲冷峻的舞长空，在这一瞬间，就这么跪在了"内院"二字面前。

沈熠心头猛地一颤，但她没有劝说，而是深吸一口气，向舞长空沉声说道："师兄，你在这里等我，我去请老师。"说完，她就如同风一般冲了进去。

跪在地上，舞长空原本复杂的心情反而平静下来了，清风吹过，带来淡淡的植物芬芳，那是一种只有在史莱克学院才能感受到的气息。

植物的芬芳里带着几分湿润，这里，永远都会让人感觉到舒适与平静。

回来了，十三年了，十三年后的今天，自己终于回来了。

跪在这里，舞长空有种理所应当的感觉。

十三年前的自己，是何等的冲动，何等的骄傲。而十三年后的自己，就算已经想通了一切，可是曾经发生的一切还能够挽回吗？

冰儿，对不起，老师，对不起。一切都是我的错。

冰儿，你等着我，我一定会让你的名字完整地出现在我的斗铠上，让你永远和我在一起。

只要是你的心愿，我都会不惜一切地为你完成。

时间仿佛过得很慢，又似乎过得飞快，正在舞长空已经完全陷入了自己的记忆之中时，沈熠回来了。

第一百八十章
——— 解除，第二道封印 ———

她的脸色有些苍白，当她来到舞长空身前时，脚步不自觉地放慢了。

终于，她鼓足勇气，走到他面前。

"老师，老师他不愿意见你。"沈熠的声音有些颤抖。

"嗯，谢谢。"舞长空低声回答，他整个人都显得很平静，依旧跪在那里，一动不动。

沈熠眼神中闪过一丝挣扎，但终于还是说道："老师说，就让你在这儿跪着。"

舞长空身体猛地一震，突然抬起头来，看向沈熠，在他眼中，闪过的竟是一抹惊喜。

他的身体有些颤抖，因为他了解老师，发怒的老师绝不是最可怕的，最可怕的是无视啊！他肯发怒，至少证明，自己还有机会。

"谢谢你，沈熠。"舞长空抿了抿嘴，跪在那里，挺起胸膛。

沈熠低声道："师兄，你先在这儿跪着，其实，老师的性格你也知道，他只是嘴硬心软。刚刚我跟他说你回来了，老师瞬间露出了惊喜的表情，藏都藏不住。他还是很在乎、很在乎你的。我再去劝劝他，他一定会原谅你的。"

舞长空轻轻地摇了摇头："我没资格让老师原谅，但我那几个弟子就拜托你了。"

"嗯。"沈熠答应一声，转身走了。

……

"天快亮了，舞老师怎么还没回来？"谢邀有些焦急地在房间中来回踱步。舞长空离开后，曾经打了一个电话回来，说他出去办事了，让大家在他的房间里等他，而唐舞麟在浴室中深度冥想，谁也不要打扰。

谢邈、古月和许小言三人就都留在舞长空的房间中冥想，同时也等待唐舞麟从冥想中醒过来。

　　现在唐舞麟依旧处于那种奇怪的状态之中，而舞老师又外出未归，谢邈心中多少有些慌乱。

　　虽然已经下决心要陪着唐舞麟，可是，如果能够去参加考试，当然最好不过了啊！他们今年已经十三岁了，再过三年就是十六岁。那时候，他们就没有资格参加史莱克学院的考试了。所以，这是他们唯一的一次机会，错过了，就一辈子都不可能再有了。

　　古月盘膝坐在椅子上，三人之中，她是最沉稳的一个。

　　"等着吧。"许小言说道，"谢邈，你别来回晃了好不好。我们不是都已经决定了吗？既然决定了，我们就当没有考试这回事儿，就当这次来史莱克学院只是为了度假而已。反正我们也是放假了的。等队长醒过来，我们就一起在史莱克学院玩几天，大不了，让他请客就是了。他平时那么抠门，请客一定会肉疼的吧。嘻嘻。"

　　谢邈听了她的话，脸上的表情不禁变得古怪起来，可不是吗，平时唐舞麟可是很节省的，除了必要的开销之外，几乎很少在学院外面吃饭，他那饭量，在学院外面吃上一顿，恐怕会心疼很久。

　　天渐渐亮了，谢邈原本的一丝焦躁也终于消失了。因为他知道，就算现在唐舞麟从深度冥想中恢复过来，也已经来不及了。时间不等人啊！

　　从他们这里到史莱克内城的距离不短，而史莱克学院的考试，一个小时之后就要开始了，即使现在出发也来不及了。

　　错过了就错过了，虽然不甘心，但止像他们决定的那样，在他们心中，伙伴要比史莱克学院更重要。

　　古月睁开双眸，看向谢邈："以后不嘲笑你了。"

　　"啊？"对于她突如其来的这句话，谢邈一时没反应过来。

　　"什么意思？"谢邈疑惑地看着她。

　　古月道："你还算是个男人。"

　　谢邈郁闷地道："难道说你以前一直把我当成女人不成？"

　　古月"扑哧"一笑："你愿意这么想就随你吧。"

　　许小言凑到谢邈身边，一把拉住他的手臂，道："原来，我们一直是好姐妹啊！要不是古月姐告诉我，我还不知道呢。"

谢邈奋力挣开自己的手臂："你们就会欺负我，有本事，欺负舞麟去。我饿了，你们守着他吧，我去吃早饭。要不要给你们带一些回来？"

古月点点头，毫不客气地道："我要肉、馒头、果汁、酸奶，再要点蔬菜。"

许小言掰着手指道："我要面包、果酱、酸奶、煎蛋，要两个煎蛋哦，人家正在长身体呢！"

谢邈没好气地道："是，你长得就跟煎蛋似的。"说完，不等许小言发作，他已经飞也似的跑了出去。

谢邈刚出门不久，敲门声便响起了。

"怎么这么快就回来了？"许小言嘟囔了一句走过去开门。当她打开房门的时候却发现，门外站的并不是谢邈，而是昨天来过的那位白头发的女子。

"是您。阿姨，我们舞老师呢？"许小言立刻问道。

门外站着的，正是沈熠。

沈熠走进房间："你们舞老师没事，留在学院那边帮你们疏通关系呢。你们队长醒了没？"

许小言摇了摇头："还没有。"

沈熠轻叹一声："那就再等等吧。等他醒了，我带你们过去。"

许小言愣了一下："带我们过去？可是，现在时间已经来不及了啊！"

沈熠微微一笑，摸摸她的头："没关系，舞老师已经帮你们疏通了关系，虽然考试可能会难一些，但总算是给你们争取到了机会。等你们队长醒过来，咱们就过去。"

"真的吗？那太好了，舞老师万岁！"许小言一下就跳了起来。

尽管他们愿意为了唐舞麟而放弃这次考试的机会，但如果能够不错过这次机会，无疑是最好的啊！一生只有一次的机会啊！

古月也是一脸惊讶地看着沈熠，她同样没想到，他们竟然还有参加考试的可能，一时也有几分如释重负的感觉。

浴室。

唐舞麟身在浴缸中，里面的水早已经不再滚烫，但受到他体温的影响依旧温热。

空中淡淡的金色雾气变得更加浓郁了，从外面看，只能依稀看到他的身影。

"我成功了吗？"精神世界中，唐舞麟又出现在了那奇异的殿堂之中。

和第一次解除封印时相比，这次的过程用"水到渠成"来形容更加合适。除了最开始的滚烫令他有种自己要变成食物的感觉之外，当他渐渐从灼热中恢复过来，感受到自己体内疯狂涌动的血脉变化后，痛苦就减弱了很多。

　　然后他就开始进入了一种奇异的感觉之中。

　　和第一次解除封印时一样，在整个过程中，他只是觉得自己的身体仿佛突破了什么阻隔，然后就被汹涌而至的魂力淹没了。

　　第一次解除封印时，被淹没的感觉异常痛苦，那种身体仿佛随时要被撑爆的感觉着实折磨得他半死不活。

　　这次不同，虽然依旧痛苦，但整个过程似乎都在可控范围内。

　　"是的，你成功了。"老唐欣慰的声音响起。

　　光影一闪，老唐出现在他身前不远处。不知道为什么，唐舞麟觉得，老唐的身影现在似乎变得清晰一些了。

　　老唐微笑道："感觉如何？"

　　唐舞麟道："还好，好像没有第一次那么痛苦。"

　　老唐道："这是因为你自己的厚积薄发。这三年来，你的身体境界提升得很快，魂力也提升得不错。尤其是魂力经过压缩之后，你的修炼方法一直引动魂力滋润着身体，从而让经脉的承受力变得更强了。同时，你这次找到的四种灵物品质也很高，所以才能如此顺利地完成突破。"

　　唐舞麟欣喜地道："太好了，总算是没白费力气。老唐，那这次我解除封印后，身体会有什么变化呢？我记得，你上次说过，会有惊喜的啊！"

　　老唐道："对，会有惊喜，但要你自己去体会，不过，我建议你先不要考虑这些问题，你首先要考虑的，是不久的将来，你解除第三道封印的时候。"

　　唐舞麟笑道："那要二十岁吧。还有六年多的时间，我有充分的时间准备。"

　　老唐道："谁告诉你第三道封印要等到二十岁才解除？"

　　唐舞麟一愣："难道不是吗？第二道封印和第三道封印相隔五年，我这算是提前解除了啊！十五岁再加五年正好是二十岁。"

　　老唐摇了摇头："不，并不是这么计算的。准确地说，你的下一道封印必须要在十六岁之前解除。也就是说，你还有三年时间来准备。十五岁解除第二道封印是极限，而越早解除，你应对后面的封印就越容易。而下一次解除封印的时间，是从上一次解除时开始计算的。所以，你只有三年时间。"

唐舞麟呆呆地道："难道说，以后每一次解除封印的时间都会缩短？"

老唐道："是的，每次都会缩短。所以，你未来要面临的压力会非常大，现在才刚刚开始。"

唐舞麟原本因为解除第二道封印的喜悦顿时变得荡然无存。如果每一次解除封印的时间都要缩短的话，那到了最后面，速度要多快啊！而一旦无法解除封印，自己要面对的就是死亡的威胁。

"那未来解除封印最短的时间会是多久？"

老唐沉声道："未来解除每一道封印，时间间隔会缩短三个月。等你解除九道封印之后，就必须要一年解除一道封印，一直到解除所有封印为止。"

唐舞麟倒吸一口凉气，九道封印之后，每年要解除一道？这、这真的是自己能够做到的吗？

虽然先后解除了两道封印，但到现在他才明白，这十八道封印对于自己的压力有多大。

"我现在告诉你下一次解除封印时需要准备的灵物。同时，你记住，在未来三年内你的修为提升得越多，对身体的锤炼越多，解除封印时就会越轻松，就像这次一样。但如果你的准备不够充分，那么，就要面临考验了，甚至是……"

唐舞麟默默地点了点头，他当然知道"甚至"二字后面是什么。

几种灵物的名称出现在他脑海之中。唐舞麟首先注意到的就是前缀，幸好，还是千年。他真怕这次的灵物直接出现万年之类的，那可就真的是要了他的命。

"去吧，继续加油。"

天旋地转，眼前的世界消失了，所有的一切都在光影中消失殆尽。

第一百八十一章
出发考试！

一丝冷意传来，唐舞麟下意识地睁开双眼，赫然发现自己正在浴缸之中，浴缸内的水已变得冰凉，不过对他来说，这也就是变得凉快一点而已。

唐舞麟低头看向自己的身体，发现身体并没有什么不同。冷意之后就是饥饿感，好饿啊！他自己也不知道这次解除封印花了多长时间。

从水中起身，唐舞麟跨出浴缸，擦了擦身体后赶快穿上自己的衣服。他现在只想赶快找点东西吃，实在是饿得不行了。

当唐舞麟推开浴室门的时候，不禁吓了一跳。

房间里坐着四个人，除了谢邀他们之外，还有一名陌生的白发女子。

当初在天海城的时候，唐舞麟并没有见过沈熠。

"你终于醒了。"谢邀一个箭步就蹿了过来。

"怎么样，醒得及时吧。"看到他们，唐舞麟第一反应就是，现在考试应该还没有开始，不然的话，他们也就不会在这里了。

谢邀没好气地道："及时什么？我们已经晚了。"

"啊？"唐舞麟吃了一惊，就连饥饿感都随之淡了几分。

"走吧。"沈熠站起身，眼含深意地看了唐舞麟一眼，转身向外走去。

古月和许小言也站了起来，许小言向唐舞麟嫣然一笑，古月虽然面无表情，但看着他的眼神分明像是在询问他现在的状态如何。

唐舞麟向他们点了点头，然后低声向谢邀问道："这位是？"

谢邀道："史莱克学院的人，舞老师的朋友。现在，咱们已经迟了三个多小时了，舞老师正在学院那边为咱们疏通关系，咱们要赶快过去，应该还有机会参加这次的考试。"

"对不起，都是我不好。"愧意瞬间传遍全身，唐舞麟眉头紧皱。这一切都像是连锁反应一般，自己一时的抠门，不但没有省钱，反而带来这么多麻烦，险些耽误了大家的考试啊！

谢邈呵呵一笑："说这些干什么？以前，你为我们挡住危险的时候，我们什么时候跟你说过谢字了？你身体状况怎么样？怎么在这个时候深度冥想啊？"

唐舞麟苦笑道："我也不知道，我状态倒是挺好的。"封印的事情他确实没办法说出来。他此时除了饥饿之外，其他的感觉倒还不错。他觉得自己体内仿佛充满了力量，魂力也明显有所提升了，至于提升了多少他不知道，反正距离三十级不远了，想来应该是二十七八级的样子。上次解除封印就没有提升太多的魂力，这次显然也不会提升得太夸张。

饥饿有些影响他的判断，但他觉得，自己的力量至少提升了三分之一，以他先前的基础，提升三分之一的力量就已经很了不得了。

其实唐舞麟更期待的是，吸收了金龙王精华之后，自己的金龙王血脉究竟会带来怎样的变化，还有老唐所说的惊喜是什么。

但现在显然不是试验的时候，甚至连吃饭都有些来不及了。

"你那儿有没有吃的？"唐舞麟低声向谢邈问道。

谢邈摇头。

正在这时，走在前面的古月反手递给唐舞麟一包东西。

唐舞麟接过，用手一捏就知道里面是什么了，馒头和肉。虽然不算特别多，但总比没有好啊！

没有对古月说谢，虽然古月这几年来一直有点不合群，但唐舞麟和她之间经历过生死与共的事，这点小事根本不需要用"谢"字来表达。

三个馒头，一包酱肉，味道一般，但对现在的唐舞麟来说，也算是解了燃眉之急。

唐舞麟吃东西的速度在整个大陆恐怕都是首屈一指的，就下楼这会儿工夫，他就已经吃完了。

沈熠是自己开车来的，一辆墨绿色的魂导汽车停在楼下。

"上车。"沈熠先上了驾驶位。谢邈刚要往后座坐，却被古月一把拉住了，然后将他直接塞到了前座。

许小言偷笑着坐到后座一侧，古月则是坐在后面中间的位置，唐舞麟坐在她另一边。

谢邈暗自嘀咕，古月的独占欲也太强了吧，就准她挨着舞麟啊！

古月面无表情，并没有什么表示，唐舞麟却已经习惯了，虽然没吃多少东西，但总算是缓解了饥饿感。

正在这时，他感觉到身边的古月轻轻地碰了他一下，低头看时，只见古月将一盒果汁塞了过来。

淡淡的暖意萦绕心间，唐舞麟向她微微一笑，打开果汁喝了起来。

古月眼中也闪过一丝笑意，然后她闭上了眼睛，闭目养神。

两人的手臂彼此接触着，古月的身体有些冰凉，而唐舞麟的手臂却散发着热量。他们从彼此身上感受着对方的温度，相互影响着，彼此都觉得舒适、安宁。

沈熠开车的速度很快，但非常平稳，她的反应十分敏锐，驾驶过程中根本没有多余的动作，却总能将速度优势发挥出来。

窗外景物不断变换，这是零班四个人来到史莱克城之后，第一次欣赏这座城市的风景。

史莱克城实在是太繁华了，也太大了。

当初，唐舞麟从傲来城到达东海城之后，有种眼睛不够用的感觉，那时他甚至以为东海城就是整个世界的中心。

而现在，从东海城来到史莱克城之后，他又有了同样的感觉，而这个对比，是以东海城为基础的。

大陆第一大城市，真的是名不虚传啊！

以沈熠开车的速度，也足足用了近一个小时的时间，他们才看到了那传说中的地方。

巨大的城墙古香古色，远远望去，就像是一条巨龙盘踞在那里。城墙上并没有什么特殊的装饰，也没有文字表明这是哪里。

此时，在城门外，聚集着大量的人。人头攒动，热闹非凡。

沈熠没有走正门，而是驾驶着魂导汽车拐入旁边一条街道，也不知道她是如何行进的，七八次转弯后，就到了城墙跟前，一扇小门出现在众人的视野之中。

沈熠按动了车上的一个按钮，小门自动开启，露出了一条通道。

魂导汽车进入其中。小门闭合，又恢复了原本的样子。

外面的喧嚣突然变成了里面的静谧，窗外的景色也突然变得古朴起来。穿过那扇门，他们就像是回到了过去。

"这里就是史莱克学院了吗？"谢邂忍不住向身边的沈熠问道。

沈熠点了点头："史莱克学院，也叫史莱克内城，是最早的史莱克城，后来史莱克城扩建之后，这里就全部成了学院的范围。整座史莱克城都是由学院来管理的，所以，这里既是学员们学习的地方，也是整座城市的核心所在。只有经过学院认可的人以及学员，才能自由进出史莱克内城。"

她嘴上说着话，车速却丝毫不减，继续向内部开去。

"因为迟到，你们的考试会比其他考生更难。他们考的内容你们都要考，但是，时间会更紧张，你们在整个过程中几乎没有休息的可能。同时，因为你们迟到，就算你们最终考上了学院，也只能以工读生的身份在学院学习。"

"工读生是什么意思？"唐舞麟问道。

沈熠道："就是说，你们在学院内产生的一切费用都要自己承担。"

"啊？"唐舞麟抠门惯了，一听要花钱，顿时觉得全身不自在。

谢邂哈哈一笑，有些得意地道："没关系，我们队长赚钱可厉害了，他会帮我们都交了的。"

唐舞麟还真没法反驳他的话，谁让大家是因为自己才迟到的呢。

沈熠道："不是花钱，而是为学院工作。用工作来抵你们的学费。你们认为，史莱克学院会缺钱吗？正式学员，都是免费的。"

工作？

一听这个，唐舞麟眼睛顿时亮了起来，他从来都是不怕吃苦的。谢邂却是苦着脸，张口结舌地道："什么工作啊？"

沈熠瞥了他一眼："等你先考上再问我这个问题吧。现在还早。"

说话之间，沈熠降下车速，远处，一个巨大的广场出现在他们面前。

和史莱克内城的青石地面不同，进入广场范围，地面就变成了灰色。广场周围围着一些高低不同的古朴建筑，这些建筑形成一个半环形。据目测，这个半环形的直径绝对超过一千米，这些巨大无比的建筑完全是用石块修筑而成，上面雕刻着各种各样的人像。

广场正中有个圆形人造水池，水池直径超过百米，里面有喷泉喷出，在那水池正中，耸立着一尊雕像。

看着那尊雕像，唐舞麟不禁心头一动，因为，这尊雕像他在唐门之中看到过。此人正是在唐门历史上唯一能够跟创派先祖唐三媲美的那一位，第一代传灵塔塔主，也是当时史莱克学院海神阁阁主，灵冰斗罗霍雨浩。

　　灵冰斗罗霍雨浩，是被誉为上古时代唯一有可能化身成神的存在！连这里都有他的雕像，可见在当时的大陆上，他的影响力有多么大。

　　唐门有他的雕像，这里有，传灵塔无疑也有。唐舞麟眼中闪过一丝向往之色。

　　"这个广场叫灵冰广场，是万年前史莱克外城开始建造、内城决定全部划归学院所有时修建而成的。现在这里是史莱克学院外院的主教学楼，这个广场就是以万年前叱咤风云的灵冰斗罗霍雨浩的封号命名的。你们应该都听过他的故事，我就不多说了。走吧，跟我进教学楼。"

　　沈熠简单地解释了一句，就带着他们向那巨大的半环形建筑走去。

　　走得越近，楼体表面的一尊尊雕像也就能够看得越清楚。

　　"这些都是内院弟子的雕像，凡是能够进入史莱克学院内院的弟子，都会有一尊雕像留在这里，以作为纪念，同时也是对史莱克学院历史的见证。"

　　沈熠看出了他们心中的好奇，又解释了一句。

　　走进楼内，首先给他们的感觉就是恢宏大气，层高超过十米，整栋大楼大约有六层的样子，而且墙壁上都是壁画，连穹顶也有，建筑风格更倾向于古朴典雅。

　　沈熠一边向前走一边说道："这座大楼被命名为史莱克楼，墙上的壁画，记载着史莱克学院自成立以来两万年间所发生过的重大事件。"

　　这才是底蕴啊！两万年的底蕴。

　　这种感觉怎能不令人赞叹。无论是唐舞麟、谢邈，还是古月和许小言，在进入这里之后，都有种要膜拜的感觉。

　　他们终于明白，为什么史莱克学院被称为所有魂师的圣殿。来到这里，根本就是有着朝圣的感觉啊！如果能够在这样的地方学习，对他们的提升可想而知，那必然会是终生难忘的美妙经历。

第一百八十二章
有小怪物的潜力

唐舞麟只觉得自己体内的血液在沸腾，双手下意识地握紧成拳，同时，他心中的惭愧也更加强烈了，因为自己，差点让伙伴们失去考这所学院的机会啊！

留在这里，一定要和伙伴们一起留在这里！

虽然只是初见，但在这一刻，他心中只有这个念头。

史莱克学院，是任何魂师都不可能有免疫力的地方。

他们走过了一片穹顶地带，登上石阶继续深入。从两侧的拱形窗户能够看到外面的绿地，那是一片片巨大的绿地，高低起伏，但在绿地的另一边，依旧是这种石头修建而成的建筑。他们根本无法判断出这主教学楼究竟有多大！先前正面的环形建筑，很显然只是它的一部分啊！

难怪先前沈熠说史莱克不差钱，单是如此规模的建筑，就要多少钱啊？

唐舞麟深吸一口气，整个人的感觉都变得不一样了。进入这里，一定会是一生中最美妙的事情。

又绕过两道回廊，沈熠带着他们来到了一个圆形大厅之中。这个大厅的高度超过二十米，穹顶依旧画着壁画。

众人抬头看时，身体都不自觉地震颤了一下，那壁画虽然距离他们足有二十米，但抬头看去，依旧有种泰山压顶般的感觉。

壁画中只有一个生物，那是一条巨大的黑龙。它有一双金色的眼睛，巨大的翅膀张开着，全身释放出暗紫色的光晕，身上的鳞片清晰可见。巨大的压力由此而来，仿佛要令整个空间塌陷。

唐舞麟的反应是最小的一个。当他感受到那从天而降的威压时，体内一热，血脉的气息随之涌出，他似乎感觉到自己的血脉中涌出的是一种高傲的意念，硬是让他挺直腰杆，不至于受其影响。

古月的反应仅次于唐舞麟，她的身体震颤了几下，眼眸中闪过震惊之后，就渐渐恢复了正常。

但许小言和谢邈的反应就比较强烈了。

许小言身体一颤，险些摔倒，小脸瞬间变得苍白。

谢邈的情况更加不堪，他身体一晃，直接就向地上倒去，幸好被唐舞麟一把拉住，这才没有真正摔倒。而且，说也奇怪，当他被唐舞麟拉住的一瞬间，他就感觉到自己的身体仿佛被唐舞麟身上传来的气场笼罩住了，那强烈至极的恐惧感也随之减弱了许多，总算能勉强站稳了。

沈熠不知道什么时候已经消失了，在这圆厅内，就只剩下他们四个人。

空中传来的压力不断增强，犹如海浪一般。

唐舞麟眉头微皱，他分明感觉到，谢邈的身体在剧烈地颤抖着，仿佛随时都有可能崩溃。

唐舞麟很聪明，当他恢复过来的时候，发现沈熠不见了，他立刻意识到，这个地方应该没那么简单，很可能就是他们入学考试的一部分。

"哼！"一声冷哼从唐舞麟鼻中发出，他的双眸深处，闪过一抹淡淡的金色，体内血脉之力也被他瞬间调动起来。

唐舞麟立刻感觉到，自己的右臂迅速覆盖上了金鳞，和以前相比，力量明显又提升了一大截，更重要的是，这次连他自己都能感受到自己气血的旺盛了。

鳞片开始蔓延，从右臂到右肩，再从右肩到锁骨、右胸，一直将整个右侧胸肌和右侧背肌完全覆盖才停下来，就连唐舞麟脖子的右侧，都多了些许金鳞。

强盛的气血波动随着他刚刚那一声冷哼迸发而出，化为一层无形护罩，将伙伴们全都笼罩在内。

说也奇怪，他这一声冷哼之下，壁画中的黑色巨龙散发出的威压骤然被削弱了，在气血气息的庇佑下，谢邈也随之恢复了正常。

他还感受不到唐舞麟强盛的气血气息，但能感觉到，站在唐舞麟身边特别有安全感。那种感觉就像是天塌了也有个高的顶着似的，只要在唐舞麟身边，似乎一切就都不是问题。

"咦。"轻咦声响起。沈熠从旁边一根石柱旁走了出来，和她一起出来的还有一名老者。

老者身穿墨绿色长袍，脸上露出惊讶之色，看着唐舞麟微微颔首："不错，有小怪物的潜力。这么多年来，我还是第一次看到，能够用自身气势直接顶住金眼黑龙王威压的人。"

唐舞麟他们并不知道，此时他们头顶上方的壁画，乃是史莱克学院一位擅长绘画的封号斗罗绘制的。之所以会产生如此强烈的威压，是因为他在绘画的时候，在墨水中加了一滴金眼黑龙王的鲜血。金眼黑龙王，曾经星斗大森林中顶级的存在。

而当时金眼黑龙王流下的血液，就是其在和史莱克学院某位大能战斗时滴落的，然后被收集了回来。

所以，这幅画才会有这样的效果。

对于参加入学考试的学员来说，这是对精神力的考试。

坚持的时间越长，精神力考试的分数就越高。

沈熠眼中也满是惊讶，一直以来，在零班这个团队之中，她最看重的就只有一个人，那就是古月，却没想到，才刚刚来到这里，刚刚开始考试，她就看到了惊喜，这个惊喜却来自唐舞麟。

她在史莱克学院这么多年，还从来没听说过在这里有人能够用自己的气势令金眼黑龙王威压失效的。就算那些精神力特别强大的存在，顶多也就是用自己的气息顶住金眼黑龙王的威压而已。

"李老，那他们这项评分……"

李老看了一眼唐舞麟："这个小家伙满分，其他三个人嘛……运气也是实力的一部分，就每个人八分吧。"

"谢谢李老。"沈熠眼中露出一丝喜色。

根本不用她吩咐，唐舞麟四个人已经向老者躬身行礼。

老者微微一笑："我也是给浊世那老家伙一个面子。你们可是来晚了啊！"说完这句话，他已经转身向一旁走去。在临走之前，他还特意看了唐舞麟一眼，点了点头，不知道在想些什么。

"考试分为多项，每一项最高分是十分，六分及格。考完所有的项目后，算总分。单项不及格会有额外的扣分，单项满分会有额外的加分。所以，第一项考试，你们运气不错。"沈熠很满意地点点头。

"跟我来。"

好快，第一项考试就这么结束了？

谢邀向唐舞麟比出大拇指，他们现在也都已经明白，刚刚进行的第一项考试考的就是精神力。精神力越强，对抗精神威压自然就能够坚持更长的时间。

谢邂现在的精神力，在普通魂师之中虽然已经算是不错的了，但在这里，以他刚刚的表现，绝对是不及格的。

古月的分数可能会更高，但谢邂和许小言正常情况之下绝对到不了八分。

第一关顺利通过，也让四个人精神一振。他们在前进的过程中，下意识地就变成了唐舞麟走在最前面，谢邂跟在他身边略微落后，古月和许小言走在后面，保持着平常的战斗阵形。

他们穿过一道回廊，又进入一座大厅之中。沈熠停下脚步，转身向四个人道："你们在这里等一下，稍后是第二项考试。"

她没有说考试的内容是什么，能让他们参加考试已经是破例了，之所以说考试的难度会更大，就是因为他们不需要像别的考生那样排队，而排队本身是个休息的过程，他们少了这个过程，只能凭借自身的实力挺过去，无形之中就加大了难度。

唐舞麟向大家使了个眼色，许小言和谢邂毫不犹豫地盘膝坐在地上，调整着自己的状态。刚刚的精神威压对他们还是有一定影响的。

古月却向唐舞麟摇了摇头，示意自己没事。

正在这时，他们突然感觉到，整个大厅之中的光线暗了下来，就像是夜幕降临一般。

这会儿才刚刚是正午啊！距离夜晚还早得很。

地面上，一道道奇异的光线亮起，这些光线都是淡银色的，它们彼此交织，勾勒出一幅绚丽的画面。而他们头顶上方的穹顶，也发生了变化。

这处穹顶上的壁画画的是夜空，而这一刻，夜空仿佛变成了真实的，无边无际。

古月眉毛一挑，唐舞麟立刻唤醒了刚休息不久的谢邂和许小言。

地上的银色图案悄无声息地消失了。而这一刻的他们，就像是悬浮在夜空中一般，进入了一个奇妙的世界。

"牵手！"唐舞麟沉声喝道。他一只手拉住谢邂，另一只手拉住古月，古月拉住许小言，许小言再拉住谢邂，四个人围成一个圆圈。

唐舞麟脚下两个紫色魂环升腾而起，同时，一根根蓝银草从他体内涌出，围绕在四个人身体外围，形成一层防护。

在不知道对手是谁的情况下，他们现在能做的，首先是要保证四个人聚集在一起，然后才是应对。

突然间，天旋地转，周围的景物发生了剧烈的变化。

光线再次亮起的时候，他们赫然发现，夜空依旧，但他们已经身处一个巨大的圆形场地之中。

周围是震耳欲聋的欢呼声，而就在离他们不远处，一股强悍的气息传来。

这是哪里？

四个人刚想分辨，但正面传过来的巨大的压力已经令他们有些窒息。

定睛看去，那赫然是一头魂兽。这头魂兽看上去非常怪异，身长超过十米，身高超过五米，体形极其庞大，头上有两个角，一根长一点，一根短一点，而且全身都覆盖着如同铠甲一般的角质层，一双眼睛是猩红色的。

"大地魔犀，至少三千年修为。"谢邈沉声说道。

在升灵台的历练中，他们从来没有遇到过这种魂兽，因为这种魂兽并不是生活在森林中的，而是生活在大草原上的。

它的地位，虽然不如森林中的暗金恐爪熊，但也绝对是一种超强的魂兽。

"土系。"古月给出了她的判断。

唐舞麟没有吭声，却比出了几个手势。

古月、许小言转身就向后跑，拉开距离。谢邈则朝着侧面狂奔而出。

三根晶莹剔透的蓝银草随之缠绕上了他们的腰，以此保持四个人之间的联系。一道金光闪过，唐舞麟肩头已经多了一条小蛇。

金光和三年前相比，长大了许多，现在已经有一尺五长。金光身上的金色鳞片和唐舞麟运转血脉之力时出现的鳞片有点像，也是菱形的，而且非常有质感。

它顺着唐舞麟的肩膀盘绕而下，缠在他的左臂上。

"嗷！"大地魔犀发出一声低沉的咆哮，左前肢在地面上刨动了两下后，猛然加速，朝着唐舞麟的方向发起了冲击。

唐舞麟没有丝毫的惧怕，低喝一声，右臂瞬间膨胀，准备运转血脉之力。他正想试试，在解除了第二道封印之后，自己的力量究竟达到什么程度了。

所以，他没有后退，而是直接朝着大地魔犀冲了过去。

谢邈现在已经绕到了侧面，与此同时，一片黄色光芒出现在大地魔犀身体正前方的地面上。

泥土形成的地面变得酥软起来。土元素可以让大地坚硬，也可以让大地化为沼泽，古月手上，亮起的正是属于土属性的黄色光芒。

　　大地魔犀猩红色的双眼充斥着嗜血光芒，眼看着，它就要踏入那酥软地面，突然，它脚下释放出一层黄色光晕，顿时，前方的地面重新变得坚硬起来，它的速度丝毫不减，直奔唐舞麟而来。

第一百八十三章
金色魂环？

　　唐舞麟悍然前冲，然后整个身体突然腾起，一根根蓝银草拔地而起，正是蓝银突刺阵。

　　大地魔犀冲入蓝银突刺阵，庞大的身体顿时变得迟滞起来。但是，由于它太重了，冲击力也很强，所以蓝银突刺阵刺中它，也只是让它停顿了一下，效果并不明显。

　　趁着这个工夫，唐舞麟已经到了它身前。唐舞麟右手握拳，朝着大地魔犀轰去。

　　大地魔犀怒吼一声，一低头，长角就朝着唐舞麟的右拳撞来。

　　在同级别的魂兽之中，如果进行力量排名的话，大地魔犀绝对可以排进前三名，而暗金恐爪熊虽然力大，整体实力强悍，可实际上，它的力量在同级别的魂兽中也就是排前十名而已。

　　"轰！"唐舞麟只觉得自己仿佛被一辆战车正面撞上了似的，手臂一阵酸麻，身体也如同炮弹一般倒飞而出。但在飞出的同时，一根蓝银草藤蔓缠绕上了大地魔犀的脖子。

　　大地魔犀也被他这一拳轰击得停顿了一下，仅是如此，也足以让唐舞麟感到自豪了。

　　要知道，大地魔犀的恐怖，大部分都体现在它的力量上啊！

　　唐舞麟身在空中，简单地观察了一下四周，发现这里很像他以前看过的一本书里描述的上古时代的斗兽场。

　　那个时候，魂师会在一些大斗兽场与魂兽或者魂师进行比赛，从而获得利益。

　　在这里就有那种感觉。这大地魔犀的力量好恐怖，而且看上去，它的防御应该也超越了暗金恐爪熊，只是攻击威力不足而已。

一拉蓝银草，唐舞麟已经闪电般飞回。而就在这时，谢邂已经悄无声息地绕到了大地魔犀侧面，弹身而起，第二魂环闪亮，光龙风暴发动。

　　谢邂的战斗经验也很丰富，他当然看得出，这头大地魔犀本身防御极强，所以，他选择光龙风暴正是想破开它的防御。

　　敏攻系战魂师的攻击力在同级别魂师中是最强的，谢邂也不例外。

　　大地魔犀刚想要追击唐舞麟，就被他命中了。

　　光龙风暴当然还不足以破开防御，但带给大地魔犀刺痛感是毫无问题的。只要做到这一点，谢邂的目的就已经达到了。

　　大地魔犀吃痛，前肢猛然抬起，再悍然落下。而就在这时，空中的唐舞麟在蓝银草藤蔓的拉拽下反向回弹，他右手一抖，缠绕在谢邂身上的那根蓝银草顿时传出一股大力，将谢邂直接甩到了空中。

　　"轰——"大地魔犀右前肢落地，一圈刺目黄光瞬间向外迸发，恐怖的力量足足蔓延出五十米才渐渐收歇，几乎到了古月和许小言所在的位置。

　　战争践踏！大地魔犀释放了群体攻击魂技。

　　唐舞麟的动作已经很快了，但谢邂还是被黄光击中了，他顿时感觉到全身剧烈震颤起来，身体一阵发麻。谢邂赶忙催动自身魂力，调整体内的状态。

　　而就在这时，唐舞麟已经反弹到了大地魔犀头顶上方。他右手探出，金鳞覆盖的同时，右手化爪，变成攻击力很强的金龙爪。

　　对付大地魔犀最大的问题是破开防御，但唐舞麟对自己很有信心。金龙爪自带粉碎效果，只要能够破开它的防御，这笨重的大家伙被击败只是时间问题。

　　但是，令唐舞麟意外的情况出现了。

　　当金龙爪出现的刹那，唐舞麟只觉得全身的血液都沸腾起来。身上的两个紫色魂环突然隐没，取而代之的，是一圈金色。

　　金色魂环？

　　看到这奇异的一幕，正在准备释放魂技的许小言、古月，都呆了一下，以至于动作慢了一拍。而空中的谢邂也刚刚恢复行动能力，正准备继续骚扰大地魔犀，吸引它的注意力，此时看到这一幕，眼睛也是下意识地瞪大了。

　　那金色魂环光芒大放，使唐舞麟全身都蒙上了一层灿烂的金黄色，右臂和金龙爪上的淡金色龙鳞也随之变成了灿金色。

　　一股股强盛的气血之力蜂拥而出，令唐舞麟感觉到自己的力量瞬间暴增了。

"轰——"大地魔犀一甩头，唐舞麟又一次飞了出去。

力量和身体突然出现变化，令他一下子有些不适应，以至于错过了最好的攻击时机，只能用金龙爪勉强挡住大地魔犀的长角。

和先前强烈的震荡相比，这次，唐舞麟感觉好多了，至少右臂没有传来酥麻的感觉。

看着自己身上浮现出的这层金色光芒，他的表情不禁变得古怪起来。就在这时，古月大声呼唤道："小心。"

地面，黄色光芒涌动，大片的地突刺出现在唐舞麟身体周围。他刚刚坠落在地，来不及闪躲。

但是，诡异的一幕出现了，当这些地突刺刺中他的身体时，他身体表面的金色光芒与皮肤融合在了一起，虽然瞬间就被撞到了空中，却并没有穿透他的身体。

痛彻心扉的感觉传来，令唐舞麟忍不住闷哼一声，但他也随之醒悟。

这金色光芒，似乎是对我身体的增幅？

这难道就是老唐先前说过的惊喜吗？

顾不得思考，他的身体在空中翻转一周，右手一拉缠绕在大地魔犀头上的蓝银草，再次如同苍鹰一般，朝着大地魔犀扑了过去。

在所有的元素属性中，土属性是最擅长防御的，也是最为稳固的，几乎没有什么属性能够全面克制土属性。

所以，大地魔犀才那么难对付，它的防御力实在是太惊人了。

队友的支援终于到了。谢邈的身体在空中一晃，瞬间幻化成三道身影扑向不同的地方。同时，还有另外三道身影随之出现，不过这三道却是隐形的。

影龙匕最强悍的地方，就在于它的隐蔽性。此时，谢邈施展的正是他的第三魂技，而且是组合第三魂技，双龙分身。

光龙分身可以分出三道身影，影龙分身同样可以分出三道身影。一共六道身影，同时从六个方向，朝着大地魔犀发起了攻击。

其中正面的两道身影，直接攻击大地魔犀的双眼。无论它的身体防御能力有多强，这眼睛也是一样脆弱的。

大地魔犀下意识地一闭眼，用自己厚实的眼皮来抵御谢邈的攻击。

双龙分身需要的魂力太多，以至于谢邈在这种情况下无法再用出其他魂技，但六道身影同时攻击所产生的干扰还是起到了一定的作用。

不仅如此，一道星光骤然出现在大地魔犀脚下，星光璀璨，一根根冰链缠绕而上。大地魔犀正准备冲向古月和许小言，此时，动作一顿，庞大的身躯就像是被固定在地面上。虽然只是一瞬间，但以它的体重，出现这样的停顿，庞大的身躯顿时有些失去了重心，向前倾倒。

目前，他们正处于类似夜晚的情况下，所以，星轮冰杖变异产生，释放出了星轮冰链。

要知道，当初连舞长空那种层次的强者都在许小言的这个魂技上吃过亏，就更不用说眼前这大地魔犀了。

古月的攻击没有发动，本来她已经开始准备了，但就在这时，她收回了魂力，也收回了自己的魂环。

从先前的吃惊中恢复过来，许小言立马释放了星轮冰链。星轮冰链困住大地魔犀的刹那，唐舞麟再次来到了大地魔犀的头顶上方。

灿金色的金龙爪悍然落下，目标所指，正是大地魔犀后颈和头部连接的地方。

这家伙的防御力实在是太强了，唐舞麟不知道自己的攻击能否攻入其头骨，所以选择了后颈和头部连接的地方作为攻击的目标。

金龙爪和大地魔犀背后角质层鳞甲接触的一瞬间，唐舞麟身上所有的金光仿佛都集中到了金龙爪上，一时间流光溢彩。

粉碎效果直接发挥作用，角质层鳞甲瞬间破碎，金龙爪刺入。

大地魔犀庞大的身躯"咕咚"一声就摔倒在地上。被切断了中枢神经，它瞬间就失去了对身体的控制能力。

好强的力量。唐舞麟看着自己拔出却没有沾染半分血迹的金龙爪，一时间神情变得有些怪异。

解除第二道封印后的种种好处终于显现出来了。

首先，就是这奇异的金色魂环。似乎在自己催动金龙爪的时候，它就会自然而然地出现。如果说蓝银草武魂动用的是自己的魂力，那么，这金色魂环调动的就是自己的身体能力和体内的气血之力了。

金龙爪奇异地不再消耗魂力，可在使用它的过程中，唐舞麟能明显感觉到自己体内气血涌动，而气血消耗带来的直接后果就是……他更饿了。

金龙爪的消耗降低，但被金鳞覆盖的地方力量明显增强，以至于整个右侧身体的力量都变强了不少。

果然是整体大幅度提升了，不然的话，想要杀死这大地魔犀哪有那么容易。

隐约中，在唐舞麟脑海中出现了那个金色魂环带来的魂技的名字，黄金龙体。

黄金龙体是一种令自身力量、速度、攻击、防御能力全面提升的强大辅助能力。其中，对力量的提升应该是最大的，因为在后来对抗大地魔犀时，它对唐舞麟的力量压制没有那么明显了。

当然，能够这么快就击杀这个大家伙，还有一点非常重要，那就是许小言的星轮冰链，给唐舞麟制造了一击毙命的机会。不然的话，大地魔犀可是有着不少攻防魂技的。

正在大家欢呼的时候，周围的一切重新归于黑暗。

那星空就像是扭曲了一般旋转起来，晕眩感只持续了很短的时间，视线重新变得清晰，他们又回到了那个大厅中。

四个人依旧面对面，手拉手，似乎先前的一切都是幻觉。

在升灵台，他们有过前往虚幻世界战斗的经历。但那是依靠仪器进行的啊！可在这里，为什么一切发生得这么自然而然呢？

真是令人摸不着头脑啊！

沈熠再次出现在他们面前，这一次，她的表情变得更加古怪了。

第一百八十四章
——威武霸气过三关——

史莱克学院入学考试，第二项，斗兽场。

斗兽场内参与的人越多，要对抗的魂兽实力就越强、数量就越多。这项考试的要求是，在魂兽的攻击下，至少生存一分钟，对魂兽能够造成创伤的，有额外加分。

沈熠之所以没有告诉唐舞麟他们考试规则，是那位要求的，可是，她也没想到，这几个小家伙如此厉害。

那可是大地魔犀啊！就算以她的实力，不凭借斗铠的辅助，想要干掉一头修为超过三千年的大地魔犀，也要费一番工夫，毕竟，大地魔犀的防御那么强悍。

可是，这几个小家伙，就这么将大地魔犀给击杀了。那唐舞麟是怎么做到破开其防御的？还有，他身上的金色魂环又是怎么回事。怎么看，他这都是双生武魂啊！可是，舞长空从来都没有提过这件事。

"第二项考试，斗兽场。唐舞麟，十分；谢邈，十分；古月，八分；许小言，十分。"

"咦，我们这么高分吗？"谢邈惊喜地说道，他没想到自己竟然也能得到十分。

沈熠点了点头，道："这是因为，你们击杀了大地魔犀。考试要求并没到击杀这一级。所以，就算是没有直接攻击的古月，也有较高的分数。继续，跟我来。"

走在前面，沈熠心中不禁有种奇异的感觉，这几个小家伙，还真有些像小怪物呢。

他们的实战能力很强，不仅是配合，还有处变不惊的态度。

沈熠何等眼力，她在监控中看到，在面对大地魔犀的时候，他们中没有一个人露出惊恐之色。其中，古月最平静，而唐舞麟、谢邈和许小言眼中露出的分明就是兴奋啊！

　　谢邈当时还叫出了大地魔犀的名字，这就意味着，他们是知道大地魔犀的实力的，在这种情况下依旧没有退缩，反而更加强悍地冲了上去。这只能说明一件事，那就是他们足够强，至少他们曾经面对过这种层次的对手。

　　师兄，看来你真的没少在他们的实战上下功夫啊！

　　和她的赞叹相反的是，唐舞麟此时眉头已经微微皱起，他扭头看向古月，递出一个询问的眼神，古月向他轻轻地点了点头。

　　前两项考试顺利通过，成绩也不错，但这并没有让唐舞麟放松。他们的考试是不间断的，这就意味着，他们根本没有休息时间。

　　以他们现在的修为，在不冥想的情况下，魂力的恢复速度是非常慢的。后面的考试还不知道有多少关，继续这样下去，魂力一定会用完。

　　幸好，唐舞麟现在多了一种血脉魂环的力量，和自身魂力相互依托。许小言用过一次星轮冰链困住那头大地魔犀，虽然只是一瞬间，但她的魂力消耗了至少三分之一，这还是唐舞麟下手快，不然她的消耗还会更多。

　　他看向古月是想问她，她的状态怎么样。古月向他点头是告诉他，自己的状态还好。

　　经过前面两关，他们已经发现，这不愧是史莱克学院的考试，刚开始就这么难，后面肯定会更难吧。

　　沈熠推开一扇大门走了出去，带着他们来到一片石楼之间的空地上。这第三项考试总算是清晰地呈现在了他们面前。

　　那是一片大门，一扇连着一扇，组成了一大片，至少有上百扇，每一排大门数量不等。

　　准确地说，这些大门应该称为铡刀门。大门其实只有一个门框，上面悬挂着一柄宽两米、高一米、厚半米的巨大铡刀。如此巨大的铡刀，就算是一头牛放在下面，恐怕都能一刀切成两半吧。

　　"第三关，考应变。我喊'准备'后，你们有一分钟的准备时间，我喊'开始'，你们就要从这里穿过去。六道门三十秒以内完成，六分；每少三秒，加一分；多三秒，减一分。我要提醒你们的有两点：第一，每通过一道门，铡刀落下的速度就越快；第二，这一关是可以有负数的，如果始终无法通过，那么，后面的考试就不用进行了。铡刀，起！"

她一边说着，一边朝着一个方向比了个手势。"嘎嘎"声响起，那一柄柄巨大的铡刀动了起来。

"锵！"最前面的一柄巨大铡刀从天而降，狠狠地斩在门下的凹槽之中，火星四溅。单是那恐怖的声音，就足以令人震撼了。然后它又快速升起，再次斩落，又是"锵"的一声巨响。

后面的一柄柄铡刀飞快落下，一时间，这片空地上响起一片"锵锵"声。

"准备，一分钟倒计时开始。"根本没有给唐舞麟他们过多的思考时间，沈熠直接开始倒计时。

唐舞麟飞快地说道："三十秒内要通过六扇铡刀门，古月，测试铡刀威力。"

面对这种考试，冷静是最重要的。

谢邂眼中光芒闪烁，跃跃欲试，但许小言的情况就不太好了，脸色苍白，显然是被这些铡刀吓住了。

古月一如既往地很冷静，听了唐舞麟的话，她将右手抬起，一团蓝色光芒在她掌心上方凝结，一根长达两米的巨大冰锥顿时从那第一扇铡刀门下方钻了出来。

"轰——"铡刀落下，冰锥瞬间破碎，化为齑粉。

"力量强度大约三千千克。"古月立刻给出了判断。元素和她有精神联系，通过攻击力就能做出准确判断。

唐舞麟道："你可以吗？"

古月道："我可以保护一个人。"

唐舞麟道："谢邂。"

谢邂原地跳了跳："我没问题。"

唐舞麟刚要继续安排，古月却突然说道："这样好了，我用魂技保护小言，你背着我，你的身体强度硬扛应该问题不大。谢邂跟着我们，保持速度和应变，应该没问题的。"

唐舞麟愣了一下，他原本的计划是，谢邂和古月自行通过，他背着许小言过去，这样才是最合理的办法。古月的方式当然也可以，但他总觉得有些怪，疑惑地看向古月。

古月小脸微微一红，但很快就恢复了正常。

"十、九、八……"

沈熠开始倒计时了，这意味着，他们的第三项考试马上就开始了。

唐舞麟深吸一口气，这个时候已经没有时间再调整了。古月飞快地跑向他，然后轻轻一跃就落在了他身上。与此同时，她双手轻微挥动，三道青光分别落在了唐舞麟、谢邀和许小言身上。

许小言恐惧地看向看着面前铡刀，不敢上前。

古月道："小言，别怕，你走最前面。我会用土元素支撑住铡刀。我们跟在你后面，你只要加速前行就可以了。"

许小言咬紧牙关，点了点头。

"三、二、一，开始！"随着沈熠一声大喝，考试正式开始。

古月口中发出低低的吟唱声，双手翻转，身体完全由唐舞麟抱住她的大腿来保持平衡。一团黄色光芒须臾之间就从第一扇铡刀门下方涌出化为一根石柱，支撑在那里。

"锵！"铡刀门落下，斩击在石柱上。顿时，整根石柱剧烈地一颤，石柱表面出现了很多裂痕。

"快！"古月大喝一声。

这时候许小言的眼神也变得坚定起来，大家在一起配合这么久了，彼此的信任早就达到了很高的程度，她身体向下一蹲，钻过了第一扇铡刀门。谢邀此时也飞快地钻了过去。

唐舞麟背着古月在最后。当他走到铡刀门的时候，那石柱突然崩塌了。

巨大的铡刀从天而降。

古月猛地闭上双眼，双臂紧紧地搂住唐舞麟的脖子，但没有要跳下去的意思。

唐舞麟只觉得自己的身体被她一下就箍紧了，她的双腿缠绕在他腰间，特别有力，或许是因为紧张，古月的心跳明显很快。

面对落下的铡刀，唐舞麟很平静，不就三千千克吗？而且还是经过了石柱削弱后的下坠力度。

唐舞麟右手抬起，体内血气奔涌，金龙爪悍然出现，直接抓向了那巨大的铡刀利刃。

沈熠在旁边都已经看得呆住了。

她见过无数通过这铡刀门的学员，他们的方法不一，但像唐舞麟这样，直接用手去抓铡刀的，她还是第一次见到。那可是重量超过一千千克的铡刀啊！加上下坠的力量，应该超过了三千千克。

他不会……

沈熠下意识地眯起了眼睛，她真怕看到血光崩现的一幕。

但显然这是不可能的。

唐舞麟的金龙爪稳稳地接住了铡刀，只是他的身体略微下蹲了一下。他大喝一声："起！"右臂用力，猛地向上一托，悍然将那铡刀推了起来，然后脚下一步跨出，带着古月过了第一扇门。

"老大，非人类啊你！"谢邂怪叫一声，许小言眼中的恐惧也明显减弱了许多。

"古月，不用你了，我可以。"唐舞麟试过了这铡刀的力量以后，信心大增。他大步上前，直接来到了距离自己最近的第二扇铡刀门面前。

面对轰然落下的铡刀，他同样抬起右手，悍然一抓，将铡刀向上推起，许小言和谢邂先行通过之后，他再带着古月钻了过去。

那令人恐惧的铡刀，在他和他的金龙爪面前，就像是玩具一般，一扇扇落下，一扇扇被他托举而起。

就这样，他们连过六扇门。

沈熠有些无语了，这几个小家伙越来越像怪物了。这一关，本来是要考学员的应变能力、反应能力以及勇气的。

面对这种巨型铡刀，思考的时间那么短，这就要求学员的应变能力必须特别强才行，而勇气又是应变能力的基础。

很多学员的实力是足够的，冲过铡刀门毫无问题。但是，面对那一扇扇巨大的铡刀门，内心的恐惧会令不到十五岁的他们直接崩溃，以至于，很多人都在这一关犹豫不决。

对于零班的四个人来说，通过似乎是再简单不过的事情，可对于很多来到这里的考生而言，这一关却是最难的。

时间限制，再加上对勇气的考验，让他们根本就没办法在规定时间内过去。

单是这一项考试，就会淘汰过半的考生。第一关精神考验其实大多数人还是能够通过的。毕竟，他们都是各大城市筛选出来的精英，精神力总不会太弱。而第二关斗兽场，大家的整体实力也还能发挥出来，总体得分也不低。可是到了这里，面对那巨大的、恐怖的铡刀，考生们就没那么容易通过了。

正常情况下这里是一个一个地进行考试，没有团队协作的可能，事实上也没有足够的思考时间。而勇气足够的话，就要看反应能力和判断力了，因此，这在唐舞麟看来并不怎么艰难的第三关，其实是一项综合性的考试。

而唐舞麟面对这样的考试，丝毫没有畏惧。他根本就没考虑过这考试有多难，心里始终抱着一个坚定的信念，那就是，一定要通过。

而且，他从来都不缺乏勇气，不然的话，当初他怎么可能用自己的身体替古月挡住武魂融合技？

至于其他人，有他这如同擎天柱般的存在，直接就坐了顺风车。

"十四秒！"这是四个人通过六扇门所用的时间。

唐舞麟只是甩了甩右手，收回了金龙爪，一切看上去再简单不过。

他脸上露出满意之色，这一关不错，除了自己消耗了一些气血之力和魂力外，伙伴们的消耗都不大。

之前通过第二关的时候，唐舞麟就明白，接下来的考试项目繁多，他们从现在开始就要合理地分配魂力了，而且一定要控制好魂力消耗，不然的话，走不到最后。

所以他刚才才让古月停止使用元素控制，尽可能节省她的魂力。古月在四个人之中最强，前面唐舞麟扛了，后面就要看她的了。

第一百八十五章
接下来考特长

"你们四个都是十分。"沈熠尽可能让自己的表情看上去显得平静一些，淡淡地说了一句话后，就继续向前走去。

原本她还挺担心这几个小家伙的，连续考试毕竟不容易，但现在看来，自己的担心是多余的。他们连过三关，而且都是高分通过，在很多人看来非常难的第三关更是都得了满分，虽然不是有史以来最快通过的，但绝对是最霸气的。这个唐舞麟，不愧是零班队长啊！难怪以古月那么好的天赋，都对他心悦诚服。

"你可以下来了。"唐舞麟拍了拍古月缠绕在自己脖子上的手臂。

古月此时低着头，整个脑袋都埋在唐舞麟的脖子处，她就像是没听到唐舞麟的话似的，依旧保持着刚才的动作。

唐舞麟愣了一下，有些担心地道："难道，刚才伤到你了？"

古月轻轻地摇了摇头，低声道："你，你再背我一会儿，我有点害怕。"

旁边的谢邀和许小言看到这一幕，脸上的表情都变得古怪，古月会害怕？这个词会出现在她的世界中吗？他们眼中的古月，一向是什么都不在乎的。除了跟他们几个人关系还好之外，她几乎很少理会外面的人，平时总是一副生人勿近的模样。

这几年来，她跟唐舞麟、谢邀和许小言的接触都不多，只要是放假她就会去传灵塔那边。可不知道为什么，考试开始之后，她似乎变得热情了一些，准确地说，是对唐舞麟热情了，而且还非常明显，现在就更是如此了。

这究竟是怎么回事？

古月的双腿在唐舞麟腰间缠绕得很紧，他总不能把她拉下来，所以也就只能由她这样了。

重新回到楼内，沿着走廊继续向前，上楼。他们来到了这座主教学楼的第二层。进入第二层，装饰一变，墙壁变成了白色，穹顶也是如此，上面却用金纹刻画着一些奇怪的东西。

"这是……魂导器设计图？"许小言惊讶地说道。她选择的是机甲设计专业，机甲设计的基础就是魂导器设计，自然是一眼就认了出来。

以魂导器设计图作为装饰？唐舞麟是看不懂的，他只是觉得这些设计图非常复杂，如果是精神力较弱的人一直看着，恐怕会头晕目眩吧。

正在思索之间，他们就被带到了一个大房间之中。沈熠指了指摆放在房间一侧的椅子："你们在这里等，我去请考官来。这一关，考的是你们的特长。只考一项特长，所以，你们要想清楚你们要展现的是什么。主特长，和你们自身实力有关的。"说完，她转身就走了。

"主特长？"谢邈愣了一下。

古月这会儿总算是松开了唐舞麟，率先找了把椅子坐了上去，却什么都没有说，只是盘膝在椅子上开始冥想。

唐舞麟在她身边坐下，说道："这个简单，所谓特长，就是我们作为魂师最强的地方。譬如，你是敏攻系，那你就要将自己的敏捷展现到极限，体现出比同类魂师强的地方。当然，你和普通的敏攻系魂师不同，你是双生武魂，所以，我建议你展现双生武魂加敏攻系的能力。大家的情况差不多，展现出自己的特殊能力就好。"

许小言眉头皱起："队长，那我怎么办啊？我要晚上才行。"

唐舞麟微微一笑："好办，用语言来描述。我们先前在第二关的时候，你已经展现过你的能力，不难求证，你只要尽可能地将自己的特长说出来就行了。只要是真实的，不一定非要展现出来才行吧。"

许小言眼睛一亮："我明白了。"

唐舞麟道："好了，大家赶快抓紧时间休息，机会难得。"他一边说着，一边闭上了双眼，开始冥想。

气血的力量和魂力也是息息相关的，魂力旺盛，气血也会随之旺盛。在没办法吃东西的情况下，他只能依靠魂力的提升来恢复体力了。

不过，考官显然没打算给他们太多时间。不到五分钟，沈熠就回来了，和她一起走进来的还有另外三个人，两名中年人和一名老妇人。

老妇人手持拐杖，步履蹒跚地走进来，在场地一侧的长桌后坐了下来。两名中年人明显对她非常尊敬，直到她坐下后，他们才分别落座，而沈熠则是站在一旁。

老妇人抬眼向对面的唐舞麟四个人看去，此时四个人都坐在那里冥想，根本就没有注意到他们的到来。

老妇人微微一笑，有些沙哑的声音响起："倒是挺会利用时间的嘛。好了，小熠熠，叫他们开始吧。"

"是，蔡老。"沈熠对这位老妇人称呼自己的方式没有任何不满，恭敬地答应一声后，快步来到唐舞麟四个人身边，将他们从冥想中唤醒。

"考官来了，你们谁先来？"沈熠低声问道。

唐舞麟看向伙伴们，眼中露出思考之色，他们是四个人，而且是一个团队。对于考官来说，一定会产生先入为主的念头，那么，这个顺序就有讲究了。第一个出场的，一定要给考官留下深刻的印象，但又不能是最深刻的。

"谢邀，你第一个吧。"略作思考后，唐舞麟已有计划，然后他在谢邀耳边低声说了几句话。

"好。"谢邀点点头，立刻站了起来，走到场地中央。

"各位老师好。"他朝着老妇人和两位中年人深深地鞠了一躬。

老妇人呵呵一笑："小家伙，开始吧。机会只有一次哦，展现出你最拿手的。"

"是。"谢邀恭敬地答应一声，同时，脚下三个魂环已然升起，两黄一紫。三个魂环光芒闪烁，紧接着，谢邀的第三魂环，也就是那唯一的紫色魂环瞬间亮了起来。

谢邀摇身一晃，一个谢邀瞬间就变成了三个，并排而立，只是凭借眼睛去看，根本无法分辨出哪一个是真、哪一个是假。

三道身影再次向三位考官躬身行礼，与此同时，三道身影突然变得虚幻起来，然后同时迈开了奇异的步伐，猛然朝三个不同的方向跑去，而且同时举起了手中的光龙匕。

"当！"光龙匕都刺向空气之中，发出了轻响。三道身影的速度开始提升，宛如三道旋风一般，在场地中央以极快的速度移动，光龙匕不时刺出，不断地发出轻响声，似乎这三道身影正在和各自的对手对战着。

两名中年人的脸上都露出了惊讶之色，凭借着对魂力波动的感应，他们立刻就判断出，那无形的对手是真正存在的。

分身魂技不算什么，这在敏攻系魂技中是非常常见的。能够分出三道分身确实不错，但对于史莱克学院的学员来说，这种程度还不算什么。但是，如果是六道分身的话，那就不一样了，更别说其中还有三道是隐形的。

三十秒之后，三道身影合为一体，谢邂额头上微微见汗，第三次躬身向三位考官行礼："我的展示结束了。"

老妇人饶有兴致地看着他，道："小家伙，你是同类双生武魂吧？"

"是的。"谢邂一点都不奇怪对方一眼就看出了自己的秘密，因为这里是史莱克学院啊！

老妇人点了点头："不错。但是，你有个问题，你的控制不够。唐门的鬼影迷踪步乃是当世绝学，可你只是掌握了皮毛。不要急于求成、好高骛远。先把自己的鬼影迷踪步练好，再考虑让每一道分身都具备同样的能力。还有就是，你的精神力太弱了。三道分身，同类型性动作太多，根本就做不到每一个单独控制。精神力方面必须大幅度加强。三年之内如果到不了灵海境，你的未来也就那样了。"

谢邂本来对自己的表现还是有些小得意的，光龙分身加影龙分身，再加上六道分身一起用鬼影迷踪步互相打斗，他认为自己已经做得很好了。

但是，听了这位老妇人的话，他连一点辩驳的余地都没有。老妇人一针见血地指出了他的所有问题，而且都是非常关键的问题。

谢邂心悦诚服地再次躬身，头几乎碰到了自己的膝盖，这一次，他是真的服了。

"谢谢您的指点，我一定会好好努力的。"

"嗯。"老妇人点了点头，"下一个。"

谢邂回来了，脸色很不好看。第二个走上去的是许小言，唐舞麟先前也叮嘱了她几句。

"怎么了？灰心啦？"唐舞麟向谢邂低声问道。

谢邂苦笑道："是啊！我原本还觉得自己不错呢，看来，我这次考试悬了。"

唐舞麟胸有成竹地一笑："并不是。相反，我觉得你的得分不会低。那位老奶奶明显是这三位考官中的核心人物，如果你是朽木不可雕，她会和你说那么多话吗？而且，我们还是学员啊！我们是来史莱克学院学习的，如果我们直接就什么都会了，还用来这里吗？对不对？"

谢邂一愣，是啊！自己本来也不算太差，那位老奶奶只是为自己指明了未来发展的道路。

唐舞麟拍拍他的肩膀："看着吧。"

许小言此时已经走到了场地中央，和谢邈一样，先向三位考官行礼。

老妇人道："开始吧。"

许小言道："非常抱歉，三位考官，因为现在是白天，所以我的能力没办法展现出来。我的武魂，白天和晚上不一样，所以，从某种角度来说，我本来就是个怪物魂师，所以我才会来到史莱克学院。"

想要用言语直接打动考官也不是件容易的事情，所以，唐舞麟先前叮嘱许小言的就是，让她一上来就点出自己的与众不同。"怪物"二字，是史莱克学院校训里的关键词，这样自然就容易吸引三位考官的注意力。

"哦？那你白天和晚上不一样在什么地方呢？"老妇人左侧的中年人问道。

许小言右手抬起，脚下两个黄色魂环升起，掌中冰杖出现："白天，我的武魂只是冰杖，擅长控制和远程攻击。到了晚上，我会得到星光加持，魂技会全然不同，武魂会变异为星轮冰杖。"

老妇人眼睛微微一亮，"星轮冰杖？我记得，以前有个许家，是出这一类魂师的，但数量很少。你姓许？"

许小言惊讶地道："是啊！您知道我们家？"

老妇人淡然一笑："在魂师的世界中，史莱克学院不知道的事情很少。好了，你可以回去了。"

许小言一愣："可是，我还没说完。"

老妇人眉头一皱："知道你的来历，难道还不知道你那星光魂技吗？去吧。"

"哦。"许小言答应一声，再次行礼，然后就回来了。

唐舞麟此时已经站起身，向许小言点了点头，低声道："没问题的，放心吧。"

听了他的话，许小言顿时安心了许多。唐舞麟越过她，走向场地中央。

老妇人看着唐舞麟，眼中露出饶有兴趣之色："你很有威信啊！"

"啊？"唐舞麟被她说得有些发愣，但赶忙躬身道，"三位考官好。"

老妇人的笑容有些怪异："看起来，他们都很听你的，展现你的能力吧，让我们看看，你为什么能让他们如此信任。"

"是。"唐舞麟没有为自己辩解什么，他知道，自己先前对许小言和谢邈说的话，恐怕人家都听到了，真不愧是史莱克学院的老师啊！真的好厉害。

"我的能力是力量。"唐舞麟先解释了一句，然后眼中淡金色光芒一闪，体内气血之力涌出。

　　在他自己的世界中，他甚至能够隐约听到自己体内气血流动的声音，宛如长江大河奔流一般，然后他的右臂就膨胀起来，金鳞浮现。与此同时，那个金色魂环又一次出现了。

　　"咦？"先前一直面带微笑的老妇人，脸上第一次露出了惊讶之色，眼睛也明显睁得大了一些。

　　另外两名中年人也都是一脸惊讶。

第一百八十六章
——力量的检验——

正常情况下，魂环的颜色是固定的：白色代表十年，黄色代表百年，紫色代表千年，黑色代表万年，红色代表十万年。

常规魂环的颜色就是这几种。而在斗罗大陆的历史上，也并不是没有特殊颜色的魂环出现，而每一次出现特殊颜色的魂环都意味着又有强大的魂师产生了。

譬如，在史莱克学院的历史上，就曾经出现过金色魂环。

史莱克学院的初代七怪之首，唐门创始人唐三，就曾经击杀过一头百万年魂兽，从而获得了金色魂环。

而百万年魂环在整个斗罗大陆的历史上也只出现过两次，而第二次出现时，拥有它的就是传灵塔的创始人，传奇人物灵冰斗罗霍雨浩。

但霍雨浩的百万年魂环和唐三的又不同，他的百万年魂环是白色的，而且具有非常好的掩饰效果，看起来就像是十年魂环。根据后世魂师的分析，唐三那时获得的百万年魂环，是真正强大的魂兽拥有的，所以直接就是金色，而霍雨浩当时融合的百万年魂兽是一只幸运的天梦冰蚕，而这只天梦冰蚕是完全依靠睡觉将自己的修为提升到百万年层次的。所以，展现出的颜色有所不同。虽然后来这只天梦冰蚕随着灵冰斗罗实力的提升变得非常强大，但与唐三的百万年魂环还是有所不同。

在灵冰斗罗创造了魂灵之后，他身上甚至还出现过橙金色魂环，那是强大的凶兽魂灵带来的，一个魂环就能够附加多个魂技。

这就是历史上几次最著名的异色魂环出现的历史，也有其他魂师出现过异色魂环，但很稀少，而且也没有这么有名。

所以，当唐舞麟身上出现了金色魂环的时候，虽然只有一个，却立刻引起了史莱克学院这几位考官的注意。

但是，老妇人在惊疑过后，眉头皱起："你这魂环很特殊，好像并不是魂力凝聚而成的，而像是气血的波动。你的魂力却十分平静。这是怎么回事？"

唐舞麟坦然道："坦白说，我也不清楚是怎么回事，我只是知道，我的气血之力非常旺盛，这项能力应该是来自我的血脉。但是，它确实是一种魂环，因为它可以赋予我魂技。"

唐舞麟一边说着，一边迅速点燃了自己身上的金色魂环，一声低沉的龙吟随之从他身上迸发出来，他整个人的身体都略微膨胀了几分，全身都被这一层金色覆盖，那金色光芒顿时成为全场的焦点。

"这是……黄金龙体？你是黄金龙血脉？"老妇人突然失声说道。

唐舞麟愣了一下，这个魂技的名字之前是自然而然出现在他心中的，这位老妇人竟然知道？难道说，在斗罗大陆的历史上，还有人和自己一样吗？

不对，她说的是黄金龙，而自己体内封印的是金龙王，这两者应该是有所不同的吧。

正在他心念电转、不断思索之际，眼前一花，那老妇人已经到了他身前。

"打我一拳。"老妇人的眼神突然变得特别深邃，看着唐舞麟，眼中露出若有所思之色。

唐舞麟愣了一下："打您？"他有些迟疑了。尽管他明知道，能在史莱克学院做考官的，一定是厉害角色。可是，这位看上去风烛残年的老人，真的承受得住自己一拳吗？

自己以前的力量就有数千斤了，这附加了黄金龙体之后，恐怕要过万斤了。

"放心，我这把老骨头结实得很，你要是能够打死我，你直接就可以进海神阁了。"老妇人有些不耐烦地说道。

"那您小心了。"唐舞麟深吸一口气，然后一拳向老妇人挥出。

"啪！"唐舞麟只觉得眼前一花，然后手上一股大力传来，他攻出的拳头就已经被拍到了一旁。

老妇人斥责道："你没吃饭吗？用力。"

旁边的谢邈等人看得最清楚，当唐舞麟一拳轰出去的时候，那老妇人只是用手一拍，像是拍苍蝇似的，就把他那覆盖着金色鳞片的拳头给拍到了一旁。

他们可是很清楚唐舞麟力量的啊！就算没有使用全力，他也依旧是如同人形暴龙一般的存在，可就是……

唐舞麟这时也真正放心了，他猛地深吸一口气，胸口仿佛膨胀了几分似的，随着他的呼吸，这个大房间内的气流都出现了几分呼啸声，那一块块金色鳞片绽放出金色的光芒。他猛地大喝一声，又是一拳朝着老妇人轰去。

这一次就和先前截然不同了，在唐舞麟出拳的刹那，空气中传来低沉的气爆声。他的拳头甚至在空中带起了一道金色残影。

"啪！"脆响声中，唐舞麟的拳头停在了老妇人的掌心之上。

老妇人站在那里，纹丝不动，脸上也没有任何表情。唐舞麟只觉得自己似乎撞上了一堵柔韧的墙壁，轰出的力道瞬间都被化解吸收了。

这……

先前谢邈出现过的无力感也随之出现在唐舞麟心中。这也太强了吧，不用武魂，不用魂力，就这么接住了自己的攻击？

老妇人淡淡地道："就这些了？这就是你的力量？"

看着她眼中分明有些失望的眼神，唐舞麟心中顿时涌起一股傲气："我还可以更强的。"他用力地说出这句话，然后再次举起了自己的右拳。这一次，一道道金光流转，他的右手迅速变大，骨节粗壮，鳞片凸起，金龙爪随之出现。

在黄金龙体的加持下，金龙爪附近的空气隐隐出现了轻微的"哧哧"声，就像是空气被它压迫得破碎了似的。

老妇人眼底闪过一丝亮光："来。"

唐舞麟深吸一口气，猛地怒喝一声，第三次出拳。

这一次，他再也没有任何保留。这一拳轰出，他只觉得自己体内气血之力狂涌，在刹那间已经完全注入手臂之中。金龙爪轰出的刹那，一声嘹亮的龙吟也随之响起，但没有气爆声，因为空气似乎瞬间被强悍的金龙爪排开了。

老妇人站在原地不动，但这一次，她不再是出手，而是出拳了。

谢邈、古月和许小言突然看到，老妇人身体周围的光芒扭曲了一下，九圈光环一闪而没。他们甚至还没看清楚，老妇人的拳头就已经和唐舞麟的拳头碰撞在一起了。

"轰——"

唐舞麟的身体就像是炮弹一般倒飞而出，狠狠地撞在了二十米以外的墙壁上，整个人直接镶嵌在了墙上。

老妇人站在那里，依旧是纹丝不动。片刻之后她走向了长桌，淡淡地道："下一个。"

"队长！"

"舞麟——"

零班几人同时发出惊呼，飞快地跑了过去。

"咳咳！我没事。"

扒拉着身边的碎石，唐舞麟挣扎着从墙壁里爬出来，别说，这墙壁还真厚啊！

他确实是没什么事，刚才和老妇人的拳头碰撞在一起的刹那，他只觉得自己好像轰击在了一个巨大的气球上，然后一股强大的弹力就将他弹飞了。然后就这样了……

撞破墙壁，对他那强悍的身体来说不算什么。不过，他其实也并不好受。就是因为刚刚这三拳，他体内的气血之力又消耗了许多，现在已经明显感到有些虚弱了。

古月扶着他："真的没事吗？"

唐舞麟点点头："放心吧，我只是需要休息一会儿。其实，我还有点饿。"

唐舞麟心想：这会儿要是能饱餐一顿就好了，用不了多久，自己的气血之力一定就能恢复吧？可惜，这会正在考试之中，上哪里去吃东西啊。

他们几个没有看到的是，当老妇人一拳将唐舞麟轰飞的时候，沈熠以及另外两位中年人，脸上都充满了震惊之色，甚至惊讶得张大了嘴。

唐舞麟在椅子上坐下，深吸一口气，然后用玄天功来恢复气血。他的呼吸有些不均匀，看着那老妇人，眼底还不禁露出骇然之色，这位老妇人的实力，实在是深不可测啊！

古月走向场地中央，她的脸色明显有些不好看，她并没有像唐舞麟三人那样鞠躬行礼，只是微微地点了点头，道："我开始了。"

沈熠在一旁眉头微皱，面对史莱克学院的考官，古月恐怕是有史以来最傲慢的一位吧。

老妇人双眼微眯，靠在椅背上："开始吧。"

古月双眸一亮，脚下三个魂环同时升起，两黄一紫，只见她双手在身前一翻，一团柔和的淡黄色光芒就从她掌心之中绽放开来，正是土元素。

土元素开始在她掌心之中旋转，然后渐渐变得凝实，看上去越来越像是实体了。

元素控制，这是要展现精神控制力。三名考官都做出了这样的判断。

但是，接下来发生的一幕，却开始挑战他们的认知了。

古月左手托着那团黄色光芒，右手五指十分有韵律地轻轻抚触，那黄色光芒在她的控制下出现了一片片花瓣，最终化为一朵黄色的九瓣花朵。

九瓣黄色元素花缓慢地旋转着，其本身的凝实，令人有种赏心悦目的感觉。

坐在老妇人右侧的中年人微微颔首，元素属性武魂本来就是非常少见的了，小小年纪就能把元素控制到这种程度，充分展示了不俗的精神力和元素掌控度，看来这小姑娘实力不浅。

第一百八十七章
——我不愿意！——

正在这时，古月右手做出虚空一抓的动作，奇异的一幕出现了，空气中开始出现点点蓝色光芒，这些蓝色光芒都朝着她掌心凝聚而去，然后瞬间化为一个蓝色光团。

水元素掌控？

蓝色光团被古月放在了先前的黄色光团上，然后同样被拉出一片片花瓣。这朵蓝色水元素花的花瓣一共有八片，比黄色土元素花少了一片，在二者同步旋转之间花瓣彼此交错，看上去极为绚丽。

古月身上的三个魂环在这个过程中不断地交替闪烁着，在不同时间发挥着不同的效果。

双属性元素掌控，真是出色的武魂啊！两名中年人已经在点头了。

但是，还没有结束。

古月右手又是虚空一抓，这一次，房间中气流涌动，化为点点青光向她掌心凝聚而去。

风元素掌控？

两名中年人下意识地身体前探，能掌控双属性元素的魂师，在史莱克学院还是有的，可这三属性元素掌控却是他们从未见过的。

属性不同，魂环附加也是一个问题。元素多未必是好事，因为一般来说，魂师根本就控制不了这么多种元素。多重元素侵袭，会给魂师的身体带来非常大的伤害，而掌控这些元素就更难了。

青光缭绕，化为旋涡在古月掌心中凝聚，最终凝聚成团，被她放在水元素花上方，然后再次拉出一片片花瓣。这次，是七片花瓣。

这……

她竟然能够控制三种元素，而且还能让它们彼此间不产生排斥，和谐相处。这份掌控力、这份精神力，还有对元素的理解，无疑都已经是极其强悍的存在了。

　　但是，还没有结束。

　　当古月又一次做出向空中虚抓的动作时，右侧的那名中年人已经忍不住站了起来，就连沈熠也是瞪大了眼睛。

　　她是见过古月同时动用几种元素的，但也没见过这么多啊！

　　空气变得狂躁起来，点点红光缭绕在古月掌心之中，渐渐化为一团火球，古月的额头上开始有汗珠沁出，但她的眼神依旧平静。

　　老妇人身体微微前倾，眼神再也无法保持平静。

　　四元素掌控？而且是基础四元素掌控。

　　要知道，四元素和三元素是截然不同的。

　　在斗罗大陆魂师们的认知中，这个世界所有的一切都是由元素构成的，而其中有四种是最为基础的存在，那就是土、水、风、火，它们是构建整个世界的基本要素。

　　四种元素全部掌控，意味着一件事，那就是创造、升华啊！四元素掌控者，在整个斗罗大陆历史上还从来没有出现过。史莱克学院的校史中，曾经记载过一位能够掌控三种元素的魂师，但他最终只修炼到了七环魂圣层次就无法再前进一步，因为同时掌控三种元素容易令他分心。

　　四元素，历史上第一个四元素。传说中四元素同时出现，彼此相互协调，就能成为一个整体的四元素掌控啊！

　　古月的能力展现到这里，其实就已经征服了这几位考官。

　　火球缓缓落下，古月的手有些颤抖，她身上的三个魂环在这时也已经全部亮了起来。

　　尽管她吸收来的这四种元素都不算太多，但是，想要同时掌控四种元素，并且使它们呈现出自己想要的状态，就需要一心四用，不仅如此，还要协调好它们之间的关系。

　　每多掌控一种元素，她要承受的压力就呈几何倍数提升！

　　但是，古月扛下来了。

　　一片片火红色花瓣绽放，一共六片，完整地呈现在另外三种颜色之上。

　　四色花瓣旋转，形成了一朵奇特而瑰丽的花。

别说考官们了，就算是最熟悉她的零班学员，此时都已经看傻了眼。古月对元素的掌控竟然已经达到如此程度了？四元素可以做到这一步，就意味着，她在战斗的时候，最多时可以融合四种元素进行攻击啊！当然，战场上是不可能给她这么长时间的。但能做到现在这一点，就已经意味着她的元素掌控力非常强大了。

对于史莱克学院的众位老师来说，他们首先能够判断出的就是，眼前这个小姑娘的精神力已经进入了灵海境，没有灵海境的精神修为，根本就不可能完成这样的控制。

但是，一切还没有结束。古月的手，第五次抓向虚空。

这一次，就算是老妇人，也不禁站了起来，竟然还有？

窗外洒进来的阳光变得柔和了，点点金光飘荡，朝着古月的右手聚集。但这一次，古月没有让它们凝聚，而是让它们围绕着那朵四色花旋转起来。

"送给您！"她抬起头，看向那老妇人。突然，一道强烈的银色光芒在她身上亮起。紧接着，那四色花凭空消失了，再次出现时，已经到了那老妇人面前。

"小心。"沈熠失声惊呼。

没有了魂师的控制，凝聚在一起的四元素瞬间就会紊乱，然后发生大爆炸啊！

古月暗恨那老妇人击飞唐舞麟，动用了自己的空间属性，将这四色花送到了老妇人面前。

老妇人脸上的惊讶化为微笑，她大袖一挥，奇异的一幕出现了。在她身后，一轮弯月悄然浮现，一道银光从那轮弯月上洒下，照在四色花上。

老妇人的脚下，九个魂环盘旋而上。

这一次，唐舞麟他们都看清楚了。

四紫，四黑，一红，九个魂环环绕在她身上。

随着月光洒落，四色花骤然凝固在半空之中，然后就一点一点化掉了。四种元素几乎是顷刻之间就被分离开来，尘归尘、土归土，逐渐消失在那银色月光之中。

九环，封号斗罗！

唐舞麟、谢邀和许小言都站了起来。

这一刻，他们因为震撼而身体有些战栗。

九环啊！封号斗罗啊！那红色的就是传说中的十万年魂环吗？天啊！真的有十万年魂环存在啊！

这位，竟然真的是九环级别的封号斗罗。史莱克学院的一位考官，竟然是九环封号斗罗。

他们的心都乱了，古月也同样看得目光呆滞了。

老妇人身上并没有展现出太强大的气势，但是，古月很清楚这四色花的攻击力有多么恐怖。她的精神力、魂力，都消耗了六成以上，还是用了超过五分钟的时间才完成啊！但是就这么被老人家轻而易举地化解了。

"好、好、好！"老妇人突然笑了起来，她转头向沈熠道，"浊世总算是做了件好事，为了这几个小家伙让我们延长考试时间，看起来是值得的。这个丫头，后面的考试就不用参加了，直接进内院吧。四元素掌控，连我都有些兴奋了。"说完这句话，老妇人面带微笑地走到古月面前，上下打量着她。

"小丫头，愿意做我的弟子吗？"她笑眯眯地问道。

古月愣了愣，然后摇摇头："不愿意。"

"不愿意？"老妇人惊讶地道，"为什么？"

古月倔强地扬起下巴："不为什么，就是不愿意。"

"古月，别乱说话。"沈熠已经快步上前，斥责道，"你知道这位是谁吗？蔡老是咱们史莱克学院海神阁的长老之一，封号银月的银月斗罗冕下。在整个大陆，都属于最顶尖的那个层次，能够拜她老人家为师，是你的福气。"

唐舞麟他们当然不知道眼前这位老妇人的威名。

但如果是在魂师界提起银月斗罗蔡月儿这个名字，恐怕很多人都会为之颤抖。

六十年前，这位就已经是大陆上叱咤风云的存在了，而且我行我素、性格古怪，一向以古灵精怪著称。那时，可真的是闹得魂师界鸡飞狗跳。后来还是史莱克学院派人才将她带了回来，之后她便销声匿迹了。

古月看向沈熠，贝齿轻咬下唇，但还是摇摇头："她打了舞麟，我就不愿意当她徒弟。"

无论是蔡老还是沈熠，都没想到，古月的问题竟然是出在这里，就因为先前蔡老一拳将唐舞麟轰飞了。

蔡老没好气地道："那小家伙的爪子带有特殊效果。我要是不动用魂力把他震飞，说不定那特殊效果就会作用在我这把老骨头上。我又没伤他。"

那两位跟随蔡老一起前来的中年人都看傻了眼，蔡老这话，分明是变相服软了啊！向一个十三岁的孩子服软？

古月转过身，看向唐舞麟。

唐舞麟赶忙道："古月，我没事，我真的没事，你自己考虑清楚啊！"对于古月来说，这可是个最好的机会，直接进入内院的机会啊！

古月回过头来看着蔡老，认真地道："他们在哪里，我就在哪里，我们是不会分开的。他们要是也能进入内院，我就去。"

"你怎么那么多毛病？气死我了，随你便吧。"蔡老拂袖而去。

沈熠一看蔡老发怒，赶忙追了上去，低声向蔡老解释着什么，但蔡老听都不听，就那么离开了。

唐舞麟来到古月身边，拉了拉她的手臂："你这是何必呢？这么好的机会怎么能错过。那位蔡老可是大能啊！九环封号斗罗，而且最低的魂环都是千年的，如果我没看错，那红色的是十万年魂环啊！这种层次的存在，在全大陆恐怕也没有几位，你怎么能错过这么好的机会呢？"

古月扭过头看着他："她打你了，我不开心。"

简单的八个字，就把唐舞麟想说的话都堵了回去，旁边的谢邈和许小言的表情也变得古怪起来。

谢邈忍不住说道："我以前一直以为自己挺骄傲的，现在我才知道，什么是真正的骄傲。古月，你牛。"

许小言笑道："古月姐这是真性情。只是……"

唐舞麟也在心中暗叹，他们本来考试就来晚了，这么一闹，还不知道会出什么娄子，那位蔡老在史莱克学院恐怕是举足轻重的大人物啊！得罪了她老人家，他们还能有好果子吃吗？

果然，时间不长，沈熠回来了。她脸色一片铁青，抬手指着古月，手指都有点颤抖："你……你让我说你什么好啊，你知不知道，你错过了多少人梦寐以求的机会！"

古月不吭声，低着头，似乎先前那八个字的解释已经说出了所有心声。

唐舞麟赶忙道："对不起，是我们不好。古月可能是太累了，所以刚才情绪有点没转过来。沈老师，那我们还可以继续参加考试吗？"

沈熠叹息一声："本来都可以直接结束考试了，这么一来，那你们就继续吧。我刚才已经通知老师了，希望老师能够平息蔡老的怒火。走吧。"

说完，她带着四个人走出了这间大厅，继续向别的地方走去。

"第五关，考才艺。其实也就是考你们的第二职业。"沈熠说道。

谢邀问道："沈老师，我们第四关是多少分啊？"刚刚他自问表现还不错。

"零分，你们四个都是零分。"沈熠没好气地瞪了他一眼。

"零分？这也太过分了吧！我们就算不是最好的天赋，应该也不算差啊？难道说，史莱克学院也没有公平了？就因为我们得罪了那位蔡老？"谢邀一听就怒了。一项考试零分，会极大程度地影响考试的整体分数啊！更何况，他觉得大家完成得都不错啊！

沈熠眼含深意地道："在史莱克学院，海神阁就是规则制定之地。蔡老说是零分，那就是零分，没有人能改变，哪怕是其他长老也不行。而且，一门零分，意味着，你们就算再优秀，也不能进入内院了。现在你知道一时冲动带来的后果有多么严重了？"最后一句话是朝着古月说的。

古月还是没有吭声，只是默默地跟在唐舞麟身边。

前行不远，他们就来到了另一个房间之中。这个房间和之前的那个房间差不多大小，但在这里摆放了几个平台，还有许多杂乱的东西。

唐舞麟看到其中一处，眼睛顿时亮了。因为那赫然是一个锻造台，那可是他最熟悉的啊！

但是，令他们惊讶的是，房间里有一个熟悉的身影，正是刚才拂袖而去的蔡老，此时，这位老人家正满脸冷笑地看着他们。

"蔡老，您……"看到这位，沈熠也是吃了一惊。

蔡老冷笑一声："第五项考试，他们四个零分。"

第一百八十八章
——考饭量？呵呵！——

听蔡老这么一说，古月猛地抬起头来，眼中怒火迸射，她刚要说什么，却被唐舞麟一把拉住了，并且将她拽到了身后。同时，唐舞麟用严厉的眼神制止了想要说话的谢邈。

这里是史莱克学院，是人家的地盘，冲动无济于事。

"蔡老，这恐怕不妥吧，这……"沈熠一脸无奈地道，同时也有些惊讶。蔡老虽然性格怪异，但刚直不阿，当年在大陆上行走的时候，闯祸不少，但基本都站在一个"理"字上，若不是有些事情做得太冲动、太过分了一些，也不会被学院派人给带回来。

可她现在的行为……

"别说我不给浊世面子，这两项零分，如果他们其他的考试的分数加起来还能够及格的话，就给他们进入外院的机会，否则的话，从哪里来的就给我滚回哪里去。"说完这句话，蔡老站起身，向外走去。

零分，又一次得零分。唐舞麟不知道全部的考试有多少项，但目前进行的考试只有五项，就有两项零分了，这么计算下来，他们的分数之低可想而知，而及格线又是多少？

古月在他身后挣扎了一下，却被唐舞麟死死地按住。这个时候再去激怒蔡老，绝对是不明智的，他心中又何尝不是怒火冲天，但是，身为队长，他必须要为整个团队考虑，为大家的未来考虑，冲动是解决不了问题的。

沈熠脸色难看地站在那里，足足半晌没有动。

史莱克学院入学考试一共有十项，每一项都各有特点，最高分为十分，十项加起来正好一百分。六十分以上，可以入外院，八十五分以上，再经过加试才可入内院。

一般来说，除了那些直接去内院考试的学员之外，外院这边，能够有一两个凭本事考入内院就已经很不容易了，很多人连及格都困难。

现在唐舞麟他们有两项零分，这对他们的影响可想而知。

如果后面的考试不能每一项都获得高分的话，想要及格都不容易啊！

史莱克学院入学考试是综合性考试，虽然前三项他们表现都不错，但并不代表后面也一样可以。后面的考试，侧重点各不相同，并不仅仅是战斗实力方面的。

沈熠没有苛责古月，事已至此，苛责也没用。

"砰。"蔡老关上房门，走了出去。众人没有看到的是，这位老妇人脸上露出了一丝奸计得逞的笑容。

"嘿嘿，浊世那个老顽固，又要吹胡子瞪眼了吧。活该。这几个小家伙天赋都不错，性格上多磨炼磨炼没坏处。哼，敢拒绝我老人家，有你求我的时候。"眼中精光一闪，蔡老双手放在背后，飘然而去。

带着悲愤的心情，零班四个人来到了史莱克学院考试的第六关。

第六关考试的内容非常怪异，考的是，吃东西。

是的，就是考吃饭。

考试的场地上竖着一块牌子，上面是个列表，显示着对应的分数。

每个人面前，有一个巨大的托盘，托盘上面，堆着如同小山一般的馒头！

列表上显示，一口气吃掉十五个馒头，是及格。每多吃五个，加一分。同时，在吃的时候不得运转魂力，考的就是自身的饭量。

当唐舞麟他们看到这项考试内容的时候，都不禁惊呆了。

许小言、谢邀的目光一下就落在了唐舞麟身上。

唐舞麟表情有些怪异地扭头看向沈熠："沈老师，这个可以帮别人吃吗？"

沈熠现在还没有从憋闷的情绪中恢复过来，没好气地道："你自己要是能得满分的话，随便帮谁吃都行。"

这一关看上去挺怪异的，也只有史莱克学院会有这种奇葩的考试方式。但实际上，它考的是人的意志力。

东西吃多了会撑啊！对于一个正常的十三四岁的孩子来说，十五个馒头，绝对是天文数字，在不动用魂力辅助消化的情况下，几乎是不可能吃下去的。这就需要意志力了，一个人，吃到撑的时候，如何能够坚持吃下去，那么就要看意志力了。这里有专门的老师负责，以保证不会有人吃坏肚子。魂师的身体强度远超普通人，几乎不存在撑破肠胃这种情况，但那恐怖的饱胀感也不是谁都能扛下来的。所以，这项考试看似简单，可实际上，经常会让考生痛不欲生。

可是，在这里，有一位不正常的人啊！

"谢谢沈老师。"唐舞麟由衷地说道。他甚至认为，这项考试放在这里，简直就是为他量身定做的啊！

双手一探，一只手两个，四个馒头就落在了唐舞麟手中。别说，这馒头非常松软，弹性十足。一股面香传来，唐舞麟的肚子都"咕噜"地叫了一声。

早上他就吃了古月给他留的那一点食物，连续考试，体内气血的消耗又厉害，他早就已经饿得前胸贴后背了。有吃的，简直是比什么都美妙的事情啊！

三口一个，只是几次呼吸的时间，四个馒头就进了唐舞麟的肚子。

一听沈熠说可以代吃，谢邀直接双手抱头，在椅子上坐了下来，悠闲地等着。许小言比他正常点，盘膝坐在那里开始冥想了。只有古月，也拿起馒头，陪着唐舞麟一起吃。

沈熠眉头微皱，那两个是什么意思，怎么不吃？她赶忙提醒道："这一关，你们最多只有半个小时，半个小时内必须要完成，到时候吃了多少就算多少哦。"

谢邀笑道："沈老师，您等着看吧。"

就他们说话的工夫，唐舞麟这边已经有八个馒头下肚了，他舒服地长出一口气，拍了拍肚子，肚子里有了点东西，感觉顿时好多了。

他为什么那么能吃？身体需要，同时，他有着远超常人的胃液，消化能力之强，至少是普通人的十倍。在饥饿的情况下，八个馒头下去，几乎是瞬间就变成了养分。

沈熠以为他吃多了不舒服："你慢点吃，这一关不用快，只要吃了足够数量就行了，吃得太快消化会更慢，从而影响你后面……"

她话还没说完，就看见唐舞麟又抓起来四个馒头，就她说话的工夫，已经有两个馒头下去了，而且看上去十分轻松。

谢邀嘿嘿笑道："沈老师，您不用为我们队长担心，他其实最强大的并不是战斗力，而是饭量啊！一个人能够吃穷我们一所学院的食堂，这点馒头算什么。"

可不是吗？他们在东海学院的时候，吃的都是营养丰富的甲餐，而营养丰富就意味着价格贵。当然，吃营养丰富的食物，唐舞麟的饭量还可能小一点，因为能量充足。而眼前这些不过是再普通不过的馒头了，那点营养自然就不算什么。

接下来，沈熠就见证了什么叫作饭桶，不，饭缸！

一盘馒头一共是五十个，唐舞麟一边吃一边计算着，十五个是六分，二十个是七分，三十个是九分，三十五个就是满分。

他只用了不到八分钟，就已经消灭了三十五个。就连古月在不知不觉中都吃了四五个了。

然后唐舞麟似乎像是活动开了，来到许小言这边，这次仅仅用时七分半，又是三十五个下肚，之后是谢邈的。

沈熠的眼神一开始是惊讶的，然后渐渐变为震惊，之后是呆滞，最后是木然……

二十二分钟时，谢邈和许小言的三十五个馒头也被他吃完了，到这里，唐舞麟已经吃了一百零五个馒头，但他连肚子都没鼓起来。

沈熠完全可以肯定，他没有动用一点魂力。旁边负责监考的老师也看傻了，他监考很多次了，还从没见过这样的考生。

唐舞麟最后来到古月这边，古月站起身，把座位让给他，然后拿起馒头递给他。唐舞麟就坐在那里飞快地大吃起来。

古月递给他馒头的速度，都快赶不上他吃的速度了。

二十八分钟，古月的三十五个也已经吃完了。但唐舞麟却一点停下来的意思都没有，继续大吃。

"时间到。"考官喊道。

至此，古月的这盘馒头，已经被他吃掉了四十三个，加上古月自己吃掉的五个，就剩下孤零零的两个了。

这样也行？

唐舞麟拍拍肚子，还有些意犹未尽地向沈熠道："沈老师，我们都是满分了吧？"

沈熠点了点头，转身就向外走去，怪物，真的有怪物的潜力了。不，他本来就是个怪物吧！他的肚子，是无底洞吗？

"沈老师，剩下的馒头我可以带走吗？今天早上没吃饭……"

沈熠脚下踉跄了一下，挥了挥手，示意他随便。

唐舞麟毫不客气地取出几个袋子，把剩余的馒头都装起来，放进自己的储物戒指中，这才心满意足地走到她后面。

经过这半个小时的休息，再加上能量补充，他觉得自己的气血之力基本已经恢复了，可惜，馒头的营养实在是少了点，要是来点更有营养的，就更完美了。

"第六关四个人都满分？"蔡老坐在一个豪华的房间中，神情古怪地听着面前一名中年人汇报情况。

"是的，都是满分。据说，剩余的馒头还都被打包拿走了。绝大部分馒头都是唐舞麟一个人吃的。"

蔡老沉默了半晌，才说道："看起来，不需要暗中给他们加分，他们似乎也有机会考到六十分啊！有点意思了。看来，那个小家伙的力量和他的饭量是有关系的。浊世从哪里找来这么几个小怪物，尤其是那个唐舞麟和古月。"

第一关考的是精神力，第二关考的是实战能力，第三关说是考应变能力，实际上是考勇气，第四关考的是天赋，第五关考第二职业，第六关考意志力。到了第七关，考的是，耐力！

是的，就是耐力。

当唐舞麟四个人来到第七关的考场时，他们惊讶地发现，竟然还有其他的考生在这里参加考试。

耐力测试一共有三项内容：跑步，一万米；五十公斤深蹲一千次；引体向上一千次。只要能坚持把这三项都做完，就给六分的及格成绩，一个小时内完成，就是满分，超过一个小时，每多十分钟减一分。但只要能都完成，就是六分。

什么类型的魂师，都是这三项考试内容。无疑，力量型魂师、身体能力强的魂师在这一关很占便宜。

你还别说不公平，第一关对精神力魂师来说是最容易通过的，对力量型和身体强的魂师又何尝公平了？这就是此消彼长，能力各有侧重。因此，很难有人在每一关都获得高分。这也是为什么史莱克学院的录取率那么低。

但耐力这一关，最好的地方在于不限制时间。因此，有些人还在这里为了那六分而努力。

听了考试内容，唐舞麟有些担忧地看向古月和许小言。对于他和谢邀来说，这考试自然不算什么，但许小言和古月就不好办了，她们都不是力量型的魂师啊！

第四、第五两项考试都是零分，这就意味着，他们必须要在后面的各项考试之中都尽可能拿高分。但这一项，就有点难住古月和许小言了。

"沈老师，考试一共有多少关？多少分算通过？"唐舞麟没有急于和伙伴们开始进行考试，而是向沈熠问道。

沈熠道："一共十关，六十分过关。"

唐舞麟心中开始计算起来，他们的总分只有八十分，因为已经有两项考试没有分数了，所以，六十分过关的话，每个人还可以扣二十分。按照这个分数计算，古月和许小言就算这一关也是零分也还能够继续下去。可是，谁知道后面三关都是什么呢？

"可以告诉我们后面考什么吗？"唐舞麟问道。

沈熠毫不犹豫地摇了摇头："不可以。"

唐舞麟道："那这三项耐力考试，如果只完成其中一项的话，能够获得几分？"

"两分。"沈熠道。

唐舞麟心中不断地计算着，然后看向古月和许小言，断然道："你们只完成万米跑，另外两项不参加。谢邈，我们两个要完成全部三项。开始吧。"

跑步不需要出去，有专门的魂导跑步机。

许小言和古月都没有问，这种计算分数的事，她们相信唐舞麟绝不会算错的。因为一个抠门的人，对于数字必然会很敏感。

唐舞麟开始在跑步机上快速地跑起来。他的速度奇快无比，这种直线奔跑，就算是敏攻系的谢邈，也只可能在速度的爆发力上比他强，而这种长距离奔跑，唐舞麟还真不会弱于他。

沈熠来到唐舞麟的跑步机旁，一边看着他惊人的速度，一边问道："为什么你只让她们得两分？你就不担心后面的分数不够吗？"

唐舞麟道："她们的身体都不够强壮，对她们来说，引体向上和深蹲根本就是不可能完成的任务。如果非要去拼，不但会浪费时间，也会消耗大量的体力，反而对后面的考试不利。与其这样，还不如保持充沛的体能，在后面三项未知的考试中努力呢。毕竟，我们有分数的几关，分数都还不错。最后还是有机会及格的。"

沈熠淡然一笑："很好，冷静的分析。"

唐舞麟和谢邈几乎都只用了十分钟左右就完成了万米跑，两个人迅速开始了第二项，深蹲。

五十公斤对唐舞麟来说跟没有也没什么区别，所以深蹲起来速度依旧飞快，谢邈是敏攻系战魂师，身体素质毋庸置疑，哪怕不动用魂力，也可以飞快地完成。而且，这一关并没有强调不能使用魂力啊！

这次唐舞麟的速度比他快多了，在金龙王血脉恐怖力量的作用下，一千次深蹲，十分钟没到他就完成了，然后是一千次引体向上。

三项耐力考试完成，唐舞麟只用了三十分钟而已。

古月和许小言大约用了二十分钟跑完一万米，在旁边休息着等待他们。

谢邈完成整个耐力考试用了四十五分钟，比唐舞麟慢了不少，但总算也获得了满分的成绩。

没有急着离开，唐舞麟和伙伴们在这里又休息了十五分钟。反正在一个小时内离开，他跟谢邈都是满分，而古月和许小言只要放弃另外两项考试就可以了。

"沈老师，目前我们四个人的分数是多少？"唐舞麟向沈熠问道。

沈熠看了一眼自己手中的表格，道："七项考试过后，唐舞麟，五十分。"她说到这里的时候，忍不住抬头看了一眼唐舞麟，五十分，这意味着，除了第四项和第五项，他每一项都是满分。

"古月，三十八分。谢邈，四十八分，许小言，四十分。"

四个人之中，古月反而是分数最低的一个，主要是因为前面她没有发力，刚刚的耐力考试她又得了低分。

唐舞麟和谢邈无疑还在安全线上，他们只要再分别得到十分和十二分就能从容过关了。

但古月就比较危险了，她在后面三项考试之中，最多还可以扣八分，否则的话，就很可能被淘汰出局。许小言的情况比她略好一点，但也没好太多。

休息、调整完毕，谢邈的身体状况还没有完全恢复过来，唐舞麟却已经没什么问题了。而只跑了一万米的许小言和古月来说，也都还好，毕竟她们魂力修为都不弱，做一些调整基本就能恢复到巅峰状态。

接下来，就是他们今天的第八项考试。

唐舞麟在心中盘算着。

"第八项考试，综合战斗。你们将分别挑选一位上一届入学的史莱克学院学员，并与之对决。所以说，运气也是实力的一部分。在和他们的战斗中，坚持超过十分钟，就算及格。击败对手，十分。六分到十分之间，看实战中的表现而定。"

听到"综合战斗"这几个字，唐舞麟心中暗暗松了口气，至少在这一关，古月是不会有问题的，对此，他信心十足。

至于许小言，那就真的要看运气了。

唐舞麟看了一眼窗外的天色，经过前面七项考试之后，天色已经开始暗了下来，接近傍晚。

他心中微动，向沈熠问道："沈老师，我们四个人的考试是一起进行，还是轮流进行？"

沈熠瞥了他一眼："轮流。"

"好，那我们可以自己安排出场顺序吧？"

沈熠道："稍后会有十个对手让你们进行挑选，所以，这项考试不仅是考验你们的实力，同时也是考验你们的眼力，这十个人之中，一定是有强有弱的，因此，选择好对手，是这一关的关键所在。"

"是。"

这次他们来到的是一个圆形的房间，房间非常大，比先前几个考场都要大一些。沈熠在他们进行第七项考试的时候，已经把这边安排好了。所以，他们一进来，就看到了十个对手。

这十个对手只是比他们高一届，所以，看上去大家年龄都差不多。但是，这些人无疑都是三年前就考入史莱克学院，并且在史莱克学院中足足学习了三年的天才。

这一关其实还是考实战，魂师和魂师之间的实战。

沈熠淡淡地道："你们可以开始挑选对手了，一旦选定就不能更换。比赛要求只有一个，在比赛过程中，不能使用任何魂导器。你们有十分钟的时间挑选对手。"

唐舞麟向沈熠点了点头，和伙伴们聚集在一起。

唐舞麟低声道："我先安排一下出场顺序。我第一个上，然后是谢邂，之后是古月。小言，你最后。谢邂、古月，你们记住，在比赛中，尽可能地拖延时间。尤其是谢邂，你是敏攻系的，拖延时间相对来说是最容易的。我们要将小言的出场时间拖延到晚上。这样一来，她的星轮冰杖就能发挥了。"

许小言眼睛一亮，立刻点了点头。古月也是微微颔首。

唐舞麟道："然后是选择对手。这个大家自己选吧，观察再加上感觉。"

四个人这才看向对面的对手。

一般来说，魂师的外形会和自己的武魂多少有些关系。譬如，力量型魂师绝大多数都是身强体壮的，而远程攻击或者是精神类魂师，身形会清瘦些。

谢邂看了看，目光锁定在一名身体看上去非常强壮的学员身上，他刚要做出选择，却被唐舞麟一把拉住了。

唐舞麟压低声音向伙伴们说道："提醒大家一下，这里是史莱克学院。史莱克学院被称为怪物学院，校训就是只收怪物，不收普通人。既然如此，那么，我们就不能用正常的眼光去判断，说不定，反向思维反而更准确。"

谢邂心中一动，向唐舞麟比出大拇指，目光闪烁，再次看向对面的十个人。

魂师之间的属性相克越是低等级就越明显。像谢邂这种敏攻系战魂师最怕遇到的就是控制系战魂师。因为相对来说，控制系战魂师的技术最全面。力量型战魂师则比较怕远攻系战魂师，因为容易被牵制。

所以，选择一个合适的对手也很重要。唐舞麟他们虽然对自己信心很足，但是，这个世界从来都不缺少天才，尤其是在这里，全大陆第一学院。

谢邂抬手一指，道："我挑选二号学员作为对手。"

他指的二号学员，是一名身材瘦小，怎么看都像是敏攻系的学员。

许小言选择了先前谢邂准备选择的那一位身体看上去特别强壮的男学员，六号。

古月道："一号。"一号学员在对面十个人之中显得最普通，没有特别出彩的地方。

最后轮到了唐舞麟，他扫视一圈，目光落在了最后面那个学员身上："我选十号。"

他一边说着，一边走进了比赛场地。

第一百九十章
雪豹十号

十号学员是一名女生，身材高挑，眼神中隐隐带着骄傲，相貌算是中上等，比许小言要差一些，和古月差不多。

沈熠道："我来为你们的比赛做裁判，比赛过程中，听我的口令。我喊停就必须停下。明白了吗？"她这话主要是对唐舞麟说的。

"是。"唐舞麟恭敬地答道。

"好，准备计时。开始！"

没有过多的废话，她直接宣布了比赛开始。史莱克学院十号学员双眸一亮，身体猛地弹起，好像一只猎豹，直接扑向唐舞麟，速度之快，宛如电光石火一般。

谢邈看到人家的速度，顿时吃了一惊。他对自己的速度很自负了，可是，他完全可以肯定，自己和这名女生比起来，差距太大了。

身体扑出之后，那十号女学员身上才有魂环光芒出现，一共三圈，两黄一紫。

她的耳朵微微竖起，脖子上隐隐有白色毛发出现，上面还有一些奇异的斑纹。她的双眸明显变成了竖瞳。

兽武魂，雪豹。唐舞麟一下就分辨出了对方的武魂是什么。

不过，他对雪豹武魂并没有太多认知。据说，在上古时期，这种魂兽也只是在寒冷之地出现，非常罕见，不但速度奇快，而且附带冰雪类攻击技能。

一抹淡淡的微笑从唐舞麟脸上浮现出来，敏攻系最怕的就是控制系，而他自己，赫然就是一名控制系魂师啊！而且还是拥有紫极魔瞳的控制系魂师。

比速度，他远远不及，但他的眼力足以跟上对方的速度。

两个紫色魂环从脚下升起，一根根蓝银草蜂拥而出，在唐舞麟的控制下，宛如一张大网朝着对方笼罩过去。

敏攻系魂师一旦被控制系魂师的缠绕技能控制住，也就意味着这场战斗快要结束了。

但是，令他吃惊的一幕出现了。

那速度超快的十号学员突然在空中停顿了一下，紧接着，她身上的第一魂环亮起，一些雪花骤然从她身上迸发而出。

这些雪花是随着她单脚点地、身体旋转起来时迸发而出的，比赛场地内，温度骤降。大片大片的雪花飞舞，它们旋转着和唐舞麟的蓝银草碰撞在一起，不断发出"噗噗"声。

雪花不但锋锐，而且极寒，使蓝银草变得迟缓。如果不是唐舞麟的蓝银草经过多次升灵进化，恐怕直接就会被破坏掉了。

不是敏攻系战魂师？这雪花，倒像是控制系或者强攻系魂师的技能啊！她自身速度那么快，走的竟然不是敏攻系的路子？史莱克学院的奇葩真的多。

双方武魂碰撞，十号学员的雪花越来越密集，而唐舞麟的蓝银草就算再密，也不可能像雪花那样无孔不入，一些雪花飘荡过来，朝着他身体覆盖而下。

唐舞麟毫不犹豫，转身就跑，同时他背后的蓝银草飞速旋转起来，就像是搅拌机似的抽打着那些雪花，尽可能阻止它们靠近自己。

"胆小鬼。"十号学员不屑地冷哼一声，大片的雪花向唐舞麟追去，隐隐还有厉啸声在雪花中响起。

十号学员的身体已经完全隐没在了雪花之中。那些雪花开始凝聚，渐渐聚拢成一个豹子头的形状，向唐舞麟飞射而去。

学院给他们的任务，不仅是要战胜唐舞麟这样的考生，还要在最短时间内战胜。如果顺利完成任务，学院会给他们一定的奖励。

此时，十号学员脚下第二魂环光芒闪烁，她这由雪花组成的雪豹一出，场内的温度再次降低，唐舞麟的蓝银草顿时被撞击得散开，那雪豹直奔唐舞麟撞去。

唐舞麟的应对就显得很没形象了，他绕着场地飞速奔跑着。蓝银草在他背后不断地抽打、挥舞，以尽可能地牵制那追上来的雪豹。那样子看上去要多狼狈就有多狼狈。

十号学员站在场地中央，指挥着自己的雪豹追击："想用逃跑来拖延时间？那我倒要看看，你能跑多快。"

唐舞麟跑了一会儿，就开始感觉到有些不对了。首先不对的，就是周围的温度。

随着温度不断降低，落在地面上的雪花开始凝结成冰，使地面变得非常湿滑，进而使唐舞麟的速度也受到了影响。蓝银草虽然能不断干扰那雪豹，但自己的消耗也非常快。

但他还是坚持着奔跑，口中呼出的气都已经变成了白雾。

"哼！结束吧。"十号学员眼中蓝光一闪，身上的第三魂环骤然亮起。她突然一横身，借助自己超快的速度挡在了唐舞麟面前，同时右手向唐舞麟举起。此时，她的身上白光大盛，一股强势无比的气息从体内迸发出来。

在她身后，一只巨大的雪豹虚影出现，然后抬起前爪，直奔唐舞麟当头拍下。

第三魂技，雪豹爪，千年魂环技，精神、物理双属性攻击。一旦被命中，立刻就会陷入超过五秒的眩晕，同时还要承受极寒的冰冻。这一击还有击飞效果，直接可以将对手轰飞出去。

就在这时，十号学员突然看到，唐舞麟的眼睛似乎亮了起来，一抹淡淡的金色闪过。然后在他身体周围，大片的蓝银草拔地而起，刺穿了地面上的冰层，迎上了后面追来的雪豹，也迎上了正面攻击的雪豹爪。

首先受到冲击的就是后面追来的雪豹，雪豹被彻底击碎了，但雪豹爪拍入那蓝银突刺阵之中，产生了剧烈的碰撞。

蓝银突刺阵被拍开，大量的蓝银突刺上覆盖上了一层冰。此时，那雪豹爪也到了唐舞麟面前。

唐舞麟右臂抬起，挡在自己身前。"砰"的一声，被拍击得飞了出去。

这下看你还不输？两个千年魂环很了不起吗？十号学员嘴角处已经露出一丝胜利的微笑。她相信，在自己雪豹爪的攻击下，那极寒的温度就足以令唐舞麟失去战斗力了，更别说还有击晕效果了。先前被蓝银突刺阵击溃的雪豹也化为大量雪花从天而降，进一步降低了温度。唐舞麟不可能再有反击的能力了。

唐舞麟确实是被击飞了，身体在倒飞的过程中落到地面上，但并没有摔倒。同时，从天而降的雪花掩盖了他的身体。

他现在确实很冷，但并不是那种不可抑制的寒冷。体内气血涌动，血液循环骤然加速，寒意顿时飞速散去，在他强大的气血之力面前，短暂的低温对他的影响非常有限。

唐舞麟一弯腰，飞快地向比赛场地侧面跑了过去。在雪花的掩饰下，他慢慢拉开了与对方的距离。

至于雪豹爪的击晕效果……

在雪豹爪命中唐舞麟的右臂之前，金鳞就已经覆盖在了他的右臂上，所以击晕效果根本就没能起到作用。至于精神冲击，也被唐舞麟用紫极魔瞳挡下来了。

别看唐舞麟一直处于被动防御之中，但也算是斗智斗勇，总算是化解了危机。更重要的是，他也摸清了对手的三种魂技攻击模式。

雪花飘落，视线渐渐变得清晰，正当十号学员准备向沈熠汇报的时候，她却目瞪口呆地看到，唐舞麟依旧站比赛场地之中，看上去和先前没有什么不同。

怎么可能？他难道不冷吗？十号学员呆呆地看着唐舞麟。

唐舞麟展颜一笑，脸上充满了阳光的味道。但他并没有主动出击，而是站在那里等待着。

"哼！"十号学员深吸一口气，右手朝着唐舞麟一指，身上的雪花再次迸射而出，铺天盖地地朝着唐舞麟所在的方向覆盖过去，不同的是，这一次，她自己也突然加速，融入了这片雪花之中。

史莱克学院的学员，从来都不会气馁。而且，刚刚她也没有展现出全部的实力。

一根根蓝银草以唐舞麟的身体为中心向外扩张、旋转起来。在那大量雪花掀起的雪雾之中，唐舞麟哪怕是动用紫极魔瞳也有些看不清楚。

但蓝银草在他的控制下变得非常密集，足以挡住对手所有可能进攻的方向。

那一根根蓝银草闪烁着晶莹剔透的光泽，哪怕在那极寒的雪花覆盖之下，也依旧傲然旋转，化为一张保护网，守护着唐舞麟。

唐舞麟双手挥动，辅助着带动蓝银草，魂力在这时也全面输出。在魂力的注入下，蓝银草隐隐散发出淡淡的光芒。

尽管他的武魂只是蓝银草，但毕竟经过两次升灵，在两个千年魂环的支持下，蓝银草的强度也变得相当强悍了，至少暂时阻挡住对手的攻击是毫无问题的。

"砰！"低沉的咆哮声中，雪豹身影再现，强烈的撞击压迫得蓝银草大网后退，眼看着就要冲击到唐舞麟身上了。

大片的蓝银突刺阵在这一刻升起，几乎将那雪豹覆盖，顿时，雪豹身体出现破损，同时在空中停滞了一下。唐舞麟脚下的速度丝毫不慢，在蓝银草守护下横向撤退，拉开了和雪豹之间的距离。同时蓝银草依旧急速旋转，保护着唐舞麟。

正在这时，从那雪豹旁边，一道身影宛如闪电般蹿出，直奔唐舞麟当胸冲来。

正是那十号学员。

她的速度实在是太快了，宛如一道雪白色的闪电，几乎是瞬间就到了唐舞麟跟前。

但也就在这时，唐舞麟身下突然金光一闪，他整个人就像是踩在了弹簧上似的弹射倒飞而出，同时大量的蓝银草向内合拢，朝着那十号学员缠绕了过去。

十号学员吃了一惊，她以雪豹打前锋，就是要找机会突袭唐舞麟，不让他发挥蓝银草的控制作用。

可她看到的，是唐舞麟的身体被一根金色藤蔓弹起。她再想追上去时，那大量的蓝银草已经缠绕过来，逼得她不得不快速闪避。

从开始交手到现在，双方你来我往，不断变化。不过，怎么看，唐舞麟都处于被动的地位，但就是这样，他在对方如同狂风暴雨的攻击中坚持了下来。

十号学员的修为确实比唐舞麟要高，但是，她是主攻的一方，魂力消耗自然就要比防御的一方快一些，再加上她频繁使用魂技，又都是范围控制类的技能，消耗的魂力自然就更多了。

此时接连几次冲击都没能拿下唐舞麟，她也开始冷静下来。如果继续这么消耗下去，她未必会占到上风啊！这个家伙，还真是难缠。

唐舞麟一边战斗一边运转魂力，玄天功的奥义就是生生不息，修炼时压缩提纯魂力，战斗时不断通过循环来恢复魂力，所以持续战斗的能力在同级别的技能中有明显优势。

其实，他自己也很不习惯现在的战斗方式，他也是那种喜欢爆发性攻击的。但为了能够拖延时间，给许小言创造可以使用星轮冰杖的机会，他不得不这样战斗。当然，他自身的魂力也是随着对手的消耗而消耗的。

唐舞麟计算得很清楚，在所有人之中，他是第一个投入战斗的，考完之后，其他三个人进行考试时，他还有充分的时间来休整。以玄天功的恢复速度，再加上他自身魂力又有二十多级，恢复的时间不会太长。

漫天雪花飞舞，十号学员再次隐没于大片的雪花之中，然后那雪花就像是长了眼睛似的，朝着唐舞麟冲击而来。

十号学员的战术调整得非常快，你不是要比拼消耗吗？那我就跟你比消耗。难道你一个二环魂师的魂力还能和我三环的相比？

蓝银草旋转，形成屏障挡在唐舞麟面前，雪花冲击，不断地被荡起。冰雾弥漫，寒意侵袭，双方就这么耗上了。

两人使用的都是最节省魂力的第一魂技，毕竟经过之前的战斗，双方的魂力都有一定程度的消耗，现在双方明显变得保守起来。

这时就能看出这位史莱克学院学员的优秀了，在一开始强攻没有直接拿下唐舞麟的情况下，她第一时间选择了收敛，准备在相互之间的魂力消耗中寻找机会。此时的她，就像是一只觅食的猎豹，在等待最佳时机给对方致命的一击。

虽然都只是第一魂技，但在持续碰撞和攻击下，两人的魂力还是消耗得很快。唐舞麟的蓝银草的防御范围要比对方的攻击范围小，但受低温的影响，消耗一点都不比对方慢。

玄天功疯狂运转，但他的魂力毕竟和对方不在一个层次，渐渐地，劣势开始显现出来。蓝银草的防御范围越来越小，他开始缓步后退来卸力。在蓝银草表面，已经出现了一层冰霜，地面上更是如此。谁都看得出，唐舞麟已经处于绝对劣势了。

不过，时间也就在这样的情况下不断地流逝了，已经超过了及格要求的时限。唐舞麟六分到手。

十号学员越是攻击心中就越是惊讶，这个对手比她想象中要难缠得多。自己的攻击已经够强势了，可对方总是像一叶小舟般在攻击中接近倾覆，却又顽强地冲上浪头，在波涛中挣扎，就是不被淹没。这样的战斗力令她也有些头疼，但对手又是一名控制系战魂师，她也不敢贸然强攻，万一对方有什么后手，自己很可能就会陷入非常不利的状况。

那就比拼消耗好了。让对方获得足够的分数最多就是自己没有奖励，可如果让对方战胜了自己，那可是要扣学分的。

时间一分一秒地过去了，双方的攻防也都开始减弱，这分明是魂力消耗到一定程度才会出现的情况。

雪花开始变得稀薄，已经能够看到十号学员的身影了，唐舞麟这边的蓝银草也是旋转得有气无力，上面的光芒已经暗淡了。

突然，雪花猛地增强，直奔唐舞麟飞去。唐舞麟眼睛一亮，下意识地后退两步，挣扎着挥动蓝银草，让它的旋转重新变得剧烈起来。

也就在这个时候，十号学员动了。

第一百九十一章
——拼的是耐性，等的是机会——

经过这么长时间的消耗，十号学员的魂力也只剩下不到三成了，她完全可以肯定，唐舞麟就算有什么后手，在没有足够魂力的支持下也是不可能发挥出来的。现在，到了决定胜负的最后时刻。

她的身体在雪花的掩盖下，犹如一只灵巧的雪豹，悄然接近唐舞麟，再猛然露出獠牙。

雪花吹得唐舞麟的蓝银草骤然散开，他的魂力确实已经消耗得差不多了。他的魂力总量其实只相当于对方的四成左右，如果不是玄天功的作用，他很难坚持到现在。

白色身影带着冰雪的气息出现在唐舞麟面前，大片的雪花将他笼罩在内，极寒从四肢百骸涌入体内，冰冷的气息令他全身都僵硬了。而就在这时，那一只带着利爪的雪白手掌已经到了他面前，直接朝着他的肩膀抓去。

沈熠瞥了一下时间，从战斗开始到现在，已经过去二十五分钟了。唐舞麟足足坚持了二十五分钟之久，这已经是九分的成绩了。就算是现在失败了，他也已接近被录取的边缘了。

这个年轻人，在不计算那个诡异的金色魂环的情况下，看上去天赋并不是那么出众，武魂也不过是蓝银草。可他的大局观、战术运用还有冷静的头脑，让他在能够得分的几关中几乎获得了满分。这或许不是一个顶尖的人才，但绝对是一个综合型的人才啊！在这个年龄段，绝对是不可多得的。

可惜，实力还是差了点。在她看来，要是十号学员不过于小心，此前继续强攻的话，这场战斗应该会结束得更快，至于现在，唐舞麟被对手控制，明显已经没有任何机会了。而对手不仅是控制系战魂师，还兼具强攻与敏攻的一些特性，这场战斗的胜负已经很明显了。

但是，她突然发现，唐舞麟的三个伙伴都很淡定，没有一个人因为眼前的情况而色变。这几个小家伙是心理素质好，还是……

就在这时，一抹亮丽的金色光芒，突然出现在她的视线里。

当那只雪白的手掌抓到唐舞麟的肩膀时，他的脸上突然露出了一丝微笑。时间差不多了。

身上的两个紫色魂环几乎是和他的蓝银草一同消失的，但就在这时，一股强横的气血波动从他体内爆发而出。

馒头可不是白吃的！唐舞麟的气血在那么多馒头的支持下，已经恢复到了巅峰状态。

强盛的气血瞬间驱散了他身体周围的寒意，与此同时，他体内涌出的不再是魂力，而是绝对的力量。

"啪！"那只雪白的手掌确实是拍击在唐舞麟的肩膀上。但是，十号学员惊讶地发现，这个人的肩膀就像是金属铸造而成的，震得自己手掌一阵酥麻。现在自己的魂力只剩下三成，那他应该更少才对啊，他不是控制系战魂师吗？

不对！她的反应非常快，身为史莱克学院外院学员，她第一时间做出了反应。

就在这个时候，她看到了一双紫色的眼眸。剧烈的眩晕感骤然出现，她下意识地仰起头，发现想要用速度拉开距离的方式已经行不通了。

一只带有金色鳞片的大手已经扣住了她的肩膀，和她先前扣住唐舞麟肩膀时一样，强横的力量，直接就按住了她颈部的动脉，魂力、气血同时变弱。十号学员的身体顿时软了下来。

雪雾散去，金光只是一闪而逝。当眼前的场景重新变得清晰时，所有人看到的，是唐舞麟一只手托在那十号学员腋下，支撑着没让她倒下去，而十号学员明显已经失去了对身体的控制，昏厥了过去。

这……

最后的胜利者竟然是他？

豹类魂兽一向是最擅长隐忍的，但是，今天在耐力这一项上，十号学员显然是输了。

谢邀抬手拍了拍自己的额头，低声道："队长真的是越来越腹黑了。他竟然用了近三十分钟来布局，诱使对方上当，恐怕那十号学员到现在都不知道自己是怎么输的。看来，队长最擅长的不是控制，而是腹黑啊！"

其实，谢邈倒是错怪了唐舞麟，唐舞麟也不喜欢这种隐忍的战斗方式，他更喜欢速战速决，以爆发力击溃对手。

但是，他要为许小言争取时间，而且，别忘了，他的对手可是史莱克学院的学员啊！一旦爆发不利，那么，输的很可能就是他自己了。

最后当那十号学员冲到唐舞麟身边的时候，比赛结果就已经注定了。唐舞麟最擅长的不仅是力量，还有近战！

一旦到一定范围内，他的近战能力绝对会令同级别，甚至是高一级别的对手为之哭泣。

"唐舞麟，胜……十分。"沈熠有些吃惊地宣布了成绩。她确实没想到，最终会是这样的结果。

唐舞麟不但赢了，而且赢得毫无悬念。难道自始至终，他都在等待机会？谢邈的声音虽然小，但她听得很清楚。

一个才十三岁的孩子啊！竟然能够隐忍到这种程度，这简直是……

她并不知道，唐舞麟的第二职业是锻造，而锻造本来就是一个要耐得住寂寞的职业。唐舞麟的性子，是在他学习锻造的过程中逐渐磨出来的。从六岁到十三岁，他已经学了整整七年锻造。就算不是天才，七年苦练，也足以影响到一个人的一生，更别说他在锻造上天赋异禀。

十号学员很快就清醒了过来，她看着唐舞麟的目光明显有些不服气。她不断思考着自己输掉比赛的原因，可怎么想都想不通，为什么对手的魂力几乎消耗殆尽，还能战胜自己呢？他的身体是怎么回事？还有，那紫色的眼睛是什么？

当时她正处于眩晕之中，连自己是怎么晕倒的都不知道，而其他人都被雪雾挡住了视线，他们也只看到了结果。

"下一场。"

谢邈走进场地，和他对决的是二号学员，一个身材十分瘦小的男生。

唐舞麟回到伙伴们身边，什么都没说，立刻盘膝坐下，直接运转玄天功，进入冥想状态之中。刚刚一战，他其实压力也很大，对手非常强，他的魂力是真的消耗殆尽。

后面还有两关，虽然他现在已经拿满了六十分，算是出线了，但谁知道后面的考试会是什么？他现在更重要的任务，是帮助伙伴们也都通过考试。大家一起考上史莱克学院才是最重要的。

为了他，伙伴们险些失去了这次考试的机会，唐舞麟虽然表面上没说什么，但这些情谊都深深地烙印在他心中。

"开始！"

随着沈熠一声令下，两道身影同时发动。谢邂闪电般向对方冲去，他是纯粹的敏攻系战魂师，就是要接近对手进行战斗。

那二号学员也毫不示弱，同样向谢邂冲去，看上去，他的速度也非常快。而且，这个二号学员的眼神非常特殊，沉静得可怕，根本就不是他这个年龄所能有的。

双方距离飞速拉近，从速度上来看，谢邂还是占了上风的，他的对手要慢一些。

双方都没有在第一时间释放武魂，都在等待机会。

眼看着他们彼此之间的距离只剩下最后十米，两人身上才同时亮起魂环。

都是三个魂环，都是两黄一紫，看上去并没有什么不同。但是，在身体表现上可就截然不同了。

谢邂手中多了光龙匕，整体看上去变化并不大，但他的对手，出现了非常惊人的变化。

在释放出魂环的一瞬间，他那对手原本瘦小的身体骤然膨胀起来，与此同时，从脚下升起的三个魂环中，排在最后一个的紫色魂环光芒大放。

一上来就施展千年魂环技？

二号学员的身体越来越大，几乎是转眼间，身上的衣服就已经被撑破，只剩下一身不知道用什么材质制作而成的弹力非凡的内衣内裤。

他的皮肤表面多了一层棕色毛发，虽然相貌还是人的，但身材已经完全变形了。他的身高直接长到了四米以上，一双手臂变得特别粗大，全身都充斥着难以形容的力量。

这一刻，谢邂脑海中首先出现的是唐舞麟之前的判断，他简直想跑回去给队长竖个大拇指啊！

史莱克学院的学员果然不能从外表来判断武魂啊！这家伙的武魂像只大猩猩，可身体变大了这么多，难道说是……

这一切都是在他心念电转之间想到的，而那二号学员在身体变化的同时，也发动了攻击。

那双粗壮有力的手臂悍然抬起，狠狠地砸向地面。

谢邈毫不犹豫地弹身而起，然后挥动光龙匕，一道金色光刃直奔对方切去。

"轰！"大地颤抖。整个比赛场地都剧烈地晃动起来，地面和周围的墙壁上顿时荡漾起一层淡金色纹路，抵挡着这股强悍的震荡力。

谢邈骇然发现，整个地面已经被一层气浪覆盖了，如果他的动作再慢一点，恐怕直接就会被对手击溃。

对于他的光龙刃，二号学员根本没有闪避，只是一低头，用头顶承受了他的攻击，同时弹身而起，朝着谢邈扑去。

别看谢邈是敏攻系战魂师，对手这一跃起的方式却比他的还要夸张。恐怖的弹跳力瞬间爆发出来，简直犹如怪兽一般。二号学员双臂抬起，直奔谢邈砸了过去。宛如泰山压顶一般。

好恐怖的力量！谢邈摇身一晃，瞬间幻化出三道身影，人在空中是无法借力的，但他展现出了自己独特的战斗方式。三道分身各踢出一脚，完成借力，竟然在空中完成了变向，同时朝着三个方向飞射而去，巧妙无比地躲开了那二号学员的高空攻击。

这……

史莱克学院的学员们脸上都不禁露出了惊讶之色。

谢邈不知道的是，当他选中二号学员的时候，这些史莱克学院的学员都在为他默哀。因为，在这十名史莱克学院的学员中，最强的就是这位二号。

看着谢邈的三道分身向三个方向飞射，二号学员身在空中却没有任何慌张。他身上的第一魂环突然亮起，然后他那一双巨大的拳头闪电般在空中轰出三拳。

三声闷响同时在空中出现，那分明像是空气被压爆了的声音。谢邈骇然感觉到，自己的三道分身同时面对着巨大的压力。

天啊！这家伙是什么怪物？他的攻击力怎么会这么恐怖！

第一百九十二章
——心大的谢邂——

但是，令所有人惊讶的事情再次发生了。在无处借力的情况下，三道身影又一次横着飞了出去，几乎是在间不容发之际，避开了重拳攻击。

二号学员眼中第一次露出了惊讶之色，他分明看到，谢邂身上的第三魂环又闪耀了一次。

双方几乎同时落地。

从场面上看，二号学员自然是占了上风的，但并不是压倒性的，他在发动了第三魂技的情况下，并没有能够凭借爆发力直接击溃谢邂，反而是让谢邂脱离了他的掌控，三次攻击都没有命中。

攻击的一方一定会比闪避的一方消耗更快，这一点是毋庸置疑的。在双方魂力差不多的情况下，谢邂显然是占了便宜。

但实际上，真的是这样吗？

谢邂是有苦难言。对方施展了千年魂环技，但他也一样啊！没有光龙分身，对方的高空攻击他就避不开，而后来对方的重拳，是他又一次发动了第三魂技，施展出影龙分身，光龙、影龙相互借力，这才避开了的。

应对不可谓不巧妙，但要说消耗，他的魂力消耗只会比对手多，不会比对手少。谢邂唯一庆幸的就是，自己修炼了玄天功，这魂力恢复和持续战斗能力，应该比对手强。

二号学员看向谢邂，这次他却没有动。谢邂的三道分身分别在不同的方向，虽然他很擅长范围攻击，但是，也不可能同时朝着三个方向发动攻击，因为他那范围攻击的面积，还不能完全覆盖场地。

史莱克学院的学员从来都不缺乏战斗经验，他很清楚地判断出，以现在谢邂的情况，必须是要主动攻击。因为，谢邂只要继续施展千年魂环技，那消耗必然不小。

事实也正是如此。

谢邂几乎是在双脚落地的下一刻，就朝着对手扑了过去。他还是发动了光龙分身，还有影龙分身。现在已经顾不上拖延时间了，对手太强，不分身，就很难避开对方的攻击，但分身的话，就会持续消耗。

三道光龙分身同时扑了出去，谢邂的速度飙升，比之前明显快了很多。三道身影几乎是瞬间就到了对手面前。

谢邂没有动用光龙刃，而是直接向对手扑击而去。

二号学员脸色沉凝，膨胀之后的身体，显得有点恐怖。

谢邂身上，第二魂环突然亮起。三道光龙分身，同时施展出了光龙风暴。

敏攻系战魂师的攻击力一向是非常强的，但先前谢邂已经试探过对手的防御力，光龙刃可以直接用身体抵挡，其防御力可想而知。

但是，光龙风暴的攻击力远非光龙刃所能相比，谢邂相信，只要自己的攻击落在对手身上，一定会给他造成伤害。

二号学员动了，他那双粗壮有力的手臂抬起，做出了一个让谢邂看上去有些熟悉的动作。

如果唐舞麟现在不是在冥想，而是看到这一幕的话，一定会吃惊得瞪大眼睛。因为，对方做出的动作，赫然是唐门绝学——控鹤擒龙！

谢邂只觉得以对方的身体为中心，一股庞大的气场骤然爆发开来，自己的三道光龙风暴因为受到影响明显变得有些散乱，冲击力顿时也被对方气场带偏了几分。

然后他就看到，对方身上的第二魂环也亮了起来，双手做出一个虚空下压的动作。

盘旋起来的庞大气场骤然压迫下来，然后向外迸发而出，顿时空气中发出一声宛如雷鸣般的轰响，在这剧烈轰鸣之中，三道光龙分身，还有在空中蓄势待发的三道影龙分身，同时被那恐怖的气场震飞了出去。

在这声雷鸣般的轰响之中，原本闭着眼睛冥想的唐舞麟睁开了眼眸。他看到的，是谢邂的三道分身被震得倒飞出来，并且分身在空中重新合为一体的样子。

"砰！"左脚重重地跺在地面上，那强悍的身影宛如炮弹一般，直奔谢邂所在的方向追去。二号学员身在空中，第一魂环再次亮起，又是一拳轰出。

气爆声响起。这一次，谢邂再也没有力量来施展分身躲避了。连续施展魂技，令他的精神力和魂力控制都产生了一定的紊乱，再加上先前被对手震飞时所承受的巨大压力，他现在是避无可避。

正在这时，一道绿光闪过，卷住谢邂，将他从空中拉了下来，避开了那一拳。

二号学员的脚步也停了下来，站在原地，向沈熠的方向躬身行礼后，转身走向史莱克学院的学员一方。

结束了。

从开始到结束，这场比试一共只用了五分钟的时间，谢邂败北。自始至终，他完全是被对手压制着打，如果不是最后时刻沈熠出手将他救下，恐怕他就要身受重创了。

是的，这就是史莱克学院学员的实力。

双生武魂又如何？敏攻系克制力量系又如何？在真正的强者面前，这都构不成威胁。

唐舞麟眼中流露出震惊之色，如果是自己遇到这位二号学员呢？还能坚持那么久吗？能够战胜对方吗？

他心中没有答案！因为他也看不出对手的力量究竟强大到什么程度。

当对方的身体重新变得瘦小、回到史莱克学院学员们中间的时候，唐舞麟也不禁吞咽了一口唾液。这位，实在是强大啊！

谢邂这一场，输得不冤枉，他已经发挥出了自己所有的优势，就算是应变略微有些瑕疵，但如果不是对手太强，他也不可能这么快就输了。

谢邂一脸无奈地回到唐舞麟他们身边，这一关，他只得了三分，可怜的三分。而且，有一项考试不及格，到了最后算总分的时候，还会被降低分数，史莱克学院可不管你面对的对手是强是弱，对手是你自己挑选的，就要自己承担后果。

唐舞麟看了他一眼，严肃地道："你为什么不跟他周旋？明知道他的战斗力很强。"

谢邂苦笑道："我的分身会持续消耗魂力，如果不分身的话，他的攻击又是范围型的，在这种有一定范围的场地内，我根本就没办法啊！要是空旷的地方，逃走我倒是有点把握。"

唐舞麟眉头一皱，道："你啊！还是思考得不够周密。你的分身确实是消耗大，但是，你忘了吗？对方也是处于千年魂技状态之下才能保持那么强横的攻击力啊！对方的魂力消耗能比你小多少？你是双生武魂又有玄天功支持，比消耗，就算最后输了，难道不能坚持十分钟？他的攻击范围一定无法覆盖全场，你有三道分身，只要拉开距离，朝着不同方向跑，他就拿你没办法。你控制好分身间的距离。不说占上风，至少有机会和对方比拼消耗。虽然你的分身彼此距离越远，消耗越大，但总比被对手一举击溃的好。你说呢？"

听了唐舞麟的话，谢邈猛地一拍大腿："对啊！我怎么忘了，这家伙也是处于千年魂技状态下的。和魂兽打多了，我下意识地把他直接当成魂兽了。"

他说这句话的时候声音非常大，穿了件外套、刚刚回归队伍的二号学员动作一僵，抬起头，那十分冷淡的目光直接投射到了这边，刚好落在谢邈脸上。

感受到二号学员的注视，谢邈仰起头，一脸骄傲的样子，那意思似乎是在说，下次再交手，你一定赢不了我。

唐舞麟不禁失笑。他指出谢邈的问题不仅是为了帮他纠正，同时也是不希望他的信心受到太大的影响。

不过，这家伙的心理素质好得出奇，刚刚那一点郁闷现在哪里还有半分？

这时，古月已经走到了场地中央，她同样看了一眼二号学员，眼中光芒闪烁。

她的对手也已经走入场地之中，正是她先前选中的一号学员。

这位一号学员各方面看上去都很普通，看不出有什么厉害的地方。他平静地走到古月对面站定。

"开始！"

随着沈熠一声令下，第三场比赛开始。对于古月来说，这一场至关重要，如果说她这一场得了低分，那么，很可能就凑不够分数。所以，这一场对她来说，志在必得。

脚下，一圈个魂环光芒闪烁，升起。双方做出了同样的动作。

但是，令人震惊的是，这位一号学员脚下升起的三个魂环，竟然都是紫色的，三个千年魂环。

先前的二号学员实力已经够强大了，但也只是两黄一紫而已。难道说，这位比二号学员更强不成？

一般来说，实战经验丰富的魂师战斗时，只有远程攻击魂师会一上来就释放魂环，所以，他们的动作也意味着，这将是一场远程大战。

事实上，也正是如此。

一号学员眼中光芒一闪，脚下第一魂环闪烁，右手抬起在空中虚点，一道光晕在空中亮起，赫然是一团奇异的光影。这团光影看上去非常特殊，就像是一个虚幻的球体，上面有着各种颜色。

他小声念叨了几句什么，一道光芒突然从那光影上投射而下，落在地面上，化为一只体形庞大，但看上去十分虚幻的大狗。

这条大狗全身都长着火红色的毛，看上去宛如狮子一般，但比狮子类魂兽体形要小，才一出现，就散发出一股强横无比的气息。

狮獒？

这是魂技还是魂灵？

看到这一幕，唐舞麟都不禁为之惊讶。难道是召唤类武魂？可这狮獒不是一名三环魂尊级别魂师就能够召唤出来的啊！

狮獒仰天一声咆哮，使整个房间都轻微地震动起来。一双眼睛盯着古月，眼神犹如实质一般。

"凝体！"低喝一声，一号学员向狮獒一指，突然，一道光芒从他手中射出，落在狮獒身上，狮獒的身体顿时变得更加凝实了，看上去已经有几分实体的模样。

"小狮，去吧。"一号学员朝着古月一指，那头狮獒悍然扑出，犹如一道闪电，直奔古月而去。

三个紫色魂环意味着，对方只有一个魂灵。这个召唤物有名字，或许，就是他的魂灵？

第一百九十三章
——越来越奇葩的战斗——

以魂灵作为自己的主要战力，这种情况唐舞麟还是第一次见到，在史莱克学院，果然是无奇不有啊！

在对方做着这一切的时候，古月也没闲着，她双手在空中轻微律动，围绕在身体周围的三个魂环闪烁着一种奇异的光芒。那是非常有韵律的变化，每一个魂环闪烁光芒的时候，都会轻微地震颤一下，让人根本分辨不清她究竟是在使用哪一个魂环的能力。

一团蓝色光芒在她身前凝聚成一颗直径大约半米的冰球，古月一掌掌拍出，不断落在那冰球上。每一次落下，冰球都会轻微地震颤一下。

狮獒扑出，直奔古月而来，它的速度飞快，在发起冲锋的同时，身上的毛发根根竖立，就像是一团烈火扑向古月。

古月脸上表情平淡，就像遇到了一件再普通不过的事情。眼看着狮獒已经到了近前，她双手突然一推，面前的冰球就飞射出去了。

然后，她做出了一个令所有人不解的动作，她就那么悠闲地朝着唐舞麟走了过去，背对着狮獒。

她这是干什么？

正当所有人不解的时候，狮獒已经到了那团冰球附近，猛地一张嘴，一团火焰喷射而出，火焰呈金红色，显然是有着非同寻常的高温。

但是，就在那火焰和冰球碰撞的瞬间，绚丽的一幕出现了。

冰球轰然炸开，无数冰锥飞射而出，同时射向那狮獒。更为恐怖的是，这冰锥在飞射的过程中颜色居然在变化，原本的蓝色变成了蓝青色。与此同时，其中大约有三分之一的冰锥上面银光一闪，竟然凭空消失了。再次出现的时候，却在一号学员身体周围，同时向他射去。

"不好！"一号学员从来都没有遇到过如此奇葩的场面。他的能力都在魂灵上，他的狮獒也确实强大，可是，当他自己遇到攻击的时候，就有些无法防御了。

狮獒喷出的金红色火焰化解了正面的风冰双属性冰锥，但其他冰锥还是将它覆盖，在风的辅助下，每一根冰锥都呈螺旋状飞出，同时速度极快，令它只能凭借自身魂力硬扛。一时间，狮獒咆哮，它身上的光芒明显暗淡了，甚至身体也变得透明起来。

而就在下一刻，它的身体却骤然消失。没办法不消失，战斗结束了。

沈熠准确地出现在一号学员身边，帮他挡下了那些宛如一道道青蓝色闪电般的冰锥。不然的话，一号学员恐怕就要受到重创。

从这场比赛一开始，沈熠就不看好一号学员，从属性上来说，他本来就是被古月克制的。

古月可是银月斗罗蔡月儿一眼看上的人啊！沈熠判断得很准确，这场比赛，古月获胜的概率更大，只是她也没想到，比赛会这么快结束，古月会赢得如此轻松。

当一切结束的时候，古月已经回到唐舞麟身边坐了下来。外面的天，已经黑了下来。

毫无疑问的十分，古月的分数，也成功提高到了四十八分，在还有两场考试的情况下，还是非常乐观的。

最后轮到许小言上场了，在她上场前，唐舞麟突然将她叫到自己面前，凑到她的耳边，低声说了几句什么。

许小言抬起头，惊讶地看向他："这样也行？"

唐舞麟眉毛微挑，笑道："试试吧，看你的了。"

"好。"许小言点了下头。

她对自己其实是没什么信心的，四个人之中，无疑她的实力最弱。如果是团队作战的话，她能够起到非常好的控制作用，但个人战就是她不擅长的了。所以她更多的是走控制路线，她的冰矛和她哥哥许晓语的就不一样。

许晓语的冰矛以穿刺为主，而她的冰矛则以冰冻为主，更倾向于控制。这也是舞长空为她制订的修炼方案！

因此，这轮比赛她其实一点底都没有，哪怕是天色已经黑了下来也是一样。

走进场地，许小言平静下来。她对自己的情绪控制得非常好，和伙伴们在一起这么长时间了，她的战斗经验不可谓不丰富。而且，要论腹黑，她也不比唐舞麟差多少。

她的对手，是一位身体强壮的男学员，六号！

"开始。"沈熠非常简洁地宣布了这场考试开始。

两圈黄色魂环升起，显得许小言很弱小。与此同时，在她手腕上银光一闪，她的身体一个趔趄，险些摔倒在地。

六号学员身上光芒闪烁，同样也在释放魂环，当她看到许小言的样子，不禁一愣。

因为，此时此刻，这姑娘表现出来的状况实在是太奇葩了。

魂环释放出来后，许小言手中握着一柄长长的冰杖，但紧接着，她右手之中就多了一柄乌黑的锤子。离得远看不清楚，但那铁锤的重量显然不轻，使得许小言差点摔倒，幸亏她用冰杖支撑，才稳定住自己的身体。

这是什么情况？难道是魂导器？但考试的过程中，是不允许使用魂导器的啊！

沈熠只是看了许小言一眼，并没有阻止她。原因很简单，那柄铁锤上没有半点魂力波动，根本就不可能是魂导器。

然后许小言就发动了自己的第一魂技，一道光芒闪烁，一片圆形冰刃已经出现在她面前，冰刃的直径足有一尺以上。然后，她小心翼翼地把锤子放在上面。

因为受到锤子重量的影响，悬浮在她面前的冰刃，明显晃动了一下。

许小言手中的冰杖光芒闪烁，冰刃托着锤子晃晃悠悠地向空中飞去。

这一幕，简直能用"奇葩"二字来形容，因为实在是太过怪异了。

冰刃因为托着那柄铁锤，飞行速度很慢，还摇摇晃晃的，看上去随时都有可能坠落。

这是她的攻击手段？

史莱克学院的这些学员看到这里，神情都变得古怪起来。见过奇葩的，却从来都没见过这么奇葩的啊！

这简直是闻所未闻的战斗方式。她就指望用这种手段赢？这玩意儿能不能飞到六号学员面前都难说。

许小言却没有去管别人的目光，身上第二魂环光芒闪耀，冰杖朝着对方一指，一根冰矛就在她身前出现了。

六号学员一直看到这里，才开始动手。他甚至有种啼笑皆非的感觉，这姑娘是来搞笑的吗？她是怎么来到第八关的啊？难道说，前面的考试她都放弃了，只是走个过场不成？不对啊！铡刀那关，没那么容易过的。

心中微凛，不行，自己不能被对方柔弱的外表和怪异的表现影响。

光芒一闪，他身上亮起一道白光，紧接着，胸口前方就出现了一颗水晶球。水晶球白光闪烁，看上去非常绚丽，原本在他身上的三圈光环顿时转化到了他那水晶球之上。

器武魂，水晶球。

"水晶、水晶，偏离！"他没去管空中的冰刃，那玩意儿的速度太慢了，根本就不足以对他构成威胁。

第一魂环光芒一闪，六号学员的双眼也随之变成了白色，水晶球上闪过一道光芒，许小言射出的冰矛顿时偏离了原来的轨迹，更是直接朝着空中的冰刃飞射过去。

这一下控制得不错，以许小言自己的冰矛去攻击她的冰刃。

不好，许小言心中大惊，如果真的让对方得逞的话，那这场她直接就要败了。关键时刻，她展现出了自己的潜能。

一抹紫意出现在她眼底深处，许小言眼中紫光一闪，对面的六号学员顿时恍惚了一下。

在紫极魔瞳的修为上，许小言是不如唐舞麟的，但干扰对手还是做得到的。尽管六号学员的精神力修为不弱，但还是受到了一点影响，对冰矛的控制自然就减弱了。

许小言冰杖一挥，重新掌握了冰矛的控制权。她的精神力也超过了两百点，在同龄的魂师中绝对算得上优秀了，而且她又是元素掌控类武魂，远程攻击是最基本的手段。

冰矛在空中画出一道弧线，直奔那六号学员落去。

这一刻，所有人的注意力都在那冰矛上，并没有人注意到空中托着铁锤的冰刃，此时冰刃的飞行速度快了一些，虽然不明显，但绝对比之前快。

许小言将手中的冰杖高举在头顶上方，她的眼神突然变得神圣起来。

"天上星，亮晶晶，永灿烂，长安宁！"

星光璀璨，星线连接。

在那点点星光照耀之下，冰杖异变，星轮冰杖，横空出世。

第一魂环光芒再现，奇异的金色星轮出现在六号学员脚下。

如果说前面许小言的动作都显得异常笨拙，而且十分迟缓，但从她施展紫极魔瞳的那一瞬开始，一切就突然变得顺畅起来。冰矛改变方向，她展现出了武魂变异，一切都开始变得不同了。

当武魂变异为星轮冰杖的同时，她和冰刃、冰矛之间的关系就被切断了。

此时才有人注意到，那冰刃刚好出现在六号学员头顶上方，冰刃失去控制，被那重锤压着从天而降，直奔六号学员头顶砸去，而那冰矛也在这一刻到了六号学员面前。

仿佛只是一瞬间，六号学员就看到了自己面前的冰矛放大了。

身上第二魂环光芒亮起，水晶球上射出一道光芒，那是一道如同旋涡一般的光芒，光芒照在冰矛上，冰矛顿时开始瓦解，重新化为冰元素，消散在半空之中。这是他的第二魂技——分解。

从某种意义上来说，许小言选择的这个对手，是这十个人中最弱的一个，因为他本身擅长的是辅助攻击，并不是纯粹的战魂师。

但是，这并不意味着他不强，他最擅长的是以彼之道还施彼身。

危机感传来，六号学员下意识地抬头向空中看去，正好看到铁锤从天而降的一幕。

她这是想要用冰矛吸引我的注意力，然后用这锤子砸我？这战术，好奇葩啊！

要是能被铁锤砸到，我也……

他下意识地抬腿就要跨步，避开一柄绝对不是魂导器的铁锤，那是再轻松不过的事情了啊！

可是，也就在这一刻，异变出现了。

星轮在他脚下亮起，在那一瞬间，他体内的魂力几乎是瞬间就被激发了，但是，当他再想要释放自己的第三魂技时，已经来不及了。

一条条星轮冰链缠绕而上，瞬间将他的身体捆了个结实。他此时还保持着抬头的状态，眼睁睁地看着那铁锤落下，须臾之间，就到了自己头顶。

这一下要是被砸中，头破血流还是其次，说不定，就真的要了命啊！

可是，无论他怎么挣扎，怎么催动魂力，身体就是纹丝不动。

星相类魂技，不容小觑！

铁锤在距离他头顶还有一寸的地方骤然停止，一滴大大的汗水，顺着六号学员的鬓角流下。

沈熠收回手，掂了掂手中的铁锤，走到许小言面前，脸上带着古怪的笑容："小丫头，演得不错啊！"

许小言甜甜地一笑："谢谢老师夸奖。"

沈熠之所以说她在演戏，是因为这柄锤子并非铁锤，而是千锻钨钢锤，一位二环魂师拿着它绝对不会出现身体趔趄的情况。她那分明是在吸引大家的注意力，使六号学员没有第一时间对她发动攻击，从而让她从容完成作战计划。

这小丫头一个不经意的小动作，就决定了这场比赛的胜负。谁能想到，一柄连一点魂力都没注入的锤子，竟成为决定胜负的关键。

星轮冰链最大的问题就是没有攻击性，而一旦施展了星轮冰杖，许小言自己就不能移动，也不能继续攻击了。

所以，唐舞麟在先前给她布置战术的时候，悄悄地摘下了一个自己手腕上的沉银环，套在了许小言手腕上，并且告诉了她如何取出里面的千锻钨钢锤。

其他的就不用唐舞麟教了，许小言迅速地制订了一套非常适合自己外表形象的战术。

或许，史莱克学院的学员实战经验丰富，但在情商这方面，许小言作为从小就哄着家里长辈对她无尽疼爱的小魔女，不知道比他们要强多少。

十分！

四个人中除了谢邂以外，唐舞麟、古月和许小言都是十分的满分。

经过八项考试之后，现在四个人的分数分别是，唐舞麟六十分，古月四十八分，谢邂五十一分，许小言五十分。

在还有两项考试的情况下他们能够得到这么多的分数，通过考试的可能性还是很大的，其中，唐舞麟已经达到了及格线，后面考试对他来说已经没有什么压力。所以，刚才这一关他就算魂力消耗大一些，也是值得的。

"走吧，继续，下一项考试。"沈熠现在的心情有些复杂。

第一百九十四章
生存?

师兄带出的这四个孩子确实优秀，看上去他们的武魂并没有多么出彩，至少不是每个人的武魂都特别强大，在这方面，相对出色的就只有古月一个人。至于谢邂的双生武魂，那是同质性双生武魂，相比于真正的双生武魂还是有差距的，许小言的能力不错，但受到时间的制约。

至于唐舞麟，这个在所有能够拿分的考试中都拿了满分的小家伙，就更让人看不懂了。他的武魂只是蓝银草，至于那奇怪的金色魂环感觉并非武魂方面的能力，而且他也没怎么用过，但他就是这么一路走过来，看上去没做什么特别出彩的事情，就是一步一个脚印拿了满分。

将并不强大的天赋发挥出强大的力量，这不仅是本身实力的强大，同时也是心性以及综合能力上的强大。

论天赋和潜能，无疑古月是最好的，但说到综合能力，唐舞麟是当之无愧的队长人选。

师兄，你真是好眼光啊！

带着这样的心情，她带着四个人走进了教学楼中的一个小房间。

和先前所有考试的场地不同，这个房间显得有些阴暗，而且，里面也没有华丽的装饰，整个房间内部完全是由金属构建而成的，墙壁上悬挂着一个个大屏幕。

来到这里，唐舞麟四个人都有种熟悉的感觉，这里分明有点升灵台的感觉啊！难道说，他们这第九项考试，就是要经历类似升灵台的考验吗？

"生存，这是你们第九项考试的目标。相信你们曾经都进入过升灵台，这里和升灵台差不多，但从某种意义上来说，里面的魂兽都是真实的，击杀它们，可以使处在瓶颈期的人获得魂环，当然，里面还有其他的奖品。好了，准备进入吧。"沈熠叮嘱了四个人几句，然后走到一旁按动按钮，一个个金属抽屉滑出。

生存？一听第九项考试是考这个，古月、谢邈和许小言三人的目光就都落在了唐舞麟身上，眼神中无不显露着信心。

原本上一项考试谢邈只拿了三分，心中还有些忐忑，但一听第九项考试的内容，他就放心了。

这几年来，他们在升灵台之中的经历实在是太多了，要论生存能力，绝对是毋庸置疑的。只要对手能力不是超出他们太多，生存下来问题不大。

唐舞麟的指挥能力，再加上他们的团队配合能力，都能在这生存考试中淋漓尽致地发挥出来，只要四个人在一起，那就不是问题。

"沈老师，我们四个人会集中在一起出现吗？"唐舞麟向沈熠问道。

沈熠眼含深意地看了他一眼，道："是的。无论考试人数多少，都是会聚集在一起的。这项考试不仅是考验你们的个体生存能力，还要考验你们彼此之间的配合能力。你们本来就是一起来的，这方面是有优势的，加油吧。"

"谢谢沈老师。"

唐舞麟四个人分别进入金属抽屉，抽屉闭合。第九项考试，正式开始。

他们不知道的是，当金属抽屉闭合之后，房间内走进来两个人，其中一位，正是曾经刁难过他们的那位老妇人——银月斗罗！

和银月斗罗一起进来的，还有一位老者，这位老者高鼻深目，有着一双湛蓝色的眼眸，身材高大，一头白发披散在肩膀上，全身都弥漫着雄浑的气势。他的气场之强，让人一看，就有种要镇压一切的感觉。

"老师。"沈熠恭敬地向那位老者行礼。

老者微微颔首："这几个小家伙表现如何？"

沈熠想了想，最后用了一个她认为最合适的词语："超乎想象。"

银月斗罗笑了："是啊！是有些超乎想象。在两项考试均得零分的情况下，才到了第八项，居然已经有人达到了录取线。那个唐舞麟不简单啊！他身上的气血之力非常浓郁，和你倒是有点像。浊世，我们可说好了，其他三个小家伙我不管，但是那个古月，我是要定了的。"

浊世瞥了她一眼："什么叫你要定了？你别忘了，他们可都是我的徒孙，和你并没有什么关系吧。"

银月斗罗眉毛一挑："怎么？你要反悔？"

浊世嘿嘿一笑，身上气场收敛："我没有反悔啊！我只是陈述一个事实。我是说，你可以挑选这些小家伙，但是，我又没说一定把他们给你。你总要看人家愿意不愿意嘛。你看，古月那丫头并不愿意跟你学习，强扭的瓜不甜，你就别勉强了。"

"老娘就喜欢她那倔强的性格，小小年纪，如果连点个性都没有，那和行尸走肉有什么区别？我就喜欢这有性格的。"银月斗罗暴跳如雷地说道。

沈熠在旁边噤若寒蝉。在这两位面前，她还真不敢说什么。

浊世道："一切都等他们通过这项考试再说吧。要是这项通不过，那么，其他考试的分数再高也没用。"

银月斗罗安静下来，竟是认同地点了点头，似乎对这第九项考试也非常重视。

沈熠这才低声问道："老师，让他们进行什么等级的考试？"

浊世连想都不想："最高等级。"

沈熠不禁一愣，最高等级？那可是连成年人也很难通过的啊！这……

"还不快去。"浊世看她犹豫，立刻催促道。

"是。"

扭曲感从四周传来，对于习惯了升灵台的唐舞麟来说，这些再小儿科不过了。他的身体强度、精神力都足够强大，这点小小的空间变化根本不足以对他造成干扰。

光芒一闪，唐舞麟四个人突然出现在一个世界之中。

四个人是一起出现的。当看到其他人的时候，他们立刻就做出了反应，保持着他们最擅长的阵形。

一根根蓝银草从唐舞麟脚下释放而出，覆盖着周围，同时也感受着周围的情况。

和升灵台确实非常像，这里是一片茂密的大森林，看上去比升灵台里的森林更加原始。

"第九项竟然是考生存，真是太好了。对我们来说，估计没有比这个更轻松的考试了吧？"谢邀有些兴奋地说道。

唐舞麟却抬起手，示意他噤声，然后低声说道："这里和升灵台不一样，至少和初级升灵台不一样。我曾经跟随舞老师进过一次中级升灵台，那里的植被就和这里一样原始。别忘了，这是史莱克学院的考试。沈老师只说了'生存'两个字，却没说要生存多久。我们一切都要小心，如果是等同于中级升灵台的地方，那么，我们很可能会随时遇到千年，甚至是万年魂兽。"

万年魂兽？听到这几个字，其他三人都不禁倒吸一口凉气。

许小言突然低声道："队长，我要是这个时候突破了三十级，是不是就能直接附加一个魂环回去啊！要是万年魂兽的话……"

唐舞麟却猛地皱眉："想都不要想。以你现在的身体情况，吸收万年魂环和自杀没什么区别。别忘了，你才二环。正常情况下，魂师想要吸收万年魂环需要至少五环级别的修为才行。你本身又没有特别出色的能力，千万不要有这样的想法和侥幸心理。否则的话，很容易出问题，就像我当初升灵千年一样。"

听他这么一说，许小言顿时吐了吐舌头："知道了。"

唐舞麟道："走吧，我们先找一处地势高一点的地方，这样视野宽广一点，大家在先前的考试中都消耗不少，我们尽可能先找到地方休息，同时恢复魂力。"

"好。"

四个人小心前行，古月释放出风鸟进行远距离侦察，近距离主要是唐舞麟来控制。

风鸟并没有发现什么魂兽，似乎这片森林就是再普通不过的森林而已。

当然，唐舞麟是绝不会这么认为的，这可是史莱克学院的考试。

时间不长，他们就找到了一个小山坡，山坡上视野就要好得多了。唐舞麟从自己的储物魂导器中取出先前的馒头，分给众人，大家简单吃了点，轮流休息，恢复魂力。

四周依旧很安静，他们没有受到任何打扰。

足足用了两个小时，所有人才都恢复到了巅峰状态。

"队长，有些奇怪啊！都两个小时了，我们连一只魂兽都没有遇到，你说这是为什么啊？"谢邈低声问道。

唐舞麟心中也同样有些疑惑，按道理来说，生存考试当然是生存时间越长，得分越高啊！他们都已经到这两个小时了，却没有遭遇任何危险，那这所谓的生存考试还有什么意义？对于魂师来说，在一片大森林之中找到食物绝不是什么困难的事情，总不能是最简单的那种生存吧。

"我们要不要到处看看？"谢邈向唐舞麟问道。

唐舞麟抬头看了看天色："不急，现在应该是下午，等到傍晚我们再出发。多了小言的星轮冰杖，把握就大一些。"

毛躁绝对是最大的敌人，他现在一点都不着急，对他来说，带着伙伴们在这项考试中获得高分才是最重要的。既然这里安全，那就等待下去，至少要让所有人都在最强状态，再去寻找这个地方的奥秘。

四个人就在山坡上一直休息，当天色渐渐暗下来之后，唐舞麟这才站起身，他悄悄地爬上一棵大树，在接近树顶的地方极目远眺。

真的和星斗大森林很像，放眼望去，是大片的树木，天还没有完全黑下来，还能看得到周围的景物。

正在这时，一声低沉的吼叫在远处响起。

这声吼叫出现的瞬间，整个森林仿佛都变得沸腾起来。唐舞麟听到这声吼叫，瞬间汗毛竖立，仿佛遇到什么恐怖的事情。体内一热，强盛气血澎湃而出，这才将那恐惧感压了下去。

这是什么东西？

唐舞麟骇然色变，迅速从树上滑了下来。他虽然不知道是什么，但只是远远地听到对方吼叫就让自己有了这么大反应，这意味着，那绝对是一只非常恐怖的魂兽发出的。

他曾经遇到过的最强大的魂兽，就是被他吸收了灵力的三眼魔猿，万年三眼魔猿和舞长空那一战，给唐舞麟留下了非常深刻的印象。但听刚才这动静和对自身的影响，似乎要比三眼魔猿更加强大啊！

当他来到树下时，看到伙伴们也都是一个个脸色大变。

"那、那是什么声音啊？吓死人了。"谢邈脸色苍白，一脸的骇然。

许小言和他情况差不多，古月也是脸色难看，但比他们两个要好一点。

唐舞麟沉声道："我也不知道是什么东西，但听起来，就在不太远的地方。"

正在他们说话的时候，另一声咆哮响起，和先前的声音相比，这一声听起来要尖锐很多。奇异的是，这声音听在他们耳中却有种全身通畅的感觉，先前吼声带来的压迫感顷刻间消失不见。

这是……

好奇怪的感觉啊！

"我们去看看。"古月向唐舞麟说道。

唐舞麟点了点头："走吧。"

既然是考试，肯定没有那么简单，就算他们不过去，恐怕这两只听起来就非同

凡响的魂兽也会找上他们，那不如主动出击，还好一点。

无论是什么地方的考试，总不会安排一个他们完全没有可能通过的吧，先去观察一下情况再说。

风鸟飞行在前方，唐舞麟四个人跟在后面，朝着声音传来的方向快速靠近。

唐舞麟在前面开路，让伙伴们尽可能地收敛自身的气息。

古月脸色一变，低声道："在左前方，那边有个山谷，就在那里。但我的风鸟被一股气浪吹散了。"

"大家小心一些，跟紧我。"唐舞麟一边说着，一边将自身金鳞释放了出来，鳞片一直覆盖到肩膀、脚下，一圈金色魂环也悄然出现。而且，他身上散发出的气血之力不仅笼罩着自己，也让跟在他身后的三人都感觉到安全了许多，至少没有先前听了吼叫声后的压迫感了。

穿过树林，果然如古月所说，一片山谷出现在他们面前。山谷内同样是郁郁葱葱的，但还没有靠近山谷边缘，一股股强大的气浪就已经传来。

四个人都催动魂力，抵抗着这些气浪，然后向山谷边缘小心翼翼地靠过去。

"匍匐前进。"唐舞麟第一个趴在地上，身体紧贴地面，承受的气浪冲击自然就要小得多了。其他三人也做出同样的动作，跟在他后面，四个人一起，渐渐靠近了山谷边缘。

当他们看到山谷内的情况时，不禁都倒吸一口凉气。

山谷内，一声声轰鸣不断传来，两团光芒正在飞速碰撞。

这两团光芒的体积都非常大，每一个的直径都超过三十米，每一次碰撞，都有种地动山摇般的感觉，那气浪，正是它们在碰撞时产生的。

这是……

唐舞麟运转紫极魔瞳，向那两团光芒看去。那分明是两只魂兽啊！

一团暗金色光芒，身形巨大。看到它的时候，唐舞麟的眼神瞬间就凝固了，因为这种魂兽它认识，正是曾经令他们痛不欲生，并且每次面对都无比痛苦的暗金恐爪熊。

但是，和他们曾经遇到过的那只暗金恐爪熊不同，这只的体形要大得多，身高超过十米，全身释放着强盛无比的暗金色光芒，一双巨大的粗壮前肢带着利爪，每一次挥出，都带着毁天灭地一般的破坏力，使山谷内飞沙走石。地面上、山壁上，一道道深深的沟壑都是它的攻击造成的。

这家伙，难道是千年暗金恐爪熊？或者是，万年？

百年暗金恐爪熊就能让火焰狮群匍匐在地不敢动弹，成长到千年的暗金恐爪熊，就绝对是森林中霸主级别的存在了。那么，如果这只是万年呢？

万年暗金恐爪熊，是可以秒杀普通十万年魂兽的存在啊！它的破坏力，简直无法形容。

但是，就是这么强大的存在，它的对手却和它不相上下，显然也不是弱者。

观察完暗金恐爪熊之后，唐舞麟又向另一团光芒看去。

那是一团金色光芒，里面也是一只魂兽。

这只魂兽全身仿佛是半透明的水晶一般，充满了奇异的质感。整体形态很像狮子，但四个爪子像龙的爪子一样，而且每个爪子下面踏着一团金焰。同时，它的嘴也比狮类魂兽的要长一些，毛发之下，似乎是细密的金色鳞片。除了正常的双目之外，它竟然还有第三只眼睛存在，诡异的是，它这第三只眼睛竟然是竖瞳。

两只正常的眼睛中闪烁着的是金色，而这只竖瞳中散发出的却是红色，带着几分妖异的红色。

这是什么魂兽？唐舞麟从来没见过，甚至连听都没听说过。

唐舞麟缩回身体，低声将自己看到的向伙伴们描述了一遍。

"谢邀，你认得那金色魂兽是什么吗？"唐舞麟向谢邀问道，谢邀知识广博，是他们中最了解魂兽的。

谢邀眉头紧皱："听了你的描述，好像有点印象，让我想想。"

古月道："这两只魂兽太强大了，随便一只都能轻松地捏死我们。应该不是我们考试的目标所在。但让我们发现它们是为了什么？"

唐舞麟摇了摇头："我们先静观其变吧，看上去，它们的实力不相上下。难道说，是要等它们两败俱伤之后，让我们去捡便宜？可就算它们两败俱伤，只要还有一口气在，也不是我们能够对付的啊！"他对自己的实力有清醒的认识，绝不会认为，他们四人能够和那两只魂兽抗衡。

第一百九十五章
——帝皇瑞兽——

这里和升灵台最不一样的地方就是，他们没有求救信号器！也就是说，如果想要离开，恐怕就真的要死着出去了。那么，遇到那两只魂兽，恐怕下场会很惨。出去之后指不定会痛苦到什么程度呢。所以，还是小心为上。

四人再次靠近山谷边缘，看向战场。

那两团光芒碰撞得越来越剧烈了，而且还真看不出是谁占了上风。

突然，两团光芒同时增强，剧烈碰撞之后又猛地弹开，两团光芒减弱，它们露出了本体形态。

暗金恐爪熊看上去异常恐怖，但它的对手也丝毫不弱，尤其是它额头上的第三只眼，红光四射，每当那红光变得浓郁起来的时候，暗金恐爪熊分明显得十分忌惮，身上暗金色光芒也随之若隐若现。

"啊！我想起来了。"谢邀低呼一声，心中充满了震撼。

"你想起来什么了？"唐舞麟好奇地问道。

谢邀道："那金色魂兽，好像、好像是传说中的瑞兽啊！"

"瑞兽？"三人都疑惑地看着他。

谢邀点了点头："传说中，星斗大森林有一只奇异的瑞兽，它被称为帝皇瑞兽。只要有它在，这片大森林之中的所有魂兽的修炼速度都要比正常情况下快一倍多。而且，它能够给整个大森林带来祥瑞。但是，不知道为什么，后来那帝皇瑞兽死了，从那以后，星斗大森林就霉运连连，为此，还曾经发动过冲击史莱克城的兽潮。这个你们应该在那位灵冰斗罗的传记故事中看到过才对。

"帝皇瑞兽，三眼金猊。传说中，它好像就是被那位灵冰斗罗吸收了魂环和魂骨吧。三眼金猊是必出头部魂骨的，而且被称为精神力最强的头部魂骨，在所有已知魂骨中，始终排名第一。难怪连万年暗金恐爪熊都拿它没办法，这位竟然是帝皇瑞兽啊！实在是太强大了。"

帝皇瑞兽，三眼金猊？只听名字都觉得非常强大了。

"它长得好帅啊！要是能做我的魂灵就好了。"许小言眼中闪烁着星星般的光芒。

谢邈没好气地道："别做梦了你。那可是三眼金猊，它的智慧据说还要超过我们人类呢。哦，对了，我想起来了，灵冰斗罗传记中记载的是，当初那三眼金猊化为人形，爱上了灵冰斗罗，后来将自己献祭给灵冰斗罗，成为他的魂环，这才化解了灵冰斗罗一次致命危机，但也引发了来自于星斗大森林的兽潮。星斗大森林由此没落。"

唐舞麟道："怎么我看过的传记没有这些记载？"

谢邈嘿嘿一笑，道："那是，我家收藏有传记秘闻，一般的传记哪有这种记载啊！"

古月若有所思地道："那这么说，魂兽接近灭亡，也和这三眼金猊的献祭有关了？可是，身为帝皇瑞兽，它怎么会为了一个人类献祭？难道它不考虑它的族群吗？"

谢邈道："这你就不懂了吧。陷入爱情之中的人，是不理智的，可以为了爱而放弃一切。我估计三眼金猊那时候就是这样的。它不是爱上了灵冰斗罗吗？"

爱？

古月下意识地瞥了一眼唐舞麟，连她自己都不知道，为什么会这么做。

"轰隆！"地动山摇般的轰鸣突然爆发，整个山谷都剧烈地震荡起来。

四个人赶忙匍匐在地，唐舞麟用一根根蓝银草缠绕住伙伴们，以防出现危险。

厉啸声响起。气流突然变得强烈起来，唐舞麟小心翼翼地探头看去，他惊讶地看到，山谷内，两只巨兽离他们越来越远，正朝着远处而去。

这是一个狭长的山谷，也不知道尽头是通往什么地方。

吼叫声越来越小，两只巨兽的身影也逐渐消失在他们的视线中。

"走了？"唐舞麟四个人都松了口气。

这两位大能可不是它们能够对抗的，没有被发现是最幸运的事情。

"这片森林中没有什么其他魂兽出现，不会就因为它们吧？"许小言说道。

唐舞麟点了点头，道："这山谷有可能是它们其中之一的地盘，所以周围魂兽稀少，而另一位则是来抢地盘的，或者是要攻击它获得利益。"

"只是不知道，这究竟是谁的地盘。要是三眼金猊的就好了。传说中，三眼金猊可以带来祥瑞，它在的地方，一定有宝贝的。不是说我们在这里获得的东西都能带走吗？"谢邂说道。

唐舞麟瞥了他一眼，道："那我们下去看看？"

"走啊！"谢邂一副跃跃欲试的样子，"这里反正也是虚幻世界，就算是死，也不会是真的。这么好的机会，不去看看，真的有些不甘心啊！"

唐舞麟再看向古月和许小言，古月点了点头，许小言向他一笑："队长做主。"

"走！"唐舞麟眼中光芒一闪，起身，向山谷下摸去。

正所谓初生牛犊不怕虎，更何况，这里毕竟是个虚幻世界，并不会真的有生命危险。那可是前所未见的帝皇瑞兽啊，这个世界上早就不存在的强大魂兽。

四个人顺着山谷边缘的斜坡缓缓下降，唐舞麟凭借着蓝银草控制着伙伴们的下降速度，斜坡虽然比较陡峭，但对于他们来说并不算什么。一会儿的工夫，他们就来到了山谷下面。

唐舞麟极目远眺，朝着山谷尽头看去，远处，暮霭沉沉，两只魂兽大能已经消失了，看起来一时半会儿是不会返回的。

他们小心翼翼地顺着山谷前行。

当他们看到山谷内两只巨兽先前交手时留下的痕迹时，心跳不由得提速。

实在是太恐怖了，宽阔的山谷底部，纵横交错，到处都是深深的痕迹。坚硬的岩石在它们恐怖的攻击力面前和豆腐并没有什么区别。整个地面有很大一片区域已经没有植物了，显然都是在它们先前那一战中被破坏的。

"队长你看。"许小言的声音突然传来。

唐舞麟转身向她手指的方向看去，顿时眼睛一亮。

就在距离他们不远处一个拐弯的地方，有一个漆黑的洞穴，洞穴高约五米，看上去黑漆漆的，不知道通往何处。

"是其中一只魂兽的洞穴？"唐舞麟自言自语地说道。

"过去看看！"谢邂一闪身，率先朝那个方向跑了过去，唐舞麟三人随后跟上。

谢邂来到洞口处，先向里面张望了一下，然后等待伙伴们跟上来。

"队长，这里可能真的是三眼金猊住的地方啊！"他在说出这句话的时候，明显吞咽了一口唾液。

"哦？为什么？"唐舞麟问道。

谢邀道："我们曾经和暗金恐爪熊交过手，那家伙身上都是腥臊的味道。但这个洞穴不但干爽，而且还有淡淡的麝香般的气味传来。传说中，三眼金猊就是这种味道，所以，这里很可能是它的住处。"

"走，进去看看。"唐舞麟当机立断，现在不是犹豫的时候，谁知道它们什么时候就会回来啊！

四个人快速进入洞穴，然后向洞穴深处快速行进。

洞穴内黑漆漆的，但是，他们进入之后就发现别有洞天。洞穴里面的高度很快就超过五米，而且变得越来越开阔。

拐过一个弯，前方隐隐有光芒闪烁。

地面上开始出现各种各样的宝石，这些宝石闪烁着幽幽光芒。

不过，对于他们这个年纪的少男少女来说，宝石不过就是漂亮的石头而已，他们更好奇的是，这三眼金猊居住的地方究竟是什么样的。

"这宝石估计不能带出虚幻世界吧？"谢邀看了一眼地面。

唐舞麟道："别财迷了，你没看我都没动手拿吗？要是谁进来都能带走宝石，那史莱克学院还会留给我们？"

再次拐过一个弯，前方豁然开朗。但也就在这时，突然，一声尖锐的叫声响起。紧接着，一道金色身影闪电般朝着他们扑了过来。

不好！

听到这声尖叫，唐舞麟只觉得全身汗毛都竖立了起来。他首先想到的就是，在这里还有另外一只三眼金猊。

那可是能够和万年暗金恐爪熊抗衡的存在啊！遇到它，他们甚至连跑的机会都很难有。

"你们快跑。"唐舞麟大喝一声的同时，全身金光大放，引动了自己的黄金龙体，同时右臂骤然膨胀，右手瞬间化为金龙爪，悍然朝那扑来的金色身影拍去。

在感受到致命危机的情况下，他一点都没有留手，长达三尺的暗金色光刃从金龙爪上透出，正是金龙恐爪。

"锵！"脆鸣声中，金色光影翻身落地，唐舞麟则是连续后退了七八步，才站稳身形，全身一阵气血翻涌。

在这时，他心中却是大喜的，因为其他三人听到他的叫声却都没有掉头就跑，反而是迅速保持着他们正常的阵形。

古月释放出一层柔和的蓝色光芒，挡住了唐舞麟后退的身形。这正是古月柔软的水盾。

唐舞麟不惊反喜，金龙爪护在身前："大家小心点，好像不是特别强大。"

那团金色光影已经能够看得清楚了。先前他们都看到过三眼金猊的模样，而眼前这只，看上去分明就是一只缩小版的三眼金猊啊！或者说是迷你版的。

这只三眼金猊的身长不到一米五，肩高也只有六尺左右，看上去就像是一只大狗，但外表和先前那只成年三眼金猊差不多，只是额头上的竖瞳闭合着，并没有开启。

"这是……幼年三眼金猊？运气不会这么好吧？"谢邀惊呼出声。

"运气好？"唐舞麟瞥了他一眼。

谢邀道："三眼金猊最强大的地方就是它的第三只眼睛，但它必须要成长到一定程度后，第三只眼睛才会开启，那时候，它就是超级魂兽，同时还能够带给身边的伙伴以运气。但是，这只好像并没有那么强大，我估计也就是只十年魂兽。我们有机会啊！小言，别看它只是十年魂兽，但你要是能吸收了它的魂环，甚至会比万年魂环还好啊！更别说它身上还有头骨呢。三眼金猊头骨，那可是魂兽界第一魂骨。"

古月眉头微皱，低声向唐舞麟问道："它好对付吗？"

唐舞麟道："好像还行。"

刚刚硬拼之后，他气血翻涌，但那三眼金猊也并不好受，两只前爪上的鳞片翻起，留下了几道深深的血痕。它的防御固然很强，但面对唐舞麟的金龙恐爪还是没有占到上风。

力量方面，唐舞麟略微逊色于这幼年三眼金猊，但也没差太多，之前对方的扑击不是被挡回去了吗？

"来，我们试试。"

事已至此，根本没有退缩的道理，或许，这就是他们要面对的真正考验吧。

第一百九十六章
抉择

唐舞麟脚下，一根根蓝银草蜂拥而出，同时，他大步朝着三眼金猊走去。其他三人立刻做好了战斗准备，释放出自己的武魂。

金龙爪护在胸前，唐舞麟此时正处于巅峰状态，体内气血奔涌，身上的金色魂环因为武魂魂环的出现，变得虚幻起来。两个紫色魂环却变得格外清晰，还被那金色魂环映衬得散发着淡淡的紫金色光芒。

这还是唐舞麟解除第二道封印后，第一次同时催动武魂和气血之力。他甚至感觉到，自己的蓝银草似乎受到了气血之力的影响，潜移默化中正在逐渐变化。

但这变化不是一天两天就能完成的，就像他解除第一道封印时那样，但他相信，只要给他足够的时间，蓝银草一定会继续进化，变得越来越强。

一根根蓝银草蜂拥而出，朝着三眼金猊飞扑而去，第一魂技，缠绕，发动！

三眼金猊速度奇快无比，身形一闪，就退到了后面，同时，它身上释放出一道金色光影，看上去和自己一模一样，然后闪电般朝着唐舞麟飞撞而来。

唐舞麟冷哼一声，不闪不避，黄金龙体释放，全身气血奔涌，金龙爪拍出。

"砰！"闷响声中，唐舞麟接连倒退几步，但那金色光影也随之溃散。

在魂力和气血之力的双重作用下，金龙爪变得比以前更加强大了，爪尖比原来长了一寸。更重要的是，唐舞麟发现，现在金龙爪对魂力的消耗明显减少了，在气血之力的支撑下，应该能较长时间地使用了。

一根根地突刺毫无预兆地从三眼金猊身体周围冒出，化为囚笼。

三眼金猊身上金光一闪，一圈金色光环从体内迸发而出，将地突刺震碎。同时，它飞快扑出，身在空中，两只金色眼眸光芒一闪。

唐舞麟和古月同时感觉到一阵眩晕，下意识地后退了两步。

三眼金猊就趁着这个机会，飞快地扑到他们面前，一双前爪探出，直奔唐舞麟胸前抓去。这一下要是被它抓到，唐舞麟恐怕就要遭到重创了。

正在这时，三道身影宛如龙卷风一般出现，挡住了三眼金猊的去路。

光龙风暴，发动！

光龙分身加光龙风暴，谢邂爆发出了自己最强的攻击力。随着一连串的"砰砰"声，他竟然硬生生地将那三眼金猊从半空中给拦了下来。

果然是幼年的三眼金猊，虽然防御力惊人，但总算不是不可对付的。它速度快，擅长精神攻击、物理攻击，但整体的强度都不算太高，至少不是唐舞麟四个人不能承受的。

"小言，速战速决。"唐舞麟一边说着，一边释放第二魂环，大片的蓝银草从地面上涌出，化为蓝银突刺阵，将三眼金猊笼罩在内。

必须要速战速决才行了，谁知道那成年的三眼金猊什么时候回来，一旦人家回来，那他们可就连逃跑的机会都没有了。

面对蓝银突刺阵，三眼金猊身上的金色光环再次出现，蓝银草还没到它身边，就蔫了。

但也就在这时，一圈星轮悄无声息地出现在它脚下，三眼金猊身体顿时一僵。

银光一闪，两道身影出现在了三眼金猊面前。

正是古月和唐舞麟。

古月的空间元素控制可以带一个人在短距离内瞬间转移，在这个时候使用无疑是最合适不过的。

金龙爪直接拍下，正中三眼金猊头顶。

三眼金猊惨叫一声，被这一击拍得直接匍匐在地。但唐舞麟的金龙爪居然也被弹了起来，并没有出现粉碎效果，也没有直接令它毙命。

三眼金猊趴在地上，受到重击之后似乎昏迷了过去。

"队长，别破坏它的头，那里可有头骨。"谢邂赶忙说道。

唐舞麟抬起金龙爪，没有再次攻击。就在他刚刚命中三眼金猊的时候，他有种奇异的感觉，那就是无论怎样，自己金龙爪的粉碎特性都是不会被激发的。这种和运气有关的事情用在帝皇瑞兽身上，无疑没办法生效。果然是奇异的魂兽啊！

"估计只是十年的三眼金猊，如果是百年的话，我们对付起来一定没有这么容易。"

这只匍匐在地的三眼金猊，现在对他们来说，就是待宰的羔羊啊！虽然它的身体防御不错，但以唐舞麟金龙爪的威力，破开防御将它击杀并没有什么难度。

之前它虽然用头弹开了唐舞麟的金龙爪，但其表面鳞片已经被抓破了，有金色血液流出。

唐舞麟看向伙伴们："现在该是处理战利品的时候了，小言，你如果突破了，魂环归你。魂骨的话，我放弃，谢邈，你和古月商量吧。"

谢邈、古月和许小言都沉默了。

这可是三眼金猊啊，现实世界中根本不可能存在的魂兽。而在这里，先前沈熠已经说过了，他们得到的魂环是真实有效的。只要能够将其融合，就是自己的力量，魂骨也是如此。

尽管只是十年魂兽，但三眼金猊的魂骨被称为第一魂骨，单是它对精神力的提升，就将不可估量。

"队长，你为什么放弃啊？这可是三眼金猊的魂骨啊！"许小言忍不住问道。

唐舞麟道："我之前已经拿了暗金恐爪熊的右掌骨，当然没资格再拿魂骨了。我们是一个集体。这只三眼金猊的魂骨怎么分，你们决定吧。"

谢邈看向古月，再看向许小言。

如果许小言已经三十级了，那三眼金猊的魂环，对她来说是不可多得的好东西。但现在她才二十九级，距离三十级一线之隔，可就是这一线之隔决定了她根本没办法吸收魂环。所以，是他们三个人分魂骨。

魂骨只有一块，三个人怎么分？而这块魂骨的价值又是不可估量的。

谢邈恋恋不舍地看着地上的三眼金猊，突然，他后退一步，来到唐舞麟身边，这一步退出后，他整个人像是完全放松了下来。

"我也放弃。哥是男人，女士优先的道理我懂。而且，这三眼金猊的头骨主要是提升精神力的。我又不是擅长精神力的魂师，再好也和我没那么契合。所以，我放弃，古月、小言，你们俩决定吧。实在不行就猜拳好了。"

听了谢邈的话，古月和许小言都不禁惊讶地看向他。

谢邈外表看上去有些冷，实际上却是个性格活泼的家伙。而且也是他最先说出三眼金猊头骨重要性的，在这个时候，他竟然能够选择放弃，而且是在这么短的时间内就做出了决定，真的是很不容易啊！

古月看向许小言，许小言也在看着她。

她们擅长的都是远程攻击，都是元素类。这三眼金猊头骨无疑是适合她们任何一个的，一旦融合，就会令自身修为有质的飞跃。这样的好机会不可多得，甚至是无法复制的。

吸收了这块魂骨，说得夸张点，甚至能够改变她们的一生啊！如何抉择？到底归谁所有？

唐舞麟站在那里，抿着嘴，这时他没办法给出任何建议。作为队长，无论他建议把魂骨给谁，对另一个人都是不公平的。

如果是普通魂骨还好，将来大家还有机会获得，但这是三眼金猊的魂骨啊！错过这一次，恐怕就再也没有机会了。

古月转过身，向唐舞麟走来。她走到唐舞麟面前站定："给小言吧。我也放弃。"

"古月姐。"许小言惊呼。

古月转过身，淡然一笑："三眼金猊是帝皇瑞兽，魂骨拥有者会运气加身，我靠的是实力，不是运气。而且，我们四个里面，你年纪最小，实力也最弱，想要跟上我们的脚步，就要努力提升自己。所以，你吸收了吧。"

许小言的眼圈瞬间就红了起来，唐舞麟退出、谢邈退出，古月竟然也退出了。

如果从适合的角度来看，无疑，最适合这块魂骨的人是古月。古月的武魂是六元素掌控，精神力越强，对她的元素掌控自然就越有利。一旦吸收了这块魂骨，就为她奠定了精神力突破灵海境、并且能在短时间内进入下一个层次的基础，实力必然暴增。

可是，她就这么放弃了，毫不犹豫地放弃了。

唐舞麟能做的，就是竖起大拇指，是的，他为拥有这样的伙伴感到骄傲！

面对能够令整个魂师界为之动心的至宝，他们一个个都能选择放弃，这意味着，在他们心中，友谊远远超过了利益，也证明了他们是一个极具凝聚力的团体。

许小言蹲下身体，看着面前的三眼金猊。

突然，她猛地摇了摇头，重新站了起来，大步地走到唐舞麟面前："队长，我也放弃。"

"你也放弃？"唐舞麟惊讶地看着她，"为什么？"

许小言摇摇头，道："如果是别的魂骨，我会毫不犹豫地吸收。但是，三眼金猊魂骨太珍贵了。我如果独得了，心里会不安的。而且，这只三眼金猊还小，它妈妈回来要是看到自己的孩子死了，那该多伤心啊！我们虽然杀过不少魂兽，但那些魂兽都是先攻击我们的，我们为了自保才击杀它们。但这三眼金猊幼兽好端端地在家里，如果我们就这样将它击杀了，我于心不忍。所以，我不要这块魂骨了。咱们走吧。"

听了许小言的话，唐舞麟在惊讶的同时，脸上也露出了笑容，竖了一个大拇指给她。

是啊！

这块魂骨，不要似乎更好呢。而且，在他心中隐隐感觉到，这项考试并没有那么简单。

三眼金猊魂骨无论是被谁吸收了，都有可能在伙伴们心中留下阴影，同时，正像许小言所说的那样，这是只幼兽，他们虽然杀过不少魂兽，但那都是在自身受到威胁的情况下。可这幼兽，本来就在这里，又威胁到了他们什么呢？

同时动容的还有谢邈和古月，他们毕竟年纪都还小，击杀魂兽都在升灵台中，那对他们来说，就像是一个游戏。

可此时此刻，当许小言选择放过这只幼年三眼金猊的时候，他们心中却都产生了一个想法，杀魂兽究竟是对还是不对？魂兽邪恶吗？还是魂兽影响到了人类的生存？抑或是，人类的贪婪让魂兽逐渐走向灭绝？

或许，现在还有些魂兽活着，可是百年后、千年后呢？魂兽如果真的成为历史，这对人类就一定是好事吗？

"既然你们都决定放弃，那我们就快走吧。我怕，那个大家伙快回来了。"唐舞麟当机立断，身为队长，保证伙伴们的安全最重要。当下，他毫不犹豫地带着三人一起向洞穴外跑去。

远离这里再说。

洞口就在眼前了，已经能够看到外面的景物了。夜空中繁星点点，山谷内的空气变得越发湿润了。

突然，三只眼眸毫无预兆地出现在他们前方，两只金色眼眸闭合，红色眼眸闪烁着妖异的光芒。

唐舞麟四人的动作瞬间停顿，仿佛时间和空间在这一瞬静止了。

第一百九十七章
不后悔！

　　然后他们就看到，那巨大的三眼金猊张开嘴，一口金色光焰喷吐而出，顷刻间将他们覆盖其中。

　　是它，它回来了。那强大的成年三眼金猊回来了。

　　后悔吗？

　　当他们被金色吞噬、周围一切化为黑暗的时候，每个人脑海中都在回荡着这三个字。

　　唐舞麟在心中默默地告诉自己：我不后悔。有这样的伙伴，更值得庆幸。

　　谢邀同样告诉自己不后悔，作为一个男人，选择了就不会退缩。

　　古月也不后悔，她此时的心情很平静，因为她本来也不想要那块魂骨。

　　许小言很放松，她也不后悔，为什么要后悔呢？这是自己的选择，至少，三眼金猊妈妈回去看到自己的孩子还好好的，一定会开心吧。他们几个人对于那个世界来说不过是匆匆的过客，而那个世界对于三眼金猊来说却是家啊。

　　一块魂骨可以改变一生，但孩子没了，也同样会改变人家的一生啊！

　　黑暗重新变为光明。金属抽屉滑开，唐舞麟四个人几乎是同时坐了起来。

　　还是那个金属房间，大屏幕上，正显示着先前他们所在的地方。

　　洞穴内，那只巨大的三眼金猊就在孩子身边，一团金光从它身上释放出来，落在孩子身上。小三眼金猊身上的伤口渐渐愈合，睁开了双眼。

　　醒过来的它，猛地扑到母亲怀抱之中，身上同样释放着柔和的金色光芒。

　　唐舞麟他们默默地坐在金属抽屉里看着这一幕。不知道为什么，当他们看到小三眼金猊扑入母亲怀抱时，心中的沉重感消失了，脸上无不露出会心的微笑。

　　唐舞麟第一个从抽屉里走出来，然后分别走到其他金属抽屉前，将伙伴们一一拉了起来。

"我不后悔！"唐舞麟笑着向伙伴们说道。

"不后悔！"

"不后悔！"

"不后悔！"

三人同样重复着他的话，四个人相视一笑。唐舞麟伸出自己的右手，古月依旧熟练地把自己的手背贴入他的掌心之中，谢邀跟上，然后是许小言，四只手叠在一起，就像他们的心相互紧贴着。

"啪啪啪！"掌声响起。

四个人扭头看去，看到的是沈熠眼中由衷的赞叹。

"我在学院监考也有些年头了，当初，我也是和你们一样，通过十项考试考入学院的。或许，你们并不知道，这第九项考试是最高级别的考试，也是难度最大的。这项考试，会考验你们的耐性、生存能力，更重要的，是考验你们的心性。

"很抱歉，我先前骗了你们。第九项考试并不重视考查生存能力，更重视的，是心性。再强大的魂师，如果没有一颗正直、善良、公正的心，那么，他那强大的力量对整个社会、整个联邦只会起到负面的作用。而史莱克学院，绝不会培养那样的人。

"耐心等待，找到峡谷，这是你们必须要通过的第一关，没有分数的一关。看到三眼金猊和暗金恐爪熊，认识到它们的强大，这是你们面临的第二关。之后，找到洞穴，大胆进入，这是对勇气的考验，是第三关。这三关是你们在第九项考试中必须完成却没有任何分数的三关。

"找到幼年三眼金猊，并且战胜它，这是你们的第四关。如果你们输了，打不赢三眼金猊，你们只能零分退出。因为这项考试根本没有真正开始，而真正的考试，是在你们击败三眼金猊，可以取得它的魂环、魂骨时开始的。

"你们将面临抉择。如此珍贵的魂环、魂骨，归谁所有？我见过无数的团队，在面临这一关的时候，每个人都自私地想要将其归为己有，甚至不惜对身边的伙伴们动手，从而走向黑暗的深渊。"

唐舞麟忍不住道："那这么说，一开始您就提醒我们可以吸收里面的魂环、魂骨，都是假的了？里面的魂骨并不能吸收？"

沈熠道："三眼金猊，在整个斗罗大陆近两万年的历史中只出现过一次。就算学院底蕴再深厚，也不可能弄两只出来，更不可能让你们击杀、吸收。虚幻就是虚幻，那一切都是模拟的。"

听她这么一说，四个人的表情都变得古怪起来。这实在是……

沈熠接着道："如果你们击杀了三眼金猊，并且能够合理分配，那么，每个人都可以获得六分以上的分数，通过考试。但是，你们的抉择，超乎了我们的想象，你们每个人都选择放弃，你们选择了友谊。同时，更让我看到了你们的善良。刚刚的一幕你们也都看到了，是的，魂兽也是生命。我们史莱克学院从来都不主张对魂兽的过度杀戮。但是，近万年来，星斗大森林没落，人类变得越来越强大，尤其是在斗铠的帮助下，更是如此。魂兽能够带给人类的东西，让人类变得贪婪。所以，才有了魂兽濒临灭绝的现状。如果我们也参与的话，将会加速魂兽灭绝的步伐。你们要记住，如果你们能够成为史莱克学院中的一员，那么，未来无论如何也不允许进入星斗大森林去猎杀那些魂兽。"

听了沈熠的话，唐舞麟不禁肃然起敬，他才十三岁，先前虽然已经有些认知，但真正听沈熠说出人类和魂兽之间的矛盾后，心情还是很沉重。魂兽之中，确实有些很凶残，但绝不是每一只魂兽都凶残啊。

"所以，你们的表现令我惊讶，也令我敬佩。作为这一场的考官，我给你们满分。同时，我也可以告诉你们，这一关如果不及格，哪怕你前面八关得了满分八十分，都将被拒之门外，不被史莱克学院所接受。这一关，也称为否决关，人性不过关，其他一切都是虚妄。"

听她这么一说，四个人都不禁一惊，同时也在暗暗庆幸，在先前的考试中没有做出错误的选择。

"九项考试之后，唐舞麟，七十分；谢邀，六十一分；许小言，六十分；古月，五十八分。"

他们之中已经有三个人达到了及格分数线，就剩最后一项考试了。而分数最低的古月，也只差两分而已。

"跟我来吧。"沈熠向他们点了点头，推开门，走出了房间。

零班四个人相视而笑，就差最后一关了，他们就要被史莱克学院录取了，考试的过程虽然艰难，但终于要结出胜利的果实。

沈熠带着他们走出楼道，又上了一层楼，来到一个小天台上。

当他们到来的时候，已经有三个人等在这里。三个人之中，站在最中间的，是一位身材高大的白发老者；左侧，正是那位银月斗罗；右边则是他们在第一项考试时碰到的那位老者。

三位老者并排而立，看着走过来的他们。

见到蔡老，四个人脸色都是微微一变，难道说，这最后一关，和他们有关？

沈熠走到三位老者面前，躬身行礼后退到一旁。

"第十项考试，叫三堂会审。由学院三位长老来评定你们的考试成绩，给出最后一项综合评分，加入你们的总分之中。"沈熠宣布了第十项考试的内容。

三堂会审？

有那位给了他们两关零分的蔡老在，这一关……

唐舞麟看向古月，古月眉头微皱，但眼神依旧倔强。

她就只差两分啊！这一关……

站在中间的白发老者沉声道："唐舞麟，上前来。"

唐舞麟赶忙上前一步，躬身行礼。

"七关满分，两关零分。你的表现可圈可点，优秀的大局观、统率力、勇敢、智慧。你的表现我们都看在眼中，但你的综合评分稍后我们才会给出，你稍后要补充一项考试。"

补充一项考试？唐舞麟愣了一下，但还是谢过老者，退到一旁。他已经达到了七十分，怎么都是合格的了。

"谢邀。"白发老者叫道。

谢邀赶忙上前。

"天赋中上，应变中等，大局观较差，但面对危险能够迎难而上，整体表现尚可，给予六分评价。"

"谢谢长老。"谢邀心中长出口气。他现在是六十一分，最怕的就是给自己个负分，毕竟在一些考试中，他的表现并不是那么优秀。

"许小言。"

"天赋中等，武魂异变特殊，和伙伴们能够良好配合，头脑灵活。在弱势项目中不气馁，潜力不俗。给予七分综合评定。"

"谢谢长老。"许小言喜滋滋地深施一礼，退到一旁。这样一来，她的总分就追上谢邀了。

"古月。"

古月走上前，躬身行礼。

白发老者却没有继续开口，而是扭头看向旁边的银月斗罗。

蔡老冷哼一声："古月，性格骄傲，遇事冲动。因个人之行为影响到其他伙伴，虽天赋不错，但毫无大局观，不建议录取入学，故综合评定给予一分的成绩。总分五十九分。"

一分？才给了古月一分？

古月猛地抬起头来，贝齿轻咬下唇，看着蔡老，她的身体轻微地颤抖着。

白发老者沉声道："唐舞麟、谢邂、许小言，你们三个被学院录取了。唐舞麟，稍后你来补考第五项测试。古月，你总分五十九分，可以回去了。"

这个结果，让唐舞麟、谢邂和许小言都惊呆了。

五十九分？四个人之中最优秀、也是最出色的古月竟然只得了五十九分？这意味着，她将和史莱克学院无缘。

在来史莱克城之前，他们谁也没想到会出现这样的情况，如果只有一个人能够通过考试的话，那也应该是古月啊！

古月双拳攥紧，但站在那里依旧一脸倔强，一脸骄傲。

正在这时，一只手稳稳地抓在她的肩膀上。

古月扭头看去，看到的，是唐舞麟坚定的目光。然后，她的身体、她的眼神、她的颤抖，就都被他的身躯遮挡住了。

"我不服！"

如果这三个字是从古月口中说出，浊世一定不会感到意外，但是，这三个字出自唐舞麟之口，令他不禁面露惊讶。

"你为什么不服？"

第一百九十八章

五级职业才能加分？

唐舞麟朗声道："三位长老，请问，史莱克学院，可有公平？"

蔡老冷笑一声："在这个世界上，本来就没有绝对的公平。想要公平，就要强大，永远不要寄希望于别人给你公平。只有自己，才能带给自己公平，前提是，你已经拥有足够的实力。"

唐舞麟一愣，他没想到蔡老居然会这样回答。

他向蔡老点了点头，微微躬身："谢谢您的指点，唐舞麟受教了。既然如此，我无话可说。三位长老，我放弃进入史莱克学院学习的资格，有一天，当我有能力获得公平的时候，我会再来。"

说完这句话，他转身面向正要冲动地走过来的谢邂和许小言，厉声喝道："你们不要过来。这是我和古月的事，和你们没关系。你们就留在这里，好好修炼吧。"

谢邂笑了，双手插进裤兜里，就像是根本没听到唐舞麟的话，信步走到他面前："我的天赋才中上而已，想必史莱克学院也不太看得上我。队长，你想要抛弃我吗？那是不可能的。当你为了我击杀那暗金恐爪熊的时候，我就在心中发誓，这辈子跟定你了，跟着你，我才能变得更强大。你说得对，等我们有了获得公平的能力时，再来好了。"

谢邂一边说着，一边来到唐舞麟身边，把手搭在他的肩膀上。

"我本来就不想当魂师的，都是我家长逼的，这里压力太大了，我有点不习惯。咱们回去吧。"许小言不知道什么时候也跟了上来，就像是在叙述一件再普通不过的事情。

"你们……"唐舞麟现在已经不知道该说什么才好了。

他转向沈熠："沈老师，对不起，我们恐怕没有机会成为史莱克学院的一员了。这曾经是我的梦想，但现在，梦想破碎了。请问，我们舞老师在哪里？"

沈熠眼神复杂地看着他们，一时间心中百感交集。

正在这时，那白发老者脸色阴沉地道："好，你们都是好样的，果然是那头犟驴教出来的。你们滚吧，都滚吧。"

他的话令准备离开的四个人都是一愣。

沈熠赶忙向他们连使眼色，低声道："这位是我跟舞师兄的老师，也就是你们的师祖。还不赶快行礼。"

师祖？舞老师的老师？

唐舞麟心中一动，右手反过来在身后拉了一下古月的衣服，然后率先恭敬地向浊世鞠躬："唐舞麟拜见师祖。"

谢邈、许小言也赶忙行礼。古月也在唐舞麟的拉拽下弯下了腰。

浊世的脸色略微好看了几分，冷冷地道："你们是不是觉得自己很了不起？为了同伴，可以放弃一切，很了不起吧？笨蛋，一个个都是笨蛋。你们来到这里的目的是什么？就是为了显示你们的倔强、你们的骄傲？你们就不知道努力努力？你们只知道对抗，连恳求都不会吗？舞长空那犟驴就是这么教你们的？果然是有什么样的老师，就有什么样的弟子，都是一样的犟。"

沈熠嘴角抽搐了一下，暗自嘀：师兄还不是您教出来的，您这句话不是把自己也给绕进去了吗？

"师祖，我想问您个问题。"许小言突然娇声说道。

"嗯？"浊世眼睛一瞪，看向她。

许小言的眼圈一下就红了起来，道："师祖，您和这位老婆婆谁更厉害一点啊？"

浊世愣了一下，他还真被许小言给问住了，瞥了一眼蔡老，才脸色阴沉地道："差不多吧。"

许小言的眼泪一下就流出来了："师祖，人家都说，一日为师，终身为父，我们一直都是将舞老师当爸爸看待的，舞老师也一定把您当成爸爸看待，那您就是我们的爷爷。您这么强大，是一代封号斗罗、斗铠师，就看着您的孙子们被人欺负吗？如果不是这位老婆婆，我们的分数应该早就够了，您眼看着您的一位孙女就要被赶出去，您都不吭声，您是不是怕她啊？"

许小言这番话说得浊世目瞪口呆。他在史莱克学院一向以威严、古板、倔强著称，平时更是不苟言笑。哪怕是那些内院弟子看到他，都是恭恭敬敬、战战兢兢的。却没想到，眼前这个小姑娘竟然会对自己说出这番话来。

"我会怕她？"他几乎是脱口而出。

许小言哽咽着道："您不怕她，可是，您连自己孙女要被赶走都不管了吗？"

浊世呆了呆："是啊！为什么我的孙女要被赶走我都不管了呢？蔡月儿，你怎么回事你，你为什么欺负我孙女？"

蔡老被他说得一愣："你连老婆都没有，哪儿来的孙女？"

浊世冷哼一声："这丫头说得对，反正我不管，今天我就要让这几个孩子都加入史莱克学院。谁说综合评定就一分，那是你给的，我还没给分呢。这事我们三个说了算，我起码有四分，我都给那丫头，分数够了吧。"

蔡老怒道："这是我们刚才一起做出的决定，你早干什么去了？不行。"

唐舞麟低下头，眼中闪过一丝疑惑，自己这位师祖，主意变得似乎有点快啊！

浊世怒道："那你要怎么才肯答应？"

蔡老冷然道："你忘了为什么要给唐舞麟加试了？"

浊世眼睛一亮，转向唐舞麟，道："对，加试。唐舞麟，你在有分的七项考试中都拿了满分。史莱克学院有这样一个规矩，在入学考试中能够获得全满分的学员，可以向学院提出一个合理的要求。如果你能够补齐你的分数，最终获得满分，想要给那丫头加分也不是不可以。"

唐舞麟看看他，再看看蔡老："可是，我的第四项考试……"

蔡老道："第四项算你满分，如果你第五项也能获得满分的话，那么，最后综合评定就一定是满分。所以，你现在需要做的，就是补考第五项。"

第五项考试，第二职业？

虽然唐舞麟总觉得哪里有点不对，但还是立刻点头道："好，我补考。"

古月没吭声，唐舞麟的右手一直在身后向她连连摆手，示意她保持冷静，她现在就老老实实地站在那里。她也不傻，要是能进入史莱克学院当然还是愿意的了。更何况，如果她选择离开，伙伴们也都跟着离开的话，那就是影响了所有人啊！

"你的第二职业是什么？你可有把握？"浊世向唐舞麟问道。

唐舞麟毫不犹豫地道："我有把握获得满分。"

蔡老冷哼一声："小子，不要把话说得这么绝对，你知道什么情况才能获得满分吗？"

唐舞麟道："请蔡老指教。"

蔡老道："除非你的第二职业能够达到五级，否则，是怎么也不可能拿满分的。"

此言一出，浊世和沈熠都不禁瞪大了眼睛。什么时候第五项考试的要求变得这么高了？

好像从外院毕业时达到这个成绩都是优秀了吧？而且，这似乎是考入内院的要求，唐舞麟他们考的可是外院啊！

五级？

唐舞麟呆住了。对于锻造来说，五级意味着什么？意味着，灵锻。可是，他还没有达到那个层次啊！尽管他到达四级已经有很长一段时间了，也到了四级锻造师的巅峰，但魂力不够的话，是根本不可能冲击五级的。

灵锻，对于锻造师这个职业来说，是最大的分水岭，是普通锻造大师和宗师之间的区别。一步跨出，就是天壤之别。

千锻可以尝试一字斗铠基础金属锻造，但实际上只有二字斗铠才被称为真正的斗铠。一字斗铠和机甲相比，并没有太大的优势，而灵锻则是锻造二字斗铠基础金属必备的。

他扭头看向古月，古月此时已经恢复了正常，她眼神温和地看着他，没什么表情。

看着她的眼睛，唐舞麟心中涌出一股豪情，猛然转过身，向蔡老点头道："我试试。"

"你的第二职业是？"浊世双眼微眯，向唐舞麟问道。

"锻造！"唐舞麟大声回答道。

"来吧。"

在三位长老的带领下，他们很快来到一个房间之中，很快，工作人员将一个锻造台抬了进来，还有各种稀有金属。

浊世、蔡老、李老，三位长老站在一旁，古月、谢邈和许小言站在唐舞麟身后不远处。

唐舞麟走到锻造台前，站在那里，闭上了双眼。

经过了这么多场考试，他其实早已经疲倦了。他不仅是要完成自己的考试，还要帮助伙伴们，更要运筹帷幄。再怎么说，他也还不到十四岁啊！就算比同龄人成熟也还是个孩子。

他就那么静静地站在那里，灵锻之法他会，慕辰早就传授给他了，但他从未尝试过，因为他的魂力不够。

正常的灵锻，需要四环的修为，即使他天生神力，天赋异禀，但也至少需要三环的修为才能开始尝试。

灵锻，是魂力与金属的沟通，是心灵与金属的交融，是赋予金属以生命的过程。

千锻只是将金属自身的潜能完全激发出来，而灵锻却是引发金属异变的过程啊！是让它真正从量变达到质变的过程。

想要完成灵锻，就必须将自己与金属合二为一，真正投入金属的世界中。在完成锻造的刹那，让它活过来。

慕辰曾经说过，灵锻，就是创造生命。

唐舞麟脑海中回忆着老师对灵锻的种种评价，在心中重复着灵锻的各种过程、方法，让所有的一切在心中像画面一样闪现。

他这一站，就是整整一刻钟。一刻钟站在那里，纹丝不动。

没有人催他，他们都静静地站在那里看着。

浊世瞥了蔡老一眼，嘴唇微动，传音道："你怎么回事你，你就折腾吧。差点给折腾走了吧？"

蔡老没好气地道："还不是你这老东西教出来的犟驴，还好意思说小长空？你自己是什么好东西了？"

浊世怒道："你没事让他完成五级考试干什么？三级不就是满分了吗？你当他是神童啊？你什么时候听说过有十三岁的五级职业者了？"

蔡老冷笑一声："刚才那么蹩脚的理由你都能找出来，之后还有什么不行的？反正你到时候找个理由就是了，想让他们留下来还不容易？这几个小家伙的心智都很成熟，比同龄人好得多。想要让他们继续保持住现在的状态，就需要给他们以压力。越是年轻，承受压力的能力就越强。这个唐舞麟的抗压能力是最强的，不压迫他一下，他怎么会全力以赴？听说在第二关，他还展现过金色魂环，第九关的时候你也看到了，这小家伙还使出了暗金恐爪熊的绝招，还有什么是他不行的？你不逼他行吗？"

浊世哼了哼："拭目以待吧。"

SOULLAND

108

正在这时，唐舞麟睁开了眼睛，眼底一抹紫意闪过，他飞快地走到摆放稀有金属的架子前，从上面抱下来一块金属，一块他最熟悉的金属。

沉银！

当初，他第一次千锻的时候，选择的就是沉银。而现在，他依旧选择了沉银。

唐舞麟将沉银摆放在锻造台上，然后按动按钮，将它缓缓沉入，煅烧。

唐舞麟手上光芒一闪，两柄千锻沉银锤就已经出现在双手之中。

他再次闭上了双眼，握着千锻沉银锤的双手轻轻地律动着，感受着锤柄纹路传来的感觉。那是如同血脉相融一般的感受啊！

这一刻，他不再是魂师，而是一名锻造师，一名停滞在四级整整三年、却始终都在巩固自身锻造能力的四级锻造师。

突然，他猛地睁开双眼，然后用左手上的锤子轻顶按钮，烧红的沉银缓缓升起。唐舞麟深吸一口气，整个人似乎都在这一刻变得挺拔起来。

精、气、神瞬间融合为一，双眸之中光芒大放。

"这小家伙不一般啊！"蔡老向浊世说道。

第一百九十九章
—— 心灵为锤，武魂为引 ——

浊世自然也看出来了："有点大家风范，动作也不错，应该是跟了一位不错的老师。从他现在的架势能看出，基本功很扎实。看看他能做到什么程度吧。听说，锻造师协会最优秀的年轻人之中，有个叫慕曦的小丫头，还不到二十岁就是四级锻造师了。说不定，以后我也要上锻造师协会找人好好培养培养这小家伙，将他在二十岁之前送入那个层次。"

唐舞麟开始了。

左手千锻沉银锤在面前的沉银上轻轻一点，发出"当、当、当"三声，清脆的声音吸引了所有人的目光。

然后他们就看到，唐舞麟居然将一对千锻沉银锤同时抡了起来。

唐舞麟从小腿开始发力，然后将力量传至腰间，再一直传到背部、手臂、手腕、千锻沉银锤。

两柄千锻沉银锤带着刺耳的气爆声，宛如流星赶月一般，朝着锻造台上的那块沉银砸了下去。

好家伙，他这是要锻造，还是要拆了这锻造台啊？

"轰轰！"整个锻造台发出两声剧烈的轰鸣，声音震得房间内的玻璃一阵颤抖。

浊世眼中光芒一闪，一股奇异的气场从他身上迸发而出，在唐舞麟发力的那一刹那，他下意识地皱了下眉头，隐约感觉到自己受到了一丝影响。

两柄千锻沉银锤弹起，巨大的反震力似乎带动着唐舞麟的身体也跟着动了起来。他身体旋转，双锤又落了下来。

"轰轰！"又是两声巨响。如果仔细听还能分辨出，在这两声巨响出现的同时，还有一些细碎的轰鸣声响起。

无论是大声还是小声的轰鸣，在那瞬间的轰响之中，都给人一种奇异的韵律感，明明锤击得非常狂野，声音也非常大，可那韵律感只让人热血沸腾而不烦躁。

　　"轰、轰、轰、轰、轰、轰！"

　　他的身体不断地旋转，一锤重过一锤，每一次都像是倾尽了全力。那沉银在重锤落下之后，被带动得不断变化角度，同时，它的体积以肉眼可见的速度缩小着。

　　浊世眉头微皱，扭头向蔡老低声问道："你见过这种锻造方式吗？我怎么记得，锻造师的锻造不是这样的？"

　　蔡老的脸色也变得有些古怪："确实不是一般锻造师的手段，但看上去有些眼熟。这种方式看上去十分狂野，但实际上细致入微，而且，你听出来没有，这小家伙的这对锤子也很不错，有叠锤特效，而且能叠出两次来，这可是不可多得的极品属性，并且他还能够完全掌控。就是这几下，也有三级锻造师的水准了。十三岁，三级锻造师，锻造师协会那边，保密工作做得很好啊！"

　　浊世眼中闪过一抹笑意，淡然道："反正是我徒孙。"

　　蔡老翻了个白眼："你的、你的，反正你别跟我抢那丫头就是了。"

　　浊世哼了一声："也是我徒孙。就你现在跟人家这紧张的关系，我看，她是不可能拜你为师的。你这叫'天作孽，犹可恕，自作孽，不可活'啊！"

　　他们说话的工夫，唐舞麟那边的锻造速度已经越来越快，他的身体不断旋转，双锤挥舞，就像是一股旋风般不断砸落，不断地用重锤洗礼那沉银。一时间，他整个人的气息似乎都变得狂暴起来。而那块沉银则在飞速缩小着，本身的光芒也越来越亮，纹理渐渐变得细腻而规则，轰鸣声变得清脆起来，这分明是金属本身的品质不断提升才能产生的效果。

　　史莱克学院的三位长老虽然实力强大，但都不是锻造师，如果是慕辰在这里，一定会有惊艳的感觉。

　　只是十次落锤，唐舞麟就完成了百锻的过程，他的双锤越来越快，一直到第四十八次落下。

　　"轰——"一道银光随着剧烈的轰鸣声冲天而起，银光蹿起足足有三尺高，经久不息。

　　在场的每个人仿佛都听到了那块沉银迸发出的一声欢呼。

　　唐舞麟将双锤收回到身体两侧，他的双眸已经完全变成了紫色，与此同时，脚下两圈紫色魂环升起。

"千锻有灵，一品境界？"一直没有吭声的李老脱口而出，眼中充满了震惊之色。

浊世和蔡老虽然不是锻造师，但身为大陆的顶级强者，他们对锻造多少也有所了解，看到这一幕也不禁吃了一惊。

千锻二品就是四级锻造师了，这千锻有灵，一品境界，乃是四级巅峰啊！这要比唐舞麟先前展现出的战斗力和指挥能力更让他们震撼。这不是怪物是什么？

两道紫光从唐舞麟双眸之中足足喷出三寸，他脚下一个滑步，已经绕到了沉银侧面，双锤轻轻地在沉银上一点，顿时发出清脆悦耳的"当当"声。

沉银居然同样响起"当当"声，就像是对唐舞麟的回应。

唐舞麟开始围绕着沉银游走起来，和先前的锻造方式截然相反，他现在落锤非常轻，但能够清楚地看到，在他双锤之中，蕴含着一团柔和的白光，分明是他自身的魂力。

与此同时，一根根蓝银草从他脚下释放而出，然后缓缓盘旋而上，缠绕在那炽热的沉银之上，而且不断有烟雾冒起，蓝银草也在灼烧中颤抖。但唐舞麟神色不变，不断地敲击着。

"你们俩玩大了。"李老叹息一声，瞥了浊世一眼。

浊世扭头看向他："怎么说？"

李老沉声道："这孩子是在尝试灵锻啊！我敢说，他是锻造界有史以来最强大的天才。十三岁，锻造师四级巅峰，连听都没听说过。但是，灵锻和千锻不一样，灵锻是锻造师生命与金属的交融，是以自身武魂为桥梁，赋予金属生命的过程。金属有灵，千锻一品，那也只是有灵而已，有灵和拥有生命，那是质变的过程。这其中需要大量的魂力来支持。

"正常的灵锻，至少需要四环魂师才能尝试，而且失败的概率会非常高。每一次灵锻，对魂师都是巨大的考验，因为这涉及他们自身魂力、生命力以及和金属之间的交融，是对心神的巨大消耗。这孩子修为不足，却勉强尝试灵锻，他才二环魂力啊！一旦失败，心神必受重创，如果是那种无法恢复的创伤……哼哼，你们两个真行啊，要是断送了这孩子的锻造前途，枫无羽非跟你们拼命不可。"

浊世脸色一变："那现在还能阻止他吗？"

李老摇了摇头："不行了，他已经开始进行生命沟通，尝试引导这块沉银产生生命力，一旦被打扰，走火入魔的话，恐怕直接就会毙命。现在我们只能祈祷，这孩子受到的反噬重创不要太严重。"

"都怪你！"浊世恶狠狠地看向蔡老。

蔡老却毫不示弱："你不是也没阻止我吗？谁知道这小家伙这么怪，竟然真的去冲击五级。"

对于几位史莱克学院长老的交谈，唐舞麟浑然不知，他此时已经完全沉浸在了生命沟通的世界之中。

千锻有灵，赋予了沉银以灵性，趁着这灵性出现的时候，以武魂为桥梁进行沟通，帮它塑造生命，这就是灵锻的过程。

以心灵为锤，以武魂为引，心神如一，万锻生灵，是为灵锻。

灵锻和千锻，是质的区别，就像斗铠每差一级，威能都是天差地远一样。

灵锻会让金属升华，从而进入另一个境界，同时进入灵锻层次的锻造师，不比同级别的机甲制造师、机甲设计师弱。

一旦完成灵锻，只要有一件灵锻作品，都将成为五级锻造宗师。这一步，对于任何锻造师来说都是极为重要的。

当初，邝天付出了无数代价，才成功地迈出这一步。唐舞麟并不知道的是，邝天之所以不接高等级任务，就是因为当初他在冲击灵锻时留下了内伤，需要长期调养。

如果慕辰在这里，一定不会允许他尝试灵锻，因为灵锻对一个人的心神消耗实在是太大了。

幸好，唐舞麟和普通锻造师相比，或者说是和同级别锻造师相比，在精神力上是有优势的，超过两百的精神力，让他能够十分清醒地掌控一切，并且可以持续注入魂力。

他现在已经沉浸在和沉银交流的过程中，他能够感受到沉银传来的愉悦和一丝怯懦。它似乎有些不敢跨出这一步，而唐舞麟就是要引导它走出这至关重要的一步。

一步天堂！万锻生灵。

万锻生灵，就是不断地交流、沟通。锻造锤的每一次轻击，都是在保持沉银的灵性，而魂力的注入，则是在引导它产生自己的生命。

这就像魂兽修炼一样，十年魂兽和普通动物的智慧并没有什么差距，而百年魂兽则已经具有一定的灵性了，到了千年，它们的能力会有质的飞跃，而万年魂兽的智慧就已经不逊色于人类了。

越是高级别的魂兽就越强大，不仅是因为它们自身能量的强大，同时也是因为它们智慧的提升。

金属也是一样，灵性越足，也就越能提升自我，进而产生质变。

奇异的一幕开始出现，那块体积已经缩小了许多的沉银，在唐舞麟的敲击下，不断地颤抖着，上面迸发出的银光渐渐出现变化，一层层云纹仿佛旋涡般轻轻地旋转着，而它的体积，就那么自然地缩小着，上面涌现出的银光也开始变得越来越强烈了。

这意味着，唐舞麟和它的沟通是顺利的，两者之间成功地建立起了联系。

现在就看他能否一直保持这种联系，持续引发沉银质变，最终完成升华过程了。

唐舞麟的魂力不断通过锤击和蓝银草注入沉银之中，同时他快速地运转着玄天功，以补充自己的消耗。但那沉银就像是无底洞一般，不断地吞噬着他的魂力。

一定要成功，为了让大家能够一起进入史莱克学院，无论如何，自己也要成功。

三年来的磨炼，三年来的积累，在这一刻全部展现出来。在强大的信念之下，唐舞麟将自身潜能完全释放。

第二百章
——灵锻功成——

　　唐舞麟早在两年多前就能够千锻一品了，这几年来一直在千锻中磨炼，可以说，他是四级锻造师中最为强大的存在。如果不是魂力弱的话，他早就可以尝试灵锻了。

　　此时，在潜能激发的情况下，他每一次落锤，与沉银的沟通都恰到好处，使那沉银不断出现奇妙的变化。同时，这种变化在他和沉银保持沟通的情况下，会引导着他更好地发挥。

　　一直这样下去，就有成功的可能。

　　灵锻时，最怕的就是和稀有金属之间的联系断掉，生命构建不持续，一旦出现那种情况，那稀有金属就会瞬间灵性尽失，变成普通金属，连千锻都不是了。这也是为什么灵锻那么耗费资源。

　　不知道多少锻造师被卡在灵锻这一关，终其一生都无法完成。除了本身的资质不足之外，还有一个原因是资源跟不上。大家族培养灵锻师的成功率较高，就是因为有足够的资源去砸，硬生生地砸出灵锻。

　　唐舞麟游走的速度越来越快，如果他会鬼影迷踪步的话，这个过程会更加顺畅，可惜，他的贡献点都用来换取那几种灵物了，没有多余的来换取唐门绝学。

　　银色光焰越来越盛，沉银体积越来越小，唐舞麟双手中的千锻沉银锤受到这光焰影响，本身也散发出了银色光芒，上面还有淡淡的血色纹路出现，那是当初唐舞麟血祭千锻留下的痕迹。

　　这些年来，他一直在用这对千锻沉银锤进行锻造，不知道多少次锻造出了千锻一品的作品。这让千锻沉银锤本身，在血祭的作用下也随之进化，现在已经是千锻一品的程度了。

　　此时，它们在敲击那块沉银的同时，本身也产生了一种奇妙的沟通，和那沉银一起，潜移默化地变化着。

所以，如果仔细看就会发现，唐舞麟双手中的千锻沉银锤的体积也在慢慢地缩小着，每一次锤击下去，都会小那么一点点，上面的光芒则更强一些了。

他的魂力消耗太快了。从灵锻开始后，短短十分钟的时间，他的魂力就已经快用完了，没有魂力作为桥梁，他的灵锻就没办法继续下去，前面的沟通非常顺畅，可一旦魂力中断，沟通就会中断。灵锻失败的情况下，这块沉银将变成废品，那时，已经拥有了一定灵性的它就会爆发出强烈的怨念，从而对锻造师产生反噬。

就算是四环魂师，承受这么一次反噬，也要很长时间才能恢复过来，更别说唐舞麟才只有二环修为了。那或许对他就是无法恢复的重创。

怎么办？

魂力已经接近枯竭了，可灵锻还没有完成，这块沉银已经开始产生生命气息，就像是自己孕育出的一个小生命，它还需要更多的生命力来完成自身循环，构建生命体系。

不能中断，无论如何也不能中断。

想到这里，唐舞麟突然做出了一个惊人的举动。

他突然以左手握住一对沉银锤继续进行锤击，而右手则直接按在了那块沉银上面。

"哧！"白烟冒起，唐舞麟的手掌剧烈地颤抖了一下，那可是高温啊！如果是普通人，只是这么碰一下，那上千度的高温就能让他的身体化掉。

但唐舞麟没有，他的手掌中只是升腾起一股白烟，与此同时，蓝银草迅速散去，紧接着一圈金色魂环和手臂上的金色鳞片出现了。

他大喝一声，额头上已经满是汗水，魂力消耗殆尽产生的虚弱感，似乎在这一声大喝中被强行压制住。

沟通继续，但是，取代了魂力的，却是他自身的气血之力。

随着他那一声大喝，上身的衣服骤然炸裂，露出了他结实的身体，所有人都能清晰地看到，细密的金色菱形鳞片覆盖在他的右臂之上，一直蔓延到肩膀和右胸。这些鳞片在黄金龙体的加持下，都释放着璀璨的光芒。

唐舞麟右手金色鳞片升腾起金色雾气，包裹住那块沉银，同时他继续围绕着沉银游走，左手双锤不断地敲击着沉银的侧面。

在气血之力取代魂力的一刹那，唐舞麟明显感觉到沉银上的生命力就要溃散，在那一刹那，他的心都提到了嗓子眼。

但是，他右手按上去的瞬间，在鳞片还没有出现之前，他的鲜血在灼烧中流出，奇异的是，这血液就像是封住了沉银的生命力，硬是将它濒临溃散的生命力稳住了。

唐舞麟的气血之力奔涌而出，沉银上顿时多了一层淡淡的金色光芒，还有微弱的红色光芒缭绕。

以气血之力代魂力？

史莱克学院的三位长老面面相觑，眼中只剩下震撼。

唐舞麟双眸明亮，真的可以，自己的气血之力真的可以代替魂力进行灵锻。如果不是因为不熟悉，先前转换的时候如果提前释放出金鳞来，他的右手掌心甚至都不会被烧伤啊！

黄金龙体爆发出的强大气血之力使唐舞麟体内的血液"哗哗"流动，同时随着气血的注入，沉银的变化加快了。唐舞麟手中的千锻沉银锤以惊人的速度缩小着，但奇异的是，当它再次敲击在那块沉银上时，那块沉银竟然出现了分解现象，每一锤下去，少量的就会附着在千锻沉银锤上，然后被千锻沉银锤吸收。

这奇异的现象连唐舞麟自己也没有预料到，但他现在只能继续下去，因为他明显感觉到，从自己的千锻沉银锤中传来极为愉悦的生命波动。血脉相连的感觉，让他对灵锻的认识更加清晰。

血祭，是出现这种状况的根本原因。他的千锻沉银锤本就是极品，又经过血祭，在这第一次灵锻的过程中，他又注入了自己的气血之力来维持灵锻。这一切的因素导致千锻沉银锤随之异变。

锻造台上的沉银体积越来越小，唐舞麟的左手也在不断地向下锤击。而他那对千锻沉银锤的表面则开始多了一层淡金色，并且，云纹也随之出现变化，仿佛有龙形纹理浮现于其上。

气血之力的消耗同样很快，并不比先前的魂力消耗慢，强烈的虚弱感不断冲击着唐舞麟的身心。

坚持，一定要坚持下去。他深信，无论如何，自己都能够创造奇迹。

"当、当、当！"一声声清脆的敲击，一次次奇异的碰撞，让这一切变得奇妙而充满韵律。

此时此刻，在场的所有人都在见证着即将到来的奇迹。

银色的光芒已经越来越弱了，但那淡淡的金色始终缭绕在唐舞麟的双锤之上。

终于，那块沉银被吸收得只剩下最后一点，唐舞麟全身一震，"哇"的一声，喷出一口鲜血，正好落在那最后的一点沉银上。

唐舞麟右手撤回，双锤在握，悍然砸落。

"轰——"

一道金色光焰瞬间冲天而起，足足升起有五尺高，更为奇异的是，一声龙吟随之响起，在那金色光焰中，仿佛有一条金龙在游荡。刺目的金色光焰，充满生命气息的波动，给人一种难以形容的奇异感受。那分明就是一个生命体，在为自己的存在而赞叹、为自己的出现而欢呼。

诞生了！

千锻有灵，万锻生灵。灵锻！

金色光焰足足持续了十几秒，才渐渐变弱，唐舞麟双眸死死地盯着自己手中的锻造锤，原来的千锻沉银锤已经通体都变成了淡金色，所有的云纹都消失了，取而代之的，是若隐若现的金龙纹理，而且不再是血脉相连的感觉，而是浑然一体的感觉。只见唐舞麟手上金光一闪，那两柄锻造锤就悄无声息地融入他掌心之中不见了。没错，是融入掌心，而不是进入他的储物魂导器。

灵锻，以生命相连！

一旦达到灵锻境界，金属有了生命，必然会和赋予它生命的存在融为一体，这也是灵锻如此珍贵的原因。

如果一个人想要获得一块灵锻金属，那么，在整个锻造过程中他都必须待在锻造师身边，当锻造进入灵锻的境界时，他就要不断滴入自己的鲜血来辅助灵锻，辅助进行生命沟通。唯有如此，在锻造完成之时，方能彻底与其融合，让它成为自己身体的一部分。

这也是舞长空在施展斗铠的时候，斗铠是直接从他身体内出现的原因。万锻生灵，心神相连。斗铠成为身体的一部分，才是真正强大的斗铠，才是自己武魂的一部分。

一字斗铠威力固然不错，也很轻便。但是，只有到了二字斗铠境界，灵锻使得斗铠与魂师融合，这才是真正的斗铠，才有真正的增幅作用，那时，斗铠已成为武魂的一部分。

这就是一字斗铠和二字斗铠之间的区别。

只有达到二字斗铠境界，才是真正拥有无限可能的斗铠师。

锻造锤融入体内，唐舞麟高度紧绷的神经也随之一松，身体笔直地向地面倒去。

谢邂速度最快，一个箭步就蹿到了唐舞麟背后，一把抱住他。此时的唐舞麟，面色苍白，呼吸微弱。

魂力衰竭，气血之力消耗巨大，令他陷入了深度昏迷之中。

蔡老和李老愣住了。

"他、他成功了？"

浊世的眼神也有些呆滞，成功了，成功完成灵锻了。十三岁的灵锻师，五级宗匠级锻造师，或者说是锻造大宗师。

这何止是怪物啊！这种特殊人才，就算是史莱克学院也想留住啊。这必然是未来有可能成为神匠的存在啊！

在整个大陆，目前也只有一位神匠。这也是为什么，哪怕是史莱克学院之中，顶级斗铠师大多数也只是三字级别，因为，没有神匠，就锻造不出四字斗铠。

如果，史莱克学院能有一位属于自己的神匠，所有三字斗铠师都将随之晋升到四字……

浊世吞咽了一口唾液，他大步来到唐舞麟面前，将他从谢邂怀里抱了起来。

唐舞麟整个人已经完全陷入昏迷了，面色苍白，双眸紧闭。

谢邂抬头看向浊世："师祖，我们现在算是全体通过考试了吧？"

浊世点点头，然后他的双眼就亮了起来，宛如璀璨星辰一般的光芒从他双眸之中迸射而出，光芒一闪，唐舞麟就已经被一团红光包裹着送到了一旁。

从他身上释放出的红光，看上去犹如实质，散发着赤玉般的光泽，才一出现，就带给在场众人强大的压迫力。

红光环绕在唐舞麟身体周围，包裹着他的身体，使他悬浮在了半空之中。

浊世眼中红光大盛，隐隐有龙吟声从他身体周围的红光中传出，而唐舞麟悬浮在那里的身体也渐渐出现了变化。

似乎是受到了红光的刺激，唐舞麟身体表面浮现出了先前出现过的金色纹路，只是和之前相比，现在显得淡了许多。奇异的是，这金色纹路似乎是在吸收着周围的红色光芒，并将之融入唐舞麟的身体之中。

"咦？"浊世有些疑惑，但并没有停止释放红光，强盛的红色光芒在空气中流转，每一道光芒都变得异常清晰。

红光始终保持着凝实状态，如果不是唐舞麟身上的金色纹路发着光，甚至感觉不到他身在其中。

蔡老缓步走到古月面前，古月此时双拳早已攥紧，她目光灼灼地看着红光之中的唐舞麟，甚至对于蔡老的到来都没有任何反应。

"不要以为现在过关了你们就可以一劳永逸。二十岁之前不能成为斗铠师，你们就别想进入内院。哼！"说完这句话，蔡老转身而去。

古月对于她的话充耳不闻，只是站在那里看着唐舞麟。她的眼神有些复杂，更多的是心痛。

李老的目光则落在许小言身上，他脸上露出了一丝微笑，双手背在身后，随后也大步离开了。

第二百零一章
——宗匠级锻造师——

随着吸收的红色光芒越来越多，唐舞麟身上的金色纹路也逐渐清晰，渐渐地，金色鳞片也冒了出来，隐约能够感觉到他的气血又恢复强盛了。

眸光收敛，浊世抬手一指，唐舞麟的身体缓缓降落在地面上，那赤玉般的红光如同长鲸吸水一般被浊世收回。但当那红光即将脱离唐舞麟身体时，奇异的一幕出现了，唐舞麟身上的金色纹路发出一声低沉的龙吟，竟然吸扯着那红光不让它离开。

浊世的表情顿时变得古怪起来，右手一挥，一道光芒闪过，斩断了红光，将大部分收回，只余少量在唐舞麟身体表面。这次众人都看清楚了，唐舞麟身上的金色网状纹路将那红光吸住，然后一点一点地通过皮肤吸入唐舞麟体内。

这……

谢邈他们不懂这是什么情况，沈熠却看得出来啊！她很清楚，这是吞噬，那红光是浊世的魂力。以老师的修为，却被一个不过二环的小家伙吞噬魂力，这意味着什么？意味着唐舞麟自身魂力或者是武魂在某些方面是克制老师的。

可是，这怎么可能啊！要知道，老师的武魂可是赤玉龙，绝对的超级武魂，拥有真龙血脉，而不是什么亚龙种。

浊世屈指一弹，一道红光落在唐舞麟额头上，唐舞麟轻哼一声，缓缓睁开了双眼。

现在的他，只觉得全身暖融融的，很舒服，已经很久没有过这种感觉了。先前的虚弱感消失了，体内气血虽然还没有完全恢复，但他的魂力恢复到了巅峰状态，此时，他正在运转体内的气血，调理着气血缓缓恢复。

翻身坐起，他摸了摸自己的头，他的脸色看上去依旧有些苍白，毕竟先前耗费了气血来进行灵锻，但总算是完成了。

"师祖。"看着浊世，唐舞麟赶忙站起身，向他行礼。

浊世温和地道："你们几个，都跟我来吧。"说完，他转身大步走了。

古月快速跑到唐舞麟身边，将他扶了起来，低声问道："你怎么样？"

唐舞麟摇摇头，微笑道："放心吧，我没事。"

古月长出一口气："为什么要那么拼？你知不知道，你刚才很危险。如果透支再严重一点，就会伤及根本了啊！"

唐舞麟只是笑笑，却没说什么。

四个人在浊世和沈熠的带领下，走出了主教学楼，浊世看上去走得很慢，但他们四个却要催动魂力快速奔跑才能跟得上。

这是要去什么地方？唐舞麟跑在最前面，此时他的脑海中还在回味着刚刚的灵锻。

这次也可以说是因祸得福了。原本他是要到三十级之后才会冲击灵锻的，但没想到，趁着这次机会，竟然真的完成了。那块沉银是被灵锻成功了，但因为自己的锻造锤也是沉银，并且有过血祭，一番锻造下来，那块沉银反而是被自己的千锻沉银锤吸收了。看看自己的掌心，唐舞麟能够清楚地发现其中血脉相连的感觉。

正常来说，千锻金属是不可能进化为灵锻的，但这次情况比较特殊，因为千锻沉银锤是自己血祭过的，这次灵锻的后半部分又是以自己的气血之力为引导，所以才出现了千锻沉银锤吸收转化沉银、终成灵锻的情况。

虽然现在他还没时间体会灵锻沉银锤的作用，但和之前相比必然有很大的提升。自己赋予了它生命力，它成为自己生命中的一部分。这种感觉真的是太美妙了。

而且，他隐隐感觉到，通过这次灵锻之后，自己的魂力有所提升，自身气血之力和魂力间的关系也变得更加融洽了。

实际上，以他的魂力修为是不可能完成灵锻的，而最终能够完成，主要依靠的还是气血之力。

这么看来，气血之力，或者说是唐舞麟血脉中蕴含的这种属于金龙王的特殊能量，也就相当于是一种另类的能量存在了。在那金色的气血魂环辅助下，同时处于黄金龙体状态时，唐舞麟就能充分地运用这种能量来提升自身战斗力。

所以，看上去唐舞麟是二环，但加上这个气血魂环，其实应该算三环才对。

灵锻同时也需要执着的信念，刚刚正是在信念的支持下，唐舞麟才能最终完成。而第一次灵锻对于锻造师来说是最重要的，有了这次经验之后，未来再进行灵锻就要容易得多，也不会有那么高的失败率了。

当然，唐舞麟可不准备再尝试灵锻了，在修为达到三环之前，还是不要尝试的好。就像古月所说，并不是每次运气都这么好，万一透支过度，无法恢复，那可就麻烦了。

但是，灵锻成功，也意味着自己终于进入到锻造师的另一个层次，宗匠级锻造师啊！

唐舞麟心中不无自豪，十三岁的宗匠级锻造师，历史上修为最低完成灵锻的锻造师。这两项纪录应该都是自己创造的吧。

他相信，暂时没有人能破这两项记录。

他们在史莱克城狂奔，终于，前面的浊世慢了下来，远远地，他们看到了一道身影。

一道他们无比熟悉的身影。

他跪在那里，但腰杆依旧挺得笔直，蓝色长发披散在背后，就像一尊雕像。

"舞老师？"唐舞麟惊呼一声，赶忙跑了过去。

是的，跪在那里，跪在那大门前的，正是他们的老师，白衣蓝剑，天冰雪寒舞长空。

听到这个声音，舞长空扭过头来，看到唐舞麟四个人朝着自己跑来，同时，他也看到了沈熠和身材高大的浊世。

看到浊世，他的身体明显一颤，平时那么冰冷的他，在这一刻，眼神中却涌现出极其复杂的情绪。

没等唐舞麟他们来到近前，他就已经朝着浊世的方向拜了下去。

舞长空以头触地而不起。

看着舞长空这样，唐舞麟心中一动，走到舞长空背后，也跪了下来，而且向浊世的方向拜了下去。虽然他不知道发生了什么，但他相信，这么做一定是正确的。

谢邀、许小言同样跪下，拜倒。唯有古月没有跪下，而是坐在了唐舞麟身边。

浊世的步子似乎有点乱了，但他脸上的表情依旧冷硬，他大步来到舞长空面前。

"起来。"

"谢谢老师。"舞长空抬起头，在他眼底深处，闪过一抹惊喜。

"我不是你老师。我没你这么厉害的徒弟。"浊世冷冷地说道。

舞长空低头不语，但浊世的下一句话令他惊喜莫名。

"这几个徒孙，我认下了。"

此言一出，舞长空顿时大为惊喜，再次拜了下去："谢谢老师。"舞长空太了解自己这位老师了。浊世的性格倔强、刚硬，但他能说出这样的话，意味着就算是没有原谅自己，至少机会还是有的。

舞长空的眼圈微微发红，不禁回忆起当年老师严厉教导自己时的样子，如师如父。可自己……

"都来吧。"浊世皱着眉头，转身向史莱克学院内院方向走去。

"老师。"舞长空突然叫道。

浊世停下脚步。

"我错了。"舞长空非常认真地说出这三个字。

浊世高大的身体明显顿了一下，然后才大步向内院走去。

舞长空这才起身，但因为跪得太久了，有些踉跄，唐舞麟赶忙扶住他，一起向史莱克学院内院走去。

走进内院之后，他们发现这里绿草如茵，到处都是植物，向前方走出不远，一尊尊雕像就出现在了他们面前。

唐舞麟一眼就认出，在这些雕像之中，有第一代史莱克七怪，他们也同样是唐门的传奇人物。

在这七尊雕像前面，还有三尊雕像。这三尊雕像是三位中年人，两男一女。

熟知史莱克学院故事的唐舞麟几人立刻就猜出，这几位，应该就是史莱克学院真正的创办者，中间的那位叫弗兰德，第一代史莱克学院院长，另一位男子是被称为大师的玉小刚，这位可是唐门先祖唐三的老师啊！右边那位则是柳二龙。他们三位当年被称为"黄金铁三角"，正是他们一手缔造了史莱克学院，并在唐三那一代史莱克七怪的共同努力下发扬光大。

浊世走到雕像前停下脚步，躬身一礼。

舞长空、沈熠也同样行礼。跟在后面的唐舞麟四个人不敢怠慢，也都跟着躬身行礼。

礼毕，浊世才带着他们向左走到一条小路上。此时唐舞麟才发现，在那些高大的树木后面，是一片碧蓝色的湖，湖水清澈见底。此时虽然天色已经很晚了，但在月光的照耀下，湖面波光粼粼，空气中混合着植物的芬芳，给人一种如临仙境的感觉。

这里真的好舒服啊！唐舞麟一下就喜欢上了这个地方。

浊世大手一挥，一道红光卷起了所有人。唐舞麟只觉得眼前一花，下一刻，他们就已经到了另外一个地方。

这是一座位于湖水中的小岛。

小岛？难道是传说中的海神岛？

这里是史莱克学院中最重要也是最核心的地方——海神岛。它坐落在史莱克学院海神湖湖心，岛上的海神阁，是整个史莱克学院、史莱克城的最高决策地。可以说，这里发布的任何一项决策，都能令大陆震撼。

唐舞麟没想到，自己竟然这么快就能来到海神岛了，这简直不可思议。

海神岛上的植被就更加茂盛了，给人一种进入了原始森林的感觉。浊世带着他们在岛上行进，翻过两个小山包，来到了一栋两层的木屋前。推门而入，木屋内的灯自然而然地亮了起来。

舞长空停步在门前，眼中流露出复杂的情绪。这里，曾经是他的家啊！

"都进来吧。"浊世低沉的声音响起。

舞长空深吸一口气，这才低下头，大步走了进去。唐舞麟四个人紧随其后。

第二百零二章
畅想斗铠

木屋内的装饰十分朴素，一切都是木质的，浊世已经在一张木椅上坐了下来。

"沈熠，明天带这几个小家伙到、注册。唐舞麟，入学成绩满分。其他人按照实际分数来计算。从现在开始，你们就是外院工读生了。"

"是。"沈熠赶忙答应一声。

浊世眼神微动，看着舞长空道："你把他们送来，是不是准备走了？"

"扑通"，舞长空跪倒在地。"老师，我不走了。哪怕只是在这里做一名杂役，我也会留下来，再也不走了。我只有一个请求，请让我照顾您的起居。我已经明白，人不能只为了自己活着。当年是我错了，我愿意用未来所有的时间来弥补我的错误。老师，请您留下我。"一边说着，他又拜了下去。

如果说，在回到史莱克学院之前，他心中还有倔强，还有执着，但当他回到学院，回到这里，看着熟悉的一切，看着老师斑白的发丝，他内心之中最后一丝执着也消失了。

浊世呆了呆，他没想到舞长空会说出这样的话。

正像蔡老所说，他教出来的弟子，他最清楚。舞长空是孤儿，浊世一次云游时遇到并将他带了回来，之后就一直待在浊世身边。浊世一生苦修，为追求极致而存在，只有几个弟子，每个都像他的孩子一样。而在这些弟子之中，他最喜欢的就是舞长空。因为这孩子的性格太像他了，和他一样倔强，一样喜欢追求极致。

以舞长空那么倔强的性格，竟然能够真心认错，这是浊世无论如何也没想到的。对于舞长空来说，杀了他容易，让他低头太难了。

"老师……"沈熠在旁边碰了碰浊世，眼眸中满是哀求之色。

浊世淡淡地道："那就留下吧，我这里还缺个端茶递水、收拾房间的杂役。"

舞长空大喜："谢谢老师。"

唐舞麟他们几个在后面悄悄地交换着眼神，虽然他们年纪不大，但都聪明得很。他们并不清楚老师和师祖之间发生过什么不愉快的事，但现在看来，这位看上去十分威严倔强的师祖，实际上也是嘴硬心软之人。

"谢谢师祖。"在唐舞麟的暗示下，谢邀他们也赶忙恭敬说道。

舞长空站起来，走到浊世身边站定，他那双平时十分冰冷的眼眸，此时充满了神采。唐舞麟这还是第一次看到老师如此神采飞扬的样子。

浊世点了点头，向唐舞麟道："以后你每周来我这里一次，我要教教你。你的身体情况有些特殊，气血十分旺盛，但武魂偏偏又是蓝银草。你在锻造的时候，我仔细感受过你的身体变化。你并不是双生武魂，那金色魂环更像是血脉的力量，而且以一种特殊方式存在着。你的这股力量和我的武魂有些相似，等你安定下来，下周假日来找我，我帮你检查一下身体。"

"是，谢谢师祖。"唐舞麟大喜过望，他哪里会看不出，自己这位师祖必然是在史莱克学院有着举足轻重的地位啊！

浊世看向许小言、谢邀和古月："你们也要多努力。刚刚蔡老说的话是学院的规定。因为你们考试迟到，只能以工读生身份就读于外院，未来想要进入内院，只有一种情况，那就是你们在二十岁的时候，至少能够成为一字斗铠师。你们还有六年多的时间，要走的路还很长。今晚就都留在这里休息吧。明天一早，沈熠会带你们去办理入学手续。"

"是，谢谢师祖。"

很明显，浊世最看重的人是唐舞麟。这让谢邀他们也有些羡慕，但无论如何，他们现在是成功进入史莱克学院了。能够成为史莱克学院中的一员，就足以令他们自豪了。

二十岁成为一字斗铠师？这绝非容易的事情。首先，他们要做的就是在未来六年多的时间里修炼到五环魂王层次，那是成为一字斗铠师最基础的条件。

浊世站起身，转身向楼梯走去，沈熠向舞长空使了个眼色，舞长空哪还会不明白，赶忙过去搀扶住浊世，陪着老师向楼上走去。

浊世并没有挣开他的手，任由他搀扶着自己。这对多年未见的师徒，在这一刻，心结似乎悄然解开了。

看着师祖和老师走了，许小言凑到沈熠身边："老师和师祖是怎么回事啊？是不是以前发生过什么？"

沈熠瞥了她一眼，道："只是一些理念上的分歧而已。从某种意义上来说，你们老师并没有错。但是，你们师祖也没有错。一切都是阴差阳错造成的。现在说开了，一切就都好了。走吧，我带你们几个小家伙去休息。你们可知道，就算是内院弟子，也没有几个有资格上海神岛呢。这可是你们的造化。"

沈熠的心情明显非常好，舞长空和浊世化解了矛盾，最开心的人就是她了。

"不过，古月，我必须要提醒你一下，你要注意一下你的性格，过刚则易折。尤其是在学院，学院很多前辈都有着威震大陆的经历，在他们面前，我们都只是渺小的存在，要尊重长者。否则，你在这里待不长，同时，也会影响到你的伙伴们，明白了吗？"

古月点点头，没有吭声。

唐舞麟拉住她的手："古月，沈老师说得对。今天你太冲动了。其实，蔡老在第四关的时候主要是为了试试我的力量，我并没有受伤。沈老师，回头能不能麻烦您，带着我们去给蔡老认个错。"

沈熠有些惊讶地看着他：这小家伙，心智也太成熟了。

她并不知道，唐舞麟很小的时候就开始学习锻造，父亲对他的教导起到了很重要的作用。随着年龄增长，这些年来又是他一个人在外学习，比同龄的孩子确实是要成熟得多。何况他是队长，平时更要多为伙伴们考虑，自然而然地就有了一些领导者的气质。在他们这个小团体中，其他三人都很服他，就是因为这一点。

古月眉头微皱，噘起小嘴，显然是有些不愿意。

唐舞麟目光灼灼地看着她："我知道你是为了我好。但是，古月，我们是一个团体。任何人不当的做法都会影响到其他伙伴。就像我这次没有计算好冥想时间，才导致大家只能作为工读生进入史莱克学院学习。不要任性，蔡老是欣赏你的天赋，才希望收你为弟子的，这其实对你来说是非常好的机会。二十岁之前成为一字斗铠师绝不容易。能够有一位这样顶尖的老师，是很好的机会啊。"

古月在唐舞麟执着的目光下，总算是点了下头，低声道："对不起，今天是我冲动了。我愿意向蔡老认错。"

听她这么一说，唐舞麟顿时笑了，张开双臂抱了抱她："这就对了。"

古月俏脸一红，却没有推开他。

谢邈一脸暧昧地凑过来："这就对了。"同时也张开双臂，向古月抱了过来。

古月飞起一脚："一边去。"

谢邀灵活闪过，没好气地道："太不公平了你，为什么队长就可以？"

古月理所当然地道："因为他比你长得帅。"

"就是，队长比你帅。"许小言也不忘在一旁捅刀。

沈熠微笑地看着他们，他们现在的样子，让她不由得想起了当初的自己。刚入学的时候，自己也像他们一样这么跳脱啊！

"好了，都早点休息吧。明天还要去报到呢。工读生，可是很不轻松的。"她的言语中含有深意。

这栋楼里的房间不多，唐舞麟和谢邀被分在了一间，古月和许小言一间。

他们没有再见到老师，再加上今天也实在是太疲倦了，所以回到房间，就各自冥想休息了。

唐舞麟是最后一个进入冥想的。

坐在床上，他意念一动，双手之中涌出淡金色光芒，灵锻沉银锤随之出现在他的手中。

血脉相连，与身体合一，这种感觉实在是太美妙了。

机甲固然强大，但是，就算最好的机甲零件，也只能是千锻一品的。而灵锻需要魂师自身与金属相融合，那么庞大的机甲，是根本不可能做到的。

慕辰曾经对唐舞麟说过，虽然现在锻造看上去没有机甲设计、制造和修理三个职业重要，可实际上，正是因为出现了灵锻，才有了最初斗铠的雏形。

大体积的机甲无法融入，但如同铠甲的斗铠能够完美地和魂师融合在一起，魂师可以通过斗铠来提升自己。

斗铠的存在，就像是魂师在自己的武魂上铭刻了核心法阵，给武魂穿上甲胄一般，而武魂也会随之升华。

自从斗铠出现之后，人类的战斗力就提升到了一个全新的层次。但是，也就是在发明了斗铠之后，人类在魂兽面前，才真正具备了压倒性优势，这也是导致魂兽濒临灭绝的重要原因。

传灵塔组织当初在成立的时候，本来是为了调和人类和魂兽之间关系的，可随着研究的深入、人造魂灵的出现，魂兽似乎变得不那么重要了。根据传灵塔组织现在科技进步的速度，最多再过几千年，他们就有可能连十万年魂环都能创造出来了。

为了能进行更多的研究，传灵塔在一段时期内曾经捕杀过大量魂兽来作为试验品，这也得到了联邦的支持，从而渐渐地导致了魂兽世界的崩溃。

灵锻沉银锤上有着淡淡的金色纹理，有点像唐舞麟在修炼时自己身上出现的网状金色纹路。同时，每一柄灵锻沉银锤上还有一条若隐若现的金龙，那并不是图案，而是像活的一般，在其中游走。

这分明是血脉延伸一般的感觉啊！

灵锻是赋予金属生命，让它成为自己身体的一部分。如果以后到了魂锻境界，那么，它就会成为自己武魂的一部分。完成魂锻，就相当于是在锻造自己的武魂，促进武魂升华。

所以，圣匠级锻造师，在全大陆都是顶级的存在，地位极其尊崇。他们的地位甚至不下于三字斗铠师，因为没有他们，就没有三字斗铠的存在。

而神匠呢？那又是一个怎样的境界？慕辰并没有给唐舞麟讲述过，因为他自己也没有达到那个层次，那也是他毕生努力的目标。

跨出灵锻这一步，意味着，唐舞麟实际上已经可以为未来拥有斗铠做准备了。一字斗铠并不是唐舞麟想要锻造的，他更希望自己能够锻造出二字斗铠。

因为他隐隐感觉到，斗铠和魂师魂力等级之间的关系就像自己能够进行灵锻一样，并不是绝对的。

四环修为才能开始尝试灵锻，这是一个标准情况，因为四环魂力才能支持长时间的生命赋予。

而自己二环就完成了这一点，是因为自己本身天生神力，身体素质远超常人，同时对于金属的理解更加深刻，还有气血魂环的辅助。

既然如此，那么，未来自己在成为斗铠师的时候，会不会也出现这种情况呢？至少，是可以尝试的。

斗铠并不是要一次制作一整套，而是可以先完成一些零件，所以自己可以从最简单的零件开始尝试啊！

今天灵锻的成功，带给唐舞麟更多的是信心。他深信，如果只是成为一字斗铠师的话，五十级魂力以内他就可以做到，而且说不定凭借着气血魂环的存在，四十级就有可能冲击了。而现在自己已经可以灵锻，为什么还要去制作一字斗铠呢？那不是浪费时间吗？灵锻能持续进化，二字斗铠，才是自己的目标。

到了那时候，自己就可以用两个字为自己的斗铠命名了。

舞老师的斗铠叫天冰，天冰舞长空，那自己的斗铠叫什么呢？

一想到这里，唐舞麟不禁有种热血沸腾的感觉。对于那一天，他实在是太期待了。

　　不知道什么时候才进入冥想的，当他从冥想中清醒过来的时候，阳光已经透过窗户照在他身上。

　　这一夜冥想时间有些长，以至于他都错过了修炼紫极魔瞳的时间。

　　但唐舞麟清楚地感觉到，自己的魂力提升速度明显比以前修炼时加快了。

第二百零三章
大补的黑馒头

"醒啦，吃饭去。"谢邈的声音从旁边传来。

唐舞麟疑惑地道："谢邈，你有没有感觉到？"

谢邈点了点头，笑道："就知道你会问。我也感觉到了，这海神岛真的非同一般啊！岛上的天地灵气明显要比外界浓郁得多，难怪史莱克学院能够出那么多位强者呢。这和海神岛一定有直接关系，要是能够一直在这里修炼，我们的提升速度一定会大大加快啊！要不，你磨磨师祖，让咱们住这里怎么样？"

唐舞麟没好气地道："想什么好事呢。史莱克学院有史莱克学院的规矩。走吧，不是说要去吃饭吗？我都快饿死了。"

昨天实际上他就吃了一顿，就是在第六项考试时吃的馒头，看来营养还是远远不够啊！

一楼客厅，木桌上摆放着各种各样的食物，当唐舞麟和谢邈到来的时候，其他人都已经在吃了。

浊世指了指自己身边的位置："舞麟，过来。"

"是。"唐舞麟答应一声，来到浊世身边坐了下来。

浊世抬手指着桌子上一个竹篮子："听长空说你很能吃，让我看看，这一篮子你能吃多少。"

那个竹篮子之中，全是一团团黑乎乎的东西，也闻不到什么味道，不知道是什么食物，但看上去不像是多好吃的样子。

"好。"这些黑乎乎的东西一共才二十几个，每个就拳头大小，看上去有点像馒头，黑色的馒头。唐舞麟心中暗想，就这点，还不够自己塞牙缝的。

他双手一探，就拿过来四个。他本来就吃得多，要是还吃得慢的话，那时间不都浪费在吃饭上了。

一张嘴，他就咬了一口黑馒头。黑馒头的口感还不错，但似乎有点腥气。

唐舞麟只是嚼了两下，但是，当他将这口黑馒头咽下去的时候，脸色顿时一变。

因为他清楚地感觉到，一股暖热的感觉顺喉而下，顷刻间就充斥在身体之中。他体内的气血就像是感受到了什么似的，顿时奔涌而上，一下就令他的饥饿感减弱了几分。

好东西啊！

在东海学院的时候，他基本上天天都是吃甲餐，所以当然明白，越是有营养的食材对自己气血的滋养效果就越好。这看上去毫不起眼的黑馒头，竟然是他吃过的所有食物中蕴含营养成分最高的，虽然不知道是什么，但绝对大补。

两三口，一个黑馒头就吃下去了，唐舞麟顿时感觉身体暖暖的。四个黑馒头下肚后，唐舞麟舒畅地吐了口气。他向浊世笑笑，一探手，又抓了四个出来。

"你真的消化得了吗？补大了对身体可不好。"浊世皱了皱眉。

"我应该可以的，谢谢师祖。"唐舞麟昨天就一直没吃饱，气血消耗又大，此时有这种好东西哪里还会放过，便大口大口地吃了起来。

浊世双眼微眯地盯着他看，渐渐地，脸上露出了惊讶之色，唐舞麟体内的气血波动随着他吃得更多明显变得强盛起来，甚至都能听到气血流动的声音，同时，唐舞麟自身的气息也开始明显变强。这和魂力无关，完全是他自身气血带来的变化。

好小子，血脉果然非同一般啊！

当唐舞麟吃下十六个黑馒头的时候，他终于停了下来。吃饱了？

这黑馒头中蕴含的营养太多了，他现在只觉得自己体内的血脉宛如长江大河一般奔涌着，精、气、神都到了巅峰，甚至反向带动着自己的魂力运转起来，全身都很舒服，但确实是吃不下去了。

如果每天都有这种好东西吃，那自己解除封印的把握就会大很多了吧。

"不是大很多，而是水到渠成。你要是天天能够吃这个，有足量供应，至少接下来的三道封印没有天材地宝辅助也能顺利解除了。"老唐的声音冷不丁地在唐舞麟心中响起。

唐舞麟看向浊世："师祖，我可以每天都吃这个吗？"

浊世面部肌肉轻微颤抖了一下："剩余这些你拿走。"说完，他就站起身，回楼上去了。

唐舞麟疑惑地看向舞长空："老师，我是不是说错了什么？"

舞长空表情有些古怪，旁边的沈熠已经开口说道："这是老师一个月的口粮。他老人家一天也只舍得吃一个。你知道这黑馒头是什么东西做的吗？这是深海中一种特殊的鱼类，它不是魂兽，但生活在三千米以下的深海，本身承受水压巨大，所以才使它具有了极高的营养价值。在学院中，只有海神阁众位长老才有资格吃。你一下就吃了一大半，还想天天吃，除非把所有长老的口粮都给你，不然的话，绝对不够你吃。"

"呃……"唐舞麟有些无奈地挠挠头，"那这些还是给师祖留着吧。"

沈熠笑道："老师让你拿走你就拿走吧。他老人家还不至于在乎这点东西。下周休息的时候，老师会去接你过来。看得出，他老人家很喜欢你。你的能力也和他有些相似。"

"是！"

吃过早饭，舞长空留在木屋，沈熠则带着四人乘坐一艘小木船离开了海神岛。

白天的海神湖更加美丽，在阳光的照耀下，它就像是一块巨大的蓝宝石镶嵌在那里，充满了生命的气息。

出了海神湖，离开内院，他们重新前往史莱克学院外院主教学楼那边。

经过昨天一整天的考试，这一届的入学考试已经完成了。

沈熠一边走一边向四人说道："作为工读生，你们要比普通学员辛苦得多。工读生和普通学员最大的区别就在于，普通学员是享受学院补助的，只需要交纳百分之二十的学费就可以了。你们作为工读生，则需要交纳全部的学费，但不用交纳金钱，而是要完成学院教务处交给你们的任务。譬如，清扫校园这种是最低级的任务，也可以是其他的，和你们第二职业有关的也行。"

唐舞麟问出了一个关键问题："沈老师，学院的学费很贵吗？"

沈熠瞥了他一眼："很贵。因为在史莱克学院，你们将会获得许多别的地方没有的教学资源，这些资源的价值无法估量。所以，工读生每年要完成的任务，是非常繁杂的。教务处那边会给你们安排。"

虽然不是第一次来到这里，但当四个人再次来到主教学楼的时候，还是不禁被它的宏大所震撼。

沈熠带着他们来到教务处办理了入学手续，四个人被一起列入新生班。

"不要给工读生丢脸。"负责办理入学的教务处老师看上去五十多岁的年纪，戴着一副眼镜，看上去倒像是一位学者。

办完了所有手续，将墨绿色校服发给他们之后，这位老师冒出了这样一句话。

不要给工读生丢脸？这是什么意思？唐舞麟再聪明，也有些想不明白，便无助地看向沈熠。沈熠却是微笑摇头，显然是没打算告诉他们什么。

"你们入学要完成的第一个任务，是清扫灵冰广场，今天天黑之前完成。"那位五十多岁的老师头也不抬地说道。

清扫广场？灵冰广场都快一眼望不到边了。

"清理杂物，并且要用水把广场地面擦干净，不得有一点灰尘。否则，扣你们学分。"

带着这样的任务，他们完成了入学注册，然后就被带到了宿舍区。

准确地说，是工读生宿舍区。

唐舞麟他们原本以为，学院主教学楼那么大，他们的宿舍也应该在那里，可实际上并不是！

沈熠带着他们来到了灵冰广场西侧，穿过一片树林停下了脚步："这里就是你们工读生的宿舍了。你们按照钥匙上面的门牌号去找吧。明天正式入学，按照教务处的要求做就行了。我先走了。"

沈熠走了，留下了面面相觑的四个人。

眼前的房子，看上去实在是有些太简陋了吧，尤其是和灵冰广场前的主教学楼一对比，这里简直就像是贫民窟一般。

低矮的房子只有一层，看上去明显有些破败的样子。前面是一片树林，但感觉这片树林意义非凡，能挡住这里，不被人看到，省得丢人。

这真不是个让人感到舒服的地方。

这一片平房看上去有二十几间，墙壁斑驳。有些房子的窗户连玻璃都没有，看上去破破烂烂的。

凭借着钥匙上的号码，他们很快就找到了自己的宿舍。

只有一间，没错，连男女都不分开，就一间房子。房子大约有三十平方米的样子，似乎不小，但里面只有两个高低床的铁架子，连床板都没有。其他的，就什么都没有了。

房间的地面上有一层厚厚的灰尘，窗户的玻璃有两块是碎的。哦，还有点别的东西，房顶上还吊着一根线，连接着一个小灯泡。不知道这算是装饰品还是功能性物品。

　　"这、这也太惨了吧，我们真的是来到了史莱克学院而不是贫民窟吗？"谢邂目瞪口呆地说道。和他们在东海学院时的条件相比，这简直就是一个天上一个地下啊！任何生活用品都没有，连最基本的床铺都没有。这着实是……

　　唐舞麟道："别抱怨了。有那时间不如先收拾一下。"既来之则安之，工读生显然不是那么好做的，但条件也确实是太差了点。

　　许小言道："队长，就一间房，我们怎么住啊？男女授受不亲哦。"

　　谢邂笑道："你才多大，还授受不亲。"

　　"哼！"许小言哼了一声，目光却看向一旁的古月，而古月则看向唐舞麟。

　　唐舞麟站在原地想了想："学院既然把我们安排在这里，我们也只能接受。我们先把基本的生活环境布置一下。这样，大家先一起清扫地面。然后在中间拉一道帘子，把两边分开，一直到门那里。这样的话，也算是隔开了。暂时先这样，以后再慢慢改善吧。"

　　古月第一个表示支持："好。"

　　唐舞麟在团队中的威信还是很高的，大家立刻行动起来。以他们的能力，打扫一个房间还是很容易的。

　　但在打扫的过程中，他们进一步感受到了工读生的艰苦。

　　整个工读生宿舍区就只有一个水龙头能够出清水，热水要到主教学楼那边去打，洗澡区域也在主教学楼那边。

　　然后，就没有然后了。没有任何其他设施，食堂也在主教学楼那边，从这里走过去，几乎要横穿大半个灵冰广场才行。

　　四个人齐心协力，把房间打扫干净了，然后找了一块布，把窗户挡住。至于用来做隔断的布匹他们还没有，只能晚一点再去买。

　　"走吧，打水去清扫灵冰广场。"他们今天还有工读生任务呢。

　　灵冰广场那么大，要早点开始清扫才行，不然的话，天黑之前肯定是干不完的。

第二百零四章
———"穷凶极恶"的唐舞麟———

正当四个人回到打水的地方准备打水时，位置已经被人占了，一名瘦弱的少年站在那里，肩膀上搭着条毛巾，一个水桶放在地上，接着水。

看到他，唐舞麟四个人不禁微微一愣。尤其是谢邈，表情最为丰富，下意识地吞咽了一口唾液。

这位，正是那天击败谢邈的二号学员，力量型战魂师。他是唐舞麟他们目前为止见过的三环魂师中最厉害的，就算是古月，也未必就一定能战胜他。他的武魂太强大了，恐怖的力量似乎能够压倒一切。

唐舞麟提着水桶走了过去，来到那少年身边，微笑道："你好，又见面了。我叫唐舞麟。"

少年抬头看了他一眼，神情很淡漠，只是点了下头。

这时，他那桶水已经接得差不多了，他拎起水桶，再次向唐舞麟点头后转身就走。

目送着他离去，进入工读生宿舍之中，谢邈惊讶地道："这家伙好像也是工读生，这么厉害也是工读生？我还以为他是内院的。"

唐舞麟若有所思地道："还记得今天教务处主任说过的话吗？他让我们不要给工读生丢脸，看起来，工读生之中应该有什么秘密。我们先完成好自己应该做的事情吧。"

"那位主任没有说不能用武魂进行打扫吧？"古月突然问道。

唐舞麟扭头看向她："没有。如果不用武魂的话，恐怕我们根本就完不成这个任务吧。"

"那就不用打水了，我来就好。"古月微微一笑，眼中隐隐有光芒闪过。

"嗯？"唐舞麟眼睛一亮，顿时明白了些什么，随之笑道，"好啊！"

古月转身向灵冰广场的方向走去，唐舞麟三人跟在后面，谢邀和许小言也明白过来，顿时显得有些兴奋。

古月一直走到灵冰广场旁边才停下脚步，深吸一口气，双眼微眯，三个魂环随之从她脚下升起。

第一魂环光芒闪耀，元素潮汐发动。

她双手做出一个捧托的动作，点点青光开始在她掌心之中凝聚，同时，点点蓝光也随之出现。两种不同颜色的光芒几乎是百分之五十对百分之五十地在她掌心之中凝聚。

古月显得很平静，光芒聚合的速度并不算快，和她平时战斗时相比，明显慢了一些。

但是，唐舞麟却能清楚地感觉到，现在古月所凝聚的元素非常稳定，要比以前稳定得多。

而且，她现在还没有动用另外两个魂技。

蓝、青两色光芒越来越强盛，渐渐在她掌心之中盘旋起来，然后化为一个精致的旋涡，旋涡的旋转速度很快，以至于蓝色与青色相互交融，不分彼此。这是风元素和水元素的交融。

第二魂环终于亮起，两色光芒注入的速度瞬间加快，在元素掌控的增幅下，凭借着灵海境的精神层次修为，在古月手中，这个旋涡旋转的速度正在变得越来越快，旋涡也越来越大，一会儿的工夫，就已经有两米多高了，而且还在不断地变大。

第三魂环闪耀，元素融合发动，两色光芒不分彼此，再次迅速变大。同时使用三大魂技，古月游刃有余，大有几分一切尽在掌握之中的风采。她的精神力实在是太强了，在三环魂师这个层次，整个魂师界也没有几个人能够达到灵海境。

旋涡一直增长到五米左右，在唐舞麟他们感受到其中的狂暴的时候，古月才轻呼一声："去！"

蓝青双色旋涡旋转而出，向前方的灵冰广场落去。

灵冰广场本来就不算脏，最多是有点尘土而已，至于垃圾什么的，在他们视线范围内还没看到。

这旋涡才一落地，顿时，奇异的一幕出现了，广场上的尘土被它迅速吸附进去，同时地面就像是被刷子刷过一样，变得一尘不染。

古月收敛了第一、第三两个魂环，只留第二魂技元素掌控跟随旋涡前行。旋涡所过之处，地面变得干干净净了。

"好厉害！"许小言拍手欢呼道。

确实是厉害啊！唐舞麟也是暗暗竖起大拇指，古月在元素掌控方面的能力是他见过最强的。而且，她拥有六种元素，现在已经能够做到多种元素相融合，这就让她的攻击、防御有着无限可能。

可以说，古月的未来有无限的可能，在整个魂师界历史上还是第一次出现可以掌控多种元素的魂师。到目前为止，她拥有六种元素——水、火、土、风、光明、空间，这还不包括水元素的变异形态冰元素。掌控这么多种元素，她能够做的事情太多了。

就像现在，如果换四个普通人，就算两天都不见得能够打扫干净的广场，在那风水双元素旋涡的清扫下，变得越来越干净。渐渐地，旋涡行进的速度越来越快，古月跟在后面几乎是小跑着的，而旋涡能够同时吸收和清扫直径二十米左右范围内的尘土。按照这样的速度，将整个灵冰广场清扫一遍，最多也就需要两三个小时。当然，前提是，古月的魂力和精神力能够支撑得住。

事实证明，古月并不是超人，清扫进行到三分之一的时候，她收回了旋涡，然后把已经变成青黑色的旋涡带到了倾倒污水的地方，使其化为元素落入其中。随后她就在广场一侧盘膝坐下，开始通过冥想来恢复自身消耗的魂力。

"都让古月一个人干了，我都有些不好意思了。"谢邀嘿嘿笑道。

唐舞麟微笑道："那你晚上请我们出去吃饭好了。"

谢邀没好气地道："如果不算上你的话，我肯定没问题啊！她们两个姑娘能吃多少东西，但要加上你，这个问题就比较严重，因为你实在是太能吃了。"

唐舞麟哈哈一笑："太没诚意了你。"

谢邀一咬牙，道："好吧，那我就请大家吃饭。不过，你要先把你那些黑馒头吃完，才能和我们一起吃。"

黑馒头能够让唐舞麟的饭量大幅度下降，自然就能少吃一些东西了。

"好。"

接下来的清扫任务完全是由古月一个人完成的。三人眼看帮不上忙，就回去把宿舍整理了一番。

办理入学手续的时候，他们每个人领取的东西只有两身校服，以及史莱克学院学员的身份卡片。

卡片是由金属材料制作的，上面明显有魂导法阵的纹路存在。教务处老师告诉他们，这个是他们的身份证明，在学院前往任何地方都需要这个，包括出学院和返回学院。

史莱克学院的管理并没有想象中那么严格，至少对学员自由出入学院没有任何限制。而实际上，史莱克学院外院根本就是一座城市。在这里什么都能解决，根本就不需要轻易离开学院。

趁着古月在那里清扫广场，唐舞麟外出买了一些木板回来，让谢邈用光龙匕把它们切割成了合适的尺寸。大家总算是有床了，而被褥这些他们倒是自己都带了。然后买块布拦在房间的中间，这样一来，房间总算有点宿舍的味道了。

不过也就仅此而已，他们并没有增加更多的东西。既然是工读生宿舍，唐舞麟认为，还是不要把宿舍弄得和别人太不一样比较好。至少在他们了解史莱克学院之前，不能轻举妄动。

他已经观察过了，这片工读生宿舍中，并不是每个房间都有人住，事实上，只有三四个房间有居住痕迹，从外面看去，也都简朴到了极致。

这似乎是工读生的一个传统，他们显然不适合去破坏。

哪怕是动用魂技来清扫灵冰广场，古月也用了整整四个半小时，一直到下午才完成，其中有两个多小时都是用来冥想的。

下午四个人就留在房间之中冥想修炼。初入史莱克学院，对这里他们还远远谈不上了解，心中还是有很强的危机感。

这里集中的，可是全大陆最优秀的天才，他们的天赋都很出众，但谁也不敢托大。这里藏龙卧虎，就像那位瘦弱的二号学员，唐舞麟他们中的任何一个都不敢说绝对能战胜他。

只有尽快让自己的实力变得更强大，才能够真正在史莱克学院站稳脚跟。

学院食堂的规模很大，所有外院的学员似乎都是在食堂中吃饭的，而工读生的规定和其他学员不一样，普通学员用餐是免费的，全部由学院来提供。但工读生需要付费，而支付的，就是他们在学院进行工作和完成任务获得的贡献点数。

今天是第一天入学，他们也能吃到免费的饭菜，从明天开始，就必须要支付获得的贡献点数了。

他们去教务处交了任务，获得了一百个史莱克贡献点，然后唐舞麟就发现，这些贡献点只够他们四个人第二天吃饭。而且，他发现了一个非常麻烦的问题，那就是，他的饭量太大了，而这里并不是自助餐。

不过，食堂的伙食还是相当好的，哪怕是最普通的饭菜，也可以和东海学院的甲餐相比。这要是能免费吃，该多好啊！这是唐舞麟午饭后的感叹。

晚餐也是免费的，原本谢邈说的请客自然也就延后了。

或许是因为明天就要开始付费来吃饭了，唐舞麟今天晚上充分地在食堂展现出了什么叫作"穷凶极恶"！

他首先找了一张大桌子，然后就开始去拿饭菜。史莱克学院食堂是非常大的，可以同时容纳千人用餐。唐舞麟到各个窗口去拿食物，身份卡片显示他今晚不需要付费，他自然就能从任何窗口拿到食物。

刚开始的时候，还没有人注意，但很快，当他选择的这张桌子上面，盘子已经叠了三层的时候，就有人走过来了。

走过来的是一名看上去二十岁左右的青年，他面容冷峻，右臂上戴着个红袖标。

"我是学院执法队学员谢沛辰，你是哪个班的？为什么拿这么多食物？你难道不知道，按照校规，如果浪费食物，浪费的分量要处以十倍罚款吗？"

唐舞麟停下忙碌的脚步："学长好，这些食物我能够吃掉。"

"你能够吃掉？你一个人？"谢沛辰的声音顿时提高了几分，他原本还以为唐舞麟这些食物是给一些同学拿的，然后大家一起吃，可就算如此，这一张桌子最多能够坐十个人，而他拿的食物已经相当于三十个人的分量了。

"嗯，我一个人也可以的。我还有三个同学一起吃。"唐舞麟老老实实地回答道。

"四个人能吃这么多？"谢沛辰说什么也不相信。要知道，学院提供的食物都是营养极其丰富的，他们不可能吃得下这么多。

唐舞麟认真地点了点头。

"好，那我就看着你吃。吃不完的话，别怪我不客气。"谢沛辰的脸色阴沉了下来，但对方目前还没有违反校规，他站在一旁，就这样看着唐舞麟。

唐舞麟微微一笑，露出一口白牙："学长，你看这样好不好？我们打个赌，如果这些我都能吃掉的话，麻烦学长再帮我拿一些。如果不行的话，当然任由学长处置了。"

"好。"谢沛辰言简意赅地回答道。

然后唐舞麟就开始吃了。他吃得很从容，但速度绝对是惊人的。

古月、谢邂和许小言已经各自拿着自己的食物坐到邻桌去了，装出一副我们不认识他的模样。

唐舞麟心中也憋着一口气，他这辈子最痛恨的就是不给饭吃这种事。学院居然不提供免费的饭菜，这要花多少钱啊。趁着这顿是免费的，今天一定要把明天早上那份都给吃出来。

刚开始的时候，谢沛辰站在唐舞麟身边还能保持淡定，渐渐地，他的眼神中充满了难以置信，嘴也开始张开来。

这家伙……这家伙真的是人类吗？

看着一叠叠高高摞起的盘子，再看着唐舞麟有增无减的速度，他下意识地吞咽了一口唾液。

很快，其他用餐的学员也注意到了这边的情况。

"这家伙是饿死鬼投胎的吗？怎么这么能吃。"

"天啊！你不会告诉我，那些空盘子都是他一个人吃的吧？"

"哇，好厉害。最佩服这种吃货了。"

一时间，周围人头攒动，不少人都围了过去。看着唐舞麟大快朵颐，不得不说，他这豪放的吃饭方式还真是挺能提高大家食欲的。很多人看他吃得那么香，自己都下意识地多吃了些。

"学长，麻烦你，我要吃那边那个像海参的东西，先来十份吧。谢谢。"唐舞麟一脸微笑地向谢沛辰说道。

谢沛辰机械地走了过去，端过来十盘。这已经是他第三次去帮唐舞麟拿吃的了。每一份的量并不算多，但架不住盘数多啊！

这家伙……

第二百零五章
——把她的魂导通信号码给我 ——

正在唐舞麟吃得大呼痛快时，人群突然分开，一名脸色阴沉的中年人走了进来。看到桌子上层层叠叠的盘子，他的面部肌肉下意识抽动了一下。

作为食堂主管，今天他居然接到了食堂食物告急的通知。要知道，以往都是有剩余的。今天怎么可能不够了？

当他看到唐舞麟此时的样子，他终于明白，出现这样的情况是有原因的。

学院什么时候招了这么一个饭桶？

"这位同学，你的饭量已经远远超过了正常人的范围。学院也养不起你这样的人。你如果每一顿都是这种饭量的话，那么，我就要向学院申请，取消你免费用餐的资格了。"中年人如是说。

唐舞麟愣了一下："老师，您别担心，我是工读生，明天就不能这么吃了。这是最后一顿免费的晚餐，难道还不能吃饱了吗？"

"工读生"这三个字一出，唐舞麟发现，围观自己的学员们全都下意识地露出一副恍然大悟的样子，然后竟然快速退开，没有人再看着他吃饭了。那名中年人也是一脸能理解的表情。

"原来是工读生啊！那好吧，你吃吧。"说完，那名中年人头也不回地走了。

"你怎么不早说你是工读生？"谢沛辰有些气急败坏地说道。

"工读生怎么了？"唐舞麟疑惑地问道。

谢沛辰哼了一声，也是转身就走，不理他了。

看起来，这工读生果然是有故事的啊！唐舞麟心头微动，隐约已经有了些感觉。当然，这并不影响他继续吃东西。

这顿饭绝对是他有史以来吃得最多也是最爽的一次。或许是因为第二道封印解除了，唐舞麟的饭量和以前相比似乎又增加了不少。吃到最后，连他自己都觉得不好意思了。食堂的二十几个窗口，有十个窗口的饭菜都让他吃干净了。

"你还没吃饱吗？这个给你吃吧。"一名看上去比他大不了多少的女生从他身边经过时，往他盘子里放了一个馒头，然后默默地走了，一边走还一边念叨着："真可怜，一副吃不饱的样子。"

这是第一个，但并不是最后一个。没过多久，又有一名学员走过来，往他盘子里放了个包子。

唐舞麟嘴角抽搐了一下，这样也行？突然，他眼睛微微一亮。似乎，想要吃饱饭并不一定非要完成学院的任务才行吧。以自己的饭量，一百个贡献点还不够吃一顿的。

食堂各个窗口的价格他已经看了，最便宜的也要十个贡献点。而他刚刚这一顿，一千个贡献点都差不多给吃掉了。这要是自己付费，那绝对是吃不起的。

尽管唐舞麟饭量惊人，但走出食堂的时候，他的身体也有些晃悠了，因为吃得太多了。

"队长，咱能有点出息吗？"谢邀表情古怪地说道，"这下恐怕全外院都认识你了。"

唐舞麟瞪了他一眼，道："出息能当饭吃吗？你知道饿的感觉有多难受吗？"

"行，你当我没说。"

唐舞麟道："我记得，有人说过要请我们吃晚餐的。走吧。"

"你……你还能吃？"谢邀目瞪口呆地看着他。

唐舞麟呵呵一笑："到了吃晚餐的地方，也就消化得差不多了。"其实现在他心中有种奇异的感觉，他发现，自己刚刚这一顿大吃，体内气血沸腾得非常厉害，而在这沸腾的过程中，全身都有种火热的感觉，这种感觉跟他当初在解除封印后融合体内金龙王精华时的感觉很相似。

唐舞麟明显感觉到在大量高营养食物的作用下，自己体内的气血变得更加旺盛了，而旺盛的气血使他的血脉似乎变得更加强大了。或许，这吃东西对于自己来说，本身就是一种修炼方式啊！

所以，他才提出让谢邀继续请客，他想看看，自己体内的气血之力究竟会有什么变化，毕竟能一顿吃这么多高营养食物的机会可不多。

"你赢了。吃东西就算了吧，回头撑破了你的肚子就不好了，我还是请大家喝点东西吧。顺便咱们也在外院转转。这可是一座城市啊！来了我们还没转过呢。"

谢邈笑道。

"好。"他的提议得到了许小言和古月的赞同。

四人出了灵冰广场范围，走进一条看上去灯火辉煌、十分热闹的街道。

刚走不远，他们就看到前面有一家十分热闹的店铺。

"那个是什么地方？"许小言好奇地问道。

谢邈看了看，道："好像是喝饮料的地方——饮料吧。原来史莱克城也有饮料吧啊！我们去喝点东西。"

"好啊、好啊！我想吃冰激凌。"许小言兴高采烈地说道。

饮料吧内非常热闹，客人不少，其中不少人都穿着史莱克学院的校服。服务生穿行其间，显得十分忙碌。

唐舞麟他们好不容易才找了张桌子坐了下来，叫过服务生，点了果汁和冰激凌。

对于冰激凌这种东西，女孩子总是没有任何抵抗力的。就算是古月这种性格比较怪异的女孩也是一样，冰激凌一上来，她和许小言就大口吃了起来。

"你看什么呢？"唐舞麟喝了一口橙汁，碰了碰身边正在四下张望的谢邈。

谢邈嘿嘿笑道："我在看有没有什么漂亮的学姐之类的啊！为以后我们成年做准备。"

唐舞麟疑惑地道："做什么准备？"

谢邈道："你不会没听说过史莱克学院的海神缘相亲大会吧？据说，只要能够进入内院，并且达到了年龄，就有资格参加海神缘相亲大会呢。那是史莱克学院内部的一大盛事。到时候，我们外院弟子也可以到现场观看呢。具体情况我也不清楚，但据说这已经是持续了一万多年的传统。许多超级情侣都是在相亲大会上走到一起的。当年，灵冰斗罗和龙蝶斗罗就是在这相亲大会上确立关系的呢。"

唐舞麟没好气地道："你才多大，就想这些，有什么用？我们年龄还差得远呢。更何况，那也要能够考入内院才行啊！我们现在还不知道差多少呢。你看，那天你选的那位二号学员实力那么强大都没能被内院收为弟子。"

"先找找目标再说嘛。至于内院，我们好好努力，一定有机会的。"谢邈一脸兴奋地说道。

唐舞麟微微一笑，举起手中的饮料杯，道："恭喜大家，我们一起考入了史莱克学院，现在就当是迟来的庆祝吧。"

正吃着冰激凌的古月和许小言闻言抬起头来，四个人相视一笑。能够考入史莱克学院，真的很不容易啊！他们到现在都不愿意回想昨天的考试过程。

史莱克学院不愧是大陆第一学院，这入学考试几乎包括了实力、潜能、第二职业、心性、耐力等种种内容，可以说是全方位地去考验一名新生的能力。任何一方面不行，都会受到极大的制约，从而影响考上的概率。

现在，他们总算是考上了，总算是没白费舞老师和东海学院的培养。

他们都很期待，未来在史莱克学院能够学到什么，这里和东海学院究竟有多大不同。

"服务生，请你过来一下。"正在他们庆祝的时候，邻桌突然传来一个有点大的声音。

唐舞麟四个人本来没在意，但他们接着就听到，那声音继续说："把你的魂导通信号码给我吧。"

这声音分明有些嚣张、霸道。

这可是史莱克城，还有这种人？

四个人下意识地扭头看去。

邻桌只坐了一个少年，他并没有穿史莱克学院的校服，而是穿了一身白色礼服，相貌非常英俊，年龄应该比唐舞麟他们略大一点，金色的短发上打了发蜡，看上去非常有光泽。

他有一双非常奇异的眼眸，眼眸是金色的，瞳孔则是暗金色，整个人有种特别的气质，似乎全身都散发着光明气息。

论相貌，放眼望去，在整个饮料吧之中，也只有唐舞麟能够和他相比了。但他表现出来的气场可要比唐舞麟盛气凌人得多。

在他面前，站着一名身穿制服的少女。黑色长裙，白色马甲，饮料吧标准制服。这名少女的皮肤非常白，一头栗红色短发，眼睛大大的，是黑色的。她长得非常美，而且有种楚楚可怜的气质。

"抱歉，这不属于我的工作范围。"面对金发少年的要求，她微微躬身说道。

"那你怎么才能把通信号码给我？"金发少年大声说道。

少女摇摇头，转身就要走。

"你这是什么服务态度？把你们经理给我找来。"金发少年猛地一拍桌子，顿时引来不少目光。但是，哪怕是那些穿着史莱克学院校服的学员在看到他的时候，也不自觉地将目光挪开了，并没有人上来打抱不平。

"那您稍等。"少女淡淡地说了一句就飘然而去。

时间不长，一名中年人快步走了过来："先生，请问您有什么事？我是饮料吧的经理。"

"把她的通信号码给我。"少年指着在不远处给其他桌服务的服务员少女说道。

经理一脸歉然地道："对不起，我们不能透露员工的隐私。"

少年眉毛一挑："那怎样才能把她的号码告诉我？"

"对不起，请您别为难我们。怎样都是不可以透露员工隐私的。"经理客气而坚决地说道。

少年眼中金光一闪，无形的压力顿时从他身上蔓延开来："去把你们老板叫过来。"

经理眉头微皱，犹豫了一下后，还是点点头："那您稍等。"说完，他转身就去了。

没过多久，一名西装革履的中年人走了过来。

"先生，有什么可以帮您？"

少年说道："把那个服务生的魂导通信号码给我。"

老板正色道："您的要求我刚刚已经听经理说了。但是对不起，无论怎样，我们也不能透露员工的隐私。请您多担待。"

少年双眼微眯地看着他，道："这么说，你是怎样都不肯了？"

老板点了点头。

少年道："好。"说完这个字，他突然站起身来，抬起手打了个响指。

不远处，一名管家模样的中年人向他走过来，然后在他身边站定，恭敬地道："少爷，您有什么吩咐？"

少年淡淡地道："你和这位老板谈一下，我要买下这家饮料吧。"

老板一愣，脸色难看地道："对不起先生，我这里是不打算卖的。"

那位管家却是微微一笑："您好，我是损搏，不如，我们到旁边谈谈。"他一边说着，一边将一张金色卡片递给了那位老板。

老板看到金色卡片，眼中顿时露出了震惊之色，这才点了点头，和这位管家走到一旁去了。

看着这一幕闹剧，谢邂嘴角抽搐了一下，唐舞麟轻叹一声，道："你们城里人可真会玩。"

"哼！"古月冷哼一声。

许小言却是一脸兴致地道："你们说，他能要到那个女孩的通信号码吗？"

唐舞麟耸了耸肩膀："让我们拭目以待吧。没想到出来喝个饮料还能够看场好戏。那老板看上去挺坚持的，但那少年应该是来历不凡，看看老板会做什么决定。"

他这边话音还没落，那名管家已经和老板走了回来。

"少爷，我和这位杨老板已经商量好了价格，并且已经完成了支付，从现在开始，这家饮料吧就是您的产业了。"管家就像是做了一件再普通不过的事情，平静地向少年说道。

少年点了点头，向那位杨老板道："把她的魂导通信号码给我要过来。"

少年一直都没有克制自己的声音，以至于周围几桌的客人都能够清晰地听到他讲话。众人看着他的目光都有些怪异，为了要一个女生的联系方式，他竟然如此阔绰地买下了一家饮料吧。要知道，史莱克城内的任何一家商铺都不便宜，而且并不是什么人都能够进得来的。

杨老板叹息一声，向那有着栗红色短发的少女走了过去。

唐舞麟耸了耸肩膀，向伙伴们说道："看来，想要做到威武不能屈并不容易啊！"

时间不长，那名少女终于走来了。

她一直走到少年面前，淡淡地道："你想怎样？"

少年微微一笑："我不想怎样，只是觉得你长得挺好看的，想要认识一下你而已。"

少女没吭声，而是低头解开了自己马甲的扣子。

"我可没让你脱衣服啊！"少年有些惊讶地说道。

少女冷哼一声，把脱掉的马甲扔在桌子上："我不干了，所以，我不是你的员工。"说着，她就转身要走。

少年脸上的笑容更浓了，也站起身来："更有意思了。"说着，他就跟着那个少女向外走去。

"史莱克城竟然也会发生这种事，真是'是可忍，孰不可忍'！"谢邂一边愤怒地说道，一边站起来向外追去。

唐舞麟一把没拉住，只得赶忙跟上去。

他好想说：你就算是打抱不平，也要先结账啊！无奈之下，他只得自己丢下几张联邦币，跟了出去。

他才走到外面的街道上，一股强烈的魂力波动就从前方弥漫而来。

一道金光骤然闪耀，冲天而起的金色光芒，将整条街道都照得异常明亮。

唐舞麟惊讶地看到，那金光正是从那名先前死缠烂打的金发少年身上释放出来的。金光弥漫，他整个人身上都充斥着一种神圣的气息。

这是……

三个魂环随之从金发少年脚下升起，令唐舞麟震撼的是，这三个魂环赫然都是紫色的。与此同时，一对洁白的羽翼从他背后舒展开来，更令他自身的神圣感大增。

在他前方不远处，那名有着栗红色短发的少女停下脚步，转过身来，面若冰霜。她冷冷地看着金发少年，双臂在身体两侧展开，顿时，以她的身体为起点，她身后的空间，竟是完全暗了下来，轻微地扭曲着。一对黑色羽翼从她背后舒展开来，她原本十分清丽的面容顿时多了几分妖异的光彩。

这是……

白色羽翼，那好像是传说中的超级武魂——天使啊！可是，那少女的黑色羽翼又是什么呢？

第二百零六章
——神圣天使和堕落天使——

"我就觉得我没有看错，看起来，真的是如此呢。有点意思了。"金发少年微笑道，背后洁白羽翼拍动，金光闪耀。

红发少女脸色冰冷，背后双翼拍动，身体悬浮起来，在她脚下，升起了两个魂环，同样都是紫色的。

"二环对三环，你没有任何机会的，束手就擒吧。跟我回去接受审判。"金发少年沉声说道。

红发少女嘴唇抿得紧紧的，突然，她眼中光芒一闪，身体瞬间隐入周围黑暗的世界之中。

"想跑？"金发少年冷喝一声，脚下第一魂环光芒大放，冲天而起的那道金光瞬间变得明亮起来。

神圣的光芒将周围一切黑暗照亮，尤其是少女隐入的方向。与此同时，他右手虚空拍出，身上第二魂环也亮了起来。一道圣光落入前方，顿时，少女的身形显现出来。此时的她，全身笼罩着一层紫黑色的光晕。

"都说了，二环对三环，你没有任何机会的。"金发少年拍动羽翼，缓缓靠近那个少女。

突然，红发少女脸上露出一丝讥讽之色，双翼收敛落在地上，就连自身魂环都收了起来。

"笨蛋，这里是史莱克城。"

她话音刚落下，天空突然变得明亮起来，一切黑暗与光明的光芒全都荡然无存。天空中，无形压力凭空而下。那金发少年脸色一变，在那压力的压制之下，他不得不从空中落到地面上。

天空中不知道什么时候多了一个人，一个身材高大的男子，看不清样貌，但他威严的声音瞬间传遍整条街道。

"是谁，敢违反史莱克城的规定，在这里动手？"

"禀告执法者阁下，我是天使家族的乐正宇，也是外院二年级一班的一名学员。我们在史莱克城中发现了一名堕落天使。众所周知，堕落天使是邪魂师的可能性近乎百分之百，所以，我才会动手，要擒拿她回家族审判。"

听着他的话，那名红发少女显得十分淡定，向空中的执法者举起一张卡片："尊敬的执法者，我是史莱克学院工读生，我的身份经过学院验证，我不是邪魂师。"

史莱克学院工读生？

听到这几个字，唐舞麟他们都面露惊讶之色。没想到，这长有一对翅膀、看上去只有二环的堕落天使竟然是学院的工读生。不过，她倒是没有像乐正宇那样说出自己的名字。

空中传来一股吸力，将少女手中的卡片吸入空中，那人检查了卡片后，向乐正宇道："她的身份可以确认，是学院工读生，不存在邪魂师的可能。念在你是为了对付邪魂师的分上，这次就不给予惩戒了。下次再犯，两罪合一。都散了吧。"一边说着，他一边掷还了那张身份卡给红发少女，然后光影一闪，消失不见了。

这就是史莱克城啊！

唐舞麟他们此时是震撼的，在史莱克城竟是不能随便动手的，有执法者随时监控。

少女接回卡片，看着乐正宇，右手伸出大拇指，再缓缓向下转，指向地面。

"你！"乐正宇火冒三丈。

"哼！"少女冷哼一声，转身就走，很快就没入夜色中消失不见。

乐正宇想要追，却被那位管家拉住了，管家向他摇了摇头，轻声道："少爷，既然史莱克学院确认了她不是，那应该就不是的，不要再节外生枝了。"

乐正宇冷哼一声："堕落天使不是邪魂师，说出去谁信？我看，这史莱克……"

"少爷，慎言！"管家损搏低喝一声，隐约出现了精神波动，令乐正宇后半句话没有说出来。

乐正宇怒哼一声，大步而去。

这场闹剧到此结束。唐舞麟四个人却还有些意犹未尽，他们来到这里时间不长，就已经开始体会到史莱克学院的不同了。

返回学院，回到他们那破旧的工读生宿舍中，四人却都毫无睡意。

"队长，你说咱们这工读生是不是有什么秘密啊？在食堂的时候，大家听说你是工读生，就敬而远之，甚至还有些畏惧的情绪。刚刚那个红头发的女孩也说自己是工读生，还有那个打赢我的也是工读生。咱们要不要去找其他工读生了解一下情况？"谢邂低声向唐舞麟问道。

唐舞麟摇了摇头，道："我们初来乍到，还是别找麻烦了，先搞清楚了情况再说。我们现在首先要做的就是融入史莱克学院，同时，了解史莱克学院，提升自身修为。在这里，我们实在是太渺小了。把你的好奇心收起来吧，至少现在，我们还没有去探究的实力。"

"好吧。"谢邂有些无奈，扭头看向对面的许小言。这会儿还没有休息，布帘子自然就没有挂起来。

"你说你一个男生，怎么那么八卦啊！"她得到的，却是许小言的一个白眼。

古月站起身，把布帘挂上。

唐舞麟虽然阻止了谢邂去探究，但他自己心中也不平静。天使武魂，堕落天使武魂，在他看来，这些都是传说中的存在，没想到今天会见到，而且，能够面对金发少年而毫不退缩，那少女的武魂品质一定不会比他的差。

还有，邪魂师是什么？好像不是什么好的存在吧，不然那少年也不会说出来。

魂师的世界，看起来更加精彩了呢。明天就要开始上课了，不知道舞老师还能不能继续教我们。

一夜无话，第二天一早，唐舞麟就起来了，许小言和他差不多，两人一起修炼了紫极魔瞳。

简单洗漱之后，他们就要开始面临一个问题了。那就是，吃饭。

幸好，早餐情况还行，唐舞麟至少还能够用昨天剩下的黑馒头顶一下。作为工读生，他们早晨的第一件事情就是前往教务处领取今天的任务。

来到教务处的时候，他们遇到了一个熟人，正是那位二号学员。

同样作为工读生，他显然也是来领取任务的。

"你们四个，继续清扫灵冰广场，昨天做得不错，今天继续努力。"教务处老师很随意地就要打发唐舞麟四人。

唐舞麟忍不住问道："老师，除了清扫灵冰广场之外，我们还能不能再多接一点任务？"

"你要多接任务？"老师好奇地抬起头。一般来说，工读生刚入学都会有些不适应才对。

"是的。"唐舞麟苦着脸说道。没有贡献点就没饭吃啊！这还不能出去买。昨天在饮料吧结账的时候，就吓了唐舞麟一跳。史莱克城内的物价，足足是外面的五倍。他舍不得啊！他心疼啊！

"好，可以。这是任务列表，你自己选吧。"教务处的老师一边说着，一边把一个小型魂导屏幕递了过来。

唐舞麟四个人凑在一起选任务，比他们略微晚来一些的二号学员走到老师面前。

"老师，我交任务。"

"嗯，图纸完成了？还挺快的。你的效率越来越高了。"老师赞美了一句，然后拿过他的身份卡，在上面不知道加了多少贡献点。

"你再选一个任务吧，原恩。"

原来他的名字叫原恩。唐舞麟下意识地看了他一眼，发现他根本没有什么醒目的特点，显得非常普通。

原恩很快接了一个任务，然后默默离去，整个过程中他只是在离开的时候向唐舞麟四个人微微颔首致意了一下而已。唐舞麟相信，这肯定还是因为大家都是工读生。

"我选这个。"唐舞麟在任务列表中选择了一个千锻一品的金属锻造任务。

"你确定？"教务处老师一脸惊讶地看着他，"如果任务完不成，可是要倒扣贡献点的。而一旦没有足够的贡献点支持你的学习，你将被驱逐出学院。你们工读生每人每个月还要交纳三百个贡献点的学费。"

唐舞麟苦笑道："老师，我确定。"

不过，他刚才翻看任务列表时发现，千锻的任务非常多，不比东海城锻造师协会的少。

转念一想，唐舞麟就明白这是因为什么了。这里是史莱克学院，和任何地方都不一样，这里的学员，恐怕没有一位的目标是成为机甲师，他们全都朝着成为斗铠师的方向努力。

而一字斗铠师，最基础的要求就是金属要达到千锻啊！史莱克学院收学员很谨慎，但外院的学员总数，应该也超过了一千人吧。现在他还不知道外院的具体情况，比如如何分班之类的。但这么多学员，都要尝试成为斗铠师，那么，对千锻金属的需求自然是极多的。

像他接的这个千锻一品的任务，贡献点高达一千。

千锻一品对于普通的四级锻造师来说，不是每次都有把握的，但对于唐舞麟来说，那就不是什么难事了。

他现在已经跨入五级锻造师行列了，虽然是最初级的五级锻造师，甚至能否再次完成灵锻都不知道，但也是五级锻造师啊！而且还是在千锻层次千锤百炼过的。不说千锻一品百分之百成功，但也差不多了。接这样的任务根本不是问题。如果不是怕太惊世骇俗，唐舞麟真想一次多接几个，初来乍到，还是谨慎点好。

"老师，我在什么地方能够购买到稀有金属，并且能够锻造呢？"唐舞麟问道。

锻造师是需要锻造台的。

教务处老师挥挥手，道："稍后举行完入学仪式之后，问你们的班主任老师去。"

"哦。"

"原来那个人叫原恩。"出了教务处，唐舞麟耳边响起谢邈的声音。

唐舞麟扭头看向他："怎么，还不服气呢？我看你现阶段是不可能战胜他的。还有，有件事我们之前可能都想错了。这里所谓的二年级学员，并不是比我们大一岁，而应该是比我们提前三年进入学院的才对，史莱克学院是三年才招收一次学员，所以，他可能比我们大三岁。"

谢邈道："那也不一定吧。史莱克学院是要求年龄最大不能超过十五岁，你看，我们十三岁就进来了。那人家也可能是年纪小的时候进来的啊！所以，这年龄很难说。队长，以后就靠你养我们了。"说到最后的时候，他突然变得一脸谄媚。

唐舞麟没好气地道："可以啊！你可以用联邦币跟我购买贡献点。我不介意的。"

谢邈瞪大了眼睛："老大，你不是这么财迷吧？"

唐舞麟认真地点点头，道："就是这么财迷啊！难道你是今天才知道我是财迷的吗？我特别财迷，所以，千万别跟我提钱这件事。自力更生是我们唐门的优良传统。"

谢邀哭丧着脸，道："太无情了你。"

唐舞麟拍拍他的肩膀："想要赚取更多的贡献点，就努力提升你的第二职业吧。这样自然就行啦。而且，我估计咱们这贡献点不仅仅是用于吃饭，史莱克学院既然有了这样的规定，那么，很可能这贡献点还有许多其他用途也说不定，而这些用途对学员来说必然是很有意义的。"

开学典礼，就在干净的灵冰广场上进行。

这也让唐舞麟第一次对史莱克学院学员的总数量有了全新的认识。

史莱克学院一共有六个年级，这和一般的学院似乎并没有什么不同。每个年级的学员数量不等，都在百人左右，六个年级下来，大约是七百人的样子。

通过观察唐舞麟发现，那些六年级学员的年龄至少也有三十岁了，一个个看上去气度沉凝、修为不俗，但他们依旧在外院。一般高等学院的毕业年龄应该是二十二到二十五岁吧，而史莱克学院竟然区别这么大。按照年龄来看，如果舞老师在外院，恐怕也就是个五年级学员。

学院还真是奇特呢。

年龄最小的当然就是他们这些一年级新生，绝对都是十五岁以下，而且以十三四岁为主。

二年级的看上去比他们大一些，但差别也不是特别大。

每个年级就只有一个班，并没有再分班。

这就是史莱克学院外院啊！不知道内院那边有多少学员，据说很少。他们都是在史莱克内城里面修炼吧。

一想到那里的海神湖，唐舞麟心中就不禁对那些内院学员暗暗羡慕。什么时候自己也能够在那里修炼就好了。

灵冰广场前方并没有搭建什么主席台，正在唐舞麟好奇学院是如何进行这开学典礼的时候，一道道身影从天而降。

这一幕对于身为新生的学员们来说绝对是震撼的，足足有二十余道身影从空中缓缓落下。

其中，最中间的那位，唐舞麟他们都很熟悉，而且，有过让他们印象深刻的接触。正是那位银月斗罗蔡老。

蔡老今天换了一身暗银色长裙，长发盘头，双手背在身后，脸色沉凝而威严。在她身边则是一群年龄普遍在二十岁到五十岁之间的老师。

这其中，唐舞麟一眼就看到了舞长空和沈熠，其他人就非常陌生了。

舞老师回到学院成为老师了吗？那是不是就能够继续教我们了？

在这陌生的环境，如果能有熟悉的老师对自己进行指导，当然是一件好事了。

唐舞麟心中震动的同时，蔡老带领着一众老师全部悬停在半空之中。他们身体周围都隐隐有气场出现，令人不禁为之骇然。

虚空悬浮、飞行，除了飞行魂师之外，至少要到七环修为才能做到。也就是说，在场的这些老师，全都是七环以上的境界啊！这就是史莱克学院，大陆第一学院的强大实力。

一名中年人虚空迈步，上前几分。

"新的一个学年又要开始了。对于史莱克学院来说，每年的这个时候，都是吸收新鲜血液之际。请外院院长银月斗罗冕下蔡老为我们讲几句。"

第二百零七章
—— 不妙啊！ ——

　　听了这位中年人的话，唐舞麟四个人不禁面面相觑，心中都有些不妙的感觉。难怪那天蔡老对他们说，如果二十岁之前无法成为斗铠师，他们就无法进入内院。原来，这位竟然是外院院长啊！其权威之重，可想而知。

　　蔡老淡然道："史莱克学院，从来都不逼迫任何人修炼。但史莱克学院，也从来都不是义务教育。每年一小考，三年一大考。小考不及格两次，开除。大考不及格一次，开除。所以，学院的人数在未来三年内只可能减少而不会增加。对于任何年级来说都是如此。

　　"六年级还没能毕业的学员们，你们的机会越来越渺茫了，希望你们能够抓住，三十五岁，是你们最后的机会。新生学员，你们可以放松、可以不努力。但是，或许三年后，这里就将没有你们的立足之地。"

　　"同时，史莱克学院也从来都不会吝惜对好学员的辅助，你们的老师，就是你们的请教对象，学院内所有的教学设施你们都可以使用，前提是，你们有足够的贡献点。很快，新生就会知道贡献点的重要性。新的一学年即将到来，史莱克学院的荣耀与光辉，是一代代史莱克人书写而成的。未来，你们是能够成为光辉的一部分，还是被排除在光辉之外，我说了不算，你们自己说了算。就说这些。各班级老师，带你们自己班的学员返回教室。开学典礼结束。"

　　这就结束了？这也太简单了吧！当初在东海学院的时候，唐舞麟就觉得开学典礼很轻松了，没想到史莱克学院更加轻松。

　　但是，从刚刚蔡老的这番话中，他能够听出很多东西。史莱克学院的淘汰制度一向是出了名的，想要在这里坚持下去，学习下去，并且最终毕业，那么，他们就需要不断努力，不断向前，直到有一天，站在这个世界的最高点。

　　努力，一定要更加努力！唐舞麟下意识地握紧了拳头。

这时，空中的一道道身影分别朝着不同班级飞去。当唐舞麟四个人看到沈熠和舞长空两位老师飞向他们的时候，脸上都不禁露出了淡淡的微笑。舞长空本来就是他们的老师，沈熠是舞老师的师妹，有这两位教导的话……等等，什么情况？她怎么也飞过来了？

笑容在下一刻僵在面庞上，因为，他们赫然看到，一道意料之外的身影也朝着他们飞了过来。

她脸上带着淡淡的微笑，嘴角处甚至还带着几分讥讽，目光分明就落在他们四人身上。

不会吧，不会吧，不会吧……

可是，就算说三遍，也无法阻止这位的到来。

"今年的新生年级，我将亲自担任班主任。这两位是负责辅助我的辅导员，沈熠老师和舞长空老师。"蔡老说出这句话的时候，唐舞麟瞪大了眼睛，谢邈张大了嘴，许小言一脸骇然，古月的嘴唇微微有些哆嗦……

这……

怎么会这样？

他们万万没想到，蔡老竟然会这样选择。竟然会……

她老人家竟然会来这么一招釜底抽薪，她跟他们有这么深仇大恨吗？

蔡老说完，就率先朝着主教学楼的方向飞了过去，唐舞麟他们没看到的是，此时蔡老脸上满是得意的笑容，一双眼眸中全是狡黠之色。

她为什么有恃无恐，一点都不担心古月不拜自己为师？身为外院院长，在当初说出不允许他们进入内院的时候，唐舞麟四个人其实就已经在她的掌控之中了。

这就是她说二十岁之前不成为斗铠师就不允许他们进入内院后，就算是浊世也没办法反驳的重要原因。史莱克学院海神阁各位长老也是分工明确的，外院这一块一直都是蔡老在负责。

"老谋深算啊！"唐舞麟哀叹一声。和这位老人家相比，他们确实是太年轻了。

三位飞到前面落地，新生年级的学员赶忙跟了上去。或许因为唐舞麟他们是工读生，在先前排位的时候他们被安排在了最后面。

他们又一次进入主教学楼，和上次前来考试时的感觉截然不同，虽然蔡老的出现令四个人心中有些郁闷，但毕竟他们现在已经是史莱克学院的一名学员了，而且还有舞老师在，情况应该也没那么差。

外院一年级的教室就在一层，进入主教学楼后左转，走一百多米就到了。

这是一个巨大的阶梯教室，足以同时容纳三百人。进入教室后，蔡老走到讲台前站立，沈熠道："下面所有学员按照我念到的顺序进行排位。唐舞麟，一排一号。"

一排一号？第一个就叫到自己了？唐舞麟在惊讶的同时赶忙走过去，在第一排寻找一号位子。

那一号位子并不是在最左边，也不是在最右边，而是在第一排正中间。

"古月，一排二号！"一排二号在唐舞麟右手边。

"谢邈，一排三号！"唐舞麟的左侧是三号。

"许小言，一排四号！"古月另一侧是四号。

他们四个相当于被直接安排在了距离讲台最近的位置。这位置怎么说呢？和讲台之间的距离，也只有五米而已，绝对的近距离接触啊，是老师一眼就能看清的地方。

唐舞麟四个人走到位子旁，脸色都略显古怪，然后在各自的位子上坐下。古月眉头微皱，但脸色、表情还算平静。谢邈一脸无奈，许小言的脸色也好看不到哪里去。很明显，他们四个的位子一定是蔡老安排的啊！

还没开始上学就已经得罪了班主任老师，接下来的日子能好过才怪了。

怎么办？谢邈递给唐舞麟一个疑问的眼神，唐舞麟微微点头，示意他既来之则安之。

除了静观其变之外，他们现在也确实是做不了什么。

其他学员们的座位也被安排好了，阶梯教室前面三分之一坐满人。

"蔡老，新生班应到一百零一人，实到一百零一人，全员到齐。"沈熠向蔡老汇报道。

蔡老并没有理会坐在最前面的唐舞麟四个人，淡淡地道："先前开学典礼的时候我说的话你们应该都听清楚了，我不再赘述。史莱克学院的宗旨是，师傅领进门，修行在个人。你们未来能够有多大的成就，全都取决于你们自己。我就说这么多，今天你们的主要任务是熟悉一切。稍后由沈老师给你们讲述学院的一些规定和学习方式。沈老师，你来吧。"

说完这句话，蔡老就那么飘然而去，临走之前，她眼含深意地瞥了唐舞麟四个人一眼。

她的离开，让唐舞麟四个人总算是松了一口气，这位不在，当然是再好不过了，最好是她一直都不要来新生班才好。

沈熠接替了蔡老的位置，沉声道："我代表史莱克学院欢迎大家加入，下面，你们要认真听，仔细记录，因为这关系到你们未来的学习，我不会再讲第二遍。我说的，都是新生注意事项。仔细听好。

"首先，从现在开始，你们就是史莱克学院的一名学员了。无论你们未来在外面做什么，只要你们还在学院一天，你们的形象就代表着学院。一旦做出什么出格的事情，学院会给予你们相应的惩罚。这个惩罚，与联邦无关。"

与联邦无关，听起来普通的五个字却隐隐带着肃杀之气。史莱克学院，史莱克城，相对于整个大陆来说具有相当强的独立性。在这里，联邦法律并没有什么作用，史莱克城有自己的一套处理事务的方式。

"你们每个人都有一张身份卡，身份卡上有你们自身情况的各项记录，同时，里面也将存储着你们的贡献点。你们一定很好奇，这贡献点是做什么用的。简单来说，在学院之中，贡献点可以用来做任何事情。可以换取修炼资源、可以换取学院一些特殊教学设施的使用时间，工读生还需要使用贡献点来吃饭，包括向老师请教一些问题、申请魂灵、申请升灵台，全都需要贡献点。也就是说，在学院之中，贡献点是万能的。只要在合理合法的范围内，贡献点可以买到一切你们想要的东西。

"那么，你们一定很好奇，这贡献点应该如何获得呢？首先，贡献点不能依靠联邦币来购买，你们只能靠完成学院交给的任务来获取。任务包括很多种，譬如一些简单的体力劳动、金属锻造、机甲设计、机甲制造、机甲修理等等，任何任务只要你能够完成，都可以获得一定的贡献点。这些贡献点如何使用也都是你们自己的事。只要史莱克学院还存在一天，这个贡献点就是有效的。当然，如果你们被学院开除的话，在那之前，你们有权将贡献点全部花光再走。

"学院的教学时间是每天的上午，下午和晚上都是你们的自由时间，你们可以采取任何方式来支配这个时间，也可以到学院外面去。只要不耽误每天的上课就行了。除非特殊情况，经过班主任老师批准之外，上课时间不允许迟到，一旦迟到，就按照旷课处理，旷课三次，驱逐出学院。还有，在史莱克内城之外用联邦币购买到的任何东西，不得带入学院之中，否则，将处以相应贡献点十倍的处罚。当然，你们也可以试试，如果没有被发现的话，那算你们幸运。史莱克城内，有些地方是可以使用联邦币进行消费的，但如果你们已经尝试过就应该明白，很贵。

"对于工读生来说，会更加困难一些，你们的餐费需要自己用贡献点支付。你们当然可以到外城去吃，没有人会阻拦你们。但我必须要提醒你们的是，这样做，会浪费大量的时间。而时间对于史莱克学院的任何学员来说，都是至关重要的。因为你们一旦落后，就意味着有被淘汰的可能。

"刚刚有一点蔡老没有说的是，学院采取末位淘汰制，每年小考的最后五名，是没有补考资格的，将直接被开除出学院。所以，你们如果想要舒舒服服地在这里度过，也完全是可以的，但我可以肯定，那你们待在这里的时间，不会超过一年。

"稍后你们都会得到一份列表，这份列表会告诉你们，除了必修课程之外，学院都有哪些选修课，都有哪些教学资源可以使用。所有的教学资源都是需要支付贡献点的，而选修课对于普通学员来说，有一些需要支付贡献点，有一些则是免费的，工读生则全部需要支付贡献点。贡献点彼此之间可以进行交易，你们只要觉得自己的贡献点够用，也可以交易给别人换取东西。但是，私下的任何交易，不受到学院保护。你们也可以选择在学院公共平台发布交易信息，那是受到学院契约保护的，但学院会抽取交易总价值的百分之十五作为中间费用。

"目前你们需要知道的，就是这些。今天是第一天，就到这里。接下来，你们可以开始熟悉学院，也可以尝试去接任务，获取贡献点。还有，任务如果失败，那么，将倒扣分。负一千分，将被开除出学院。"

沈熠完全是平静地讲述着学院的这些规章制度，但在唐舞麟看来，这些制度十分苛刻。

无论是末位淘汰，还是贡献点制度，无一不是为了激励学员勇往直前。学院的课程看上去很轻松，可实际上，如果不付出更多的努力，不在课余时间提升自身，那么，恐怕用不了多久就会被甩开一大截，这是在培养大家的学习自主性。另外，学员还要通过完成任务来获取贡献点，这将教会大家劳动是生存的基础，不能不劳而获。

很显然，对于他们来说，来到史莱克学院，竞争更加激烈，同时，各方面也都要比在东海学院的时候艰难得多，一切资源都要依靠自己获取了。

但就算这样，又如何呢？

第二百零八章
时不我待

　　唐舞麟的眼中充满了自信，他已经是五级锻造师了，有他在，伙伴们根本就不需要太过担心没有贡献点。他今天之所以对谢邈那么说，是担心大家因为有他赚取贡献点而不努力提升第二职业。第二职业最重要的作用在于当大家成为斗铠师时，可以按要求完成自己斗铠的一部分。也就是说，想要成为一字斗铠师，大家的第二职业都要达到四级左右的水平才行，二字斗铠师就至少需要达到五级。

　　史莱克学院带给他们的最大好处是，天地变得宽广了。这里，才是真正孕育斗铠师的地方啊！

　　"好，注意事项讲完了。接下来，是今天上午的课程。"

　　直接就开始上课了？史莱克学院果然节奏快。

　　"今天的第一课，我要给大家讲的，是如何成为一名斗铠师，以及斗铠师的定义。"沈熠此言一出，全班学员顿时都打起精神来。

　　成为斗铠师，是每一名魂师的梦想，对于他们这些孩子来说更是如此。无论他们从什么地方来，在当地的学院之中，他们都是天之骄子，都是佼佼者。

　　"你们一定会很奇怪，为什么第一堂课就讲斗铠师。那是因为，在来这里之前，你们的基础课程就已经完成了。如果连基础都学得不够好，你们根本就不可能考得上史莱克学院。所以，在这里没有安排基础课程。成为一名斗铠师，就是你们接下来五年、十年，甚至是十五年、二十年的目标。

　　"你们今天在开学典礼上听蔡老讲过了，如果在三十五岁之前还不能成为一名一字斗铠师，那么，你就可以回家了。三十五岁之前成为一字斗铠师，就可以从外院毕业。这是史莱克学院的毕业要求，而我同时要告诉你们的是，在所有外院学员之中，毕业的比例是百分之三十三，也就是说，只有三分之一的人，最终能够成为一名斗铠师。

"在来到这里之前，如果你们的第二职业已经打下了很好的基础，那么，恭喜你们，你们将会在后面的修炼中较为顺利，反之，你们就要付出更多的努力。

"二十五岁之前成为一字斗铠师，有资格参与内院考试。如果未能考上内院，也可以从外院毕业，离开学院。你们的时间，并没有想象中那么多。

"下面我们开始说斗铠师。什么是斗铠师？我相信，我问出这个问题之后，在你们很多人心中的第一反应就是，斗铠师是更强的机甲师，对不对？"

教室中的学员已经有些人不自觉地点点头。

"如果你们这么认为的话，就大错特错了。斗铠师，绝不是机甲师。"沈熠断然说道。

"斗铠师，依旧是魂师。机甲是给人穿戴的装备，而斗铠却是给你们的武魂穿戴的装备。这两者是有质的区别的。所以，我们始终都会强调一点，一字斗铠师，其实只是斗铠师的雏形，只有当你达到二字斗铠师，可以用两个字来命名你的斗铠，让它和你的生命融为一体，真正成为你身体的一部分、武魂的一部分时，你才是真正的斗铠师。

"所以，在制作斗铠的时候，你们首先要做的，就是让自身的武魂与其交融，并且产生共鸣，从而相互吸引，最终让它成为你武魂的一部分。有了装备的武魂，才会更加强大。

"斗铠到目前为止，只分为四级。分别是一字斗铠师、二字斗铠师、三字斗铠师和四字斗铠师。

"虽然只有四级，但每一级之间的差距都非常大。想要成为斗铠师，你们必须要有一个第二职业。和制作斗铠相关的第二职业有多种，其中，到目前为止，效果最好的是机甲制造和机甲设计。自己给自己设计斗铠，那么，一定会按照自己的武魂契合度来进行，没有人比自己更了解自己。机甲制造，则是自己铭刻核心法阵，自己来制作自己的斗铠，斗铠与武魂融合起来会更加容易。这两者是你们最好的选择。当然，你们也可以选择锻造和机甲修理，但锻造相对来说最难入门，机甲修理则是在后期对斗铠与自身融合更有好处，而在制作的时候会面临更多困难。

"没有一个人是可以同时完成锻造、机甲设计、机甲制造、机甲修理这几项的。所以，从现在开始，你们要么想办法赚取更多的贡献点，通过发布任务来请人完成斗铠的其他方面，要么，和身边的同学搞好关系，请他们帮忙。人际交往能力，本身也是个人实力的一部分。

"斗铠的强弱，和它与你们自身的契合度有关。最好的契合度，将会为魂师提供相当于二十级的增幅。

"个人达到五十级魂力，第二职业至少达到三级，才有机会成为一字斗铠师。完成一件真正的斗铠，不但需要设计大师完成斗铠设计，有专人对所需的稀有金属进行千锻，还需要由制造大师完成斗铠的制造，另外，还要求斗铠师与斗铠的契合度超过百分之六十。斗铠的构成十分复杂，最少需要九个部分……"

沈熠讲述的速度很快，唐舞麟、古月、谢邂和许小言都听得非常认真。如何成为斗铠师，这对他们来说非常重要。

而且，唐舞麟也发现，蔡老对他们的要求比对一般学员的要求高得多。他们要能够进入内院，可是要在二十岁之前就成为斗铠师的啊！五年的时间，差距可是巨大的。

单是五十级魂力一项，就是他们要面临的大问题，六年多时间，修为要提升二十级左右，这可不是说说那么简单，因为魂师越是往后面修炼，提升起来就越困难，速度也就越慢。更何况还要精修第二职业，制作斗铠。需要做的事情实在是太多了。

时不我待啊！

唐舞麟心中暗暗感叹，未来六年多，每一分、每一秒的时间都非常重要。

上午的课程甚至没有中途休息的时间，一直到下课为止。

然后唐舞麟就意识到了一个问题，自己的午饭恐怕有麻烦，因为他们的贡献点太少了。

听了沈熠的讲述，唐舞麟觉得，斗铠的世界终于在他们面前展开了。他一边思考着，一边和伙伴们走进食堂。

"队长，你吃什么？"谢邂向唐舞麟问道。

"啊？"唐舞麟从思考中清醒过来，这才发现已经到了食堂。闻着饭菜的香气，肚子顿时"咕噜噜"响了一声，他也随之吞咽了一口唾液，饿了……

昨天晚上大吃的那一顿，一点都没影响他今天的饭量，早上就没少吃。早饭比较便宜。一百个贡献点，他们花了二十几个就都吃得差不多了。可剩余这些贡献点，又哪里够自己吃的啊？

"这样吧，你们先吃，我想想办法。"唐舞麟双眼微眯。

他现在还没时间去完成锻造任务，完成之后，他就有收益了，到了那时，自然就有饭吃。至于现在嘛……

他一边想着，一边走向食堂门口，其他三人面面相觑。

"队长这是要干什么去？"谢邀疑惑地说道。

许小言皱着眉头道："我怎么觉得有点坑啊！我们还是先吃饭吧。"

唐舞麟走到食堂门口，从自己的储物魂导器中摸出一张纸，"唰唰"在上面写了一行字，然后就举起来站在那里。

"本人，四级锻造师，提供千锻一品锻造金属。现因囊中羞涩，愿为管饭一年者打造一套千锻一品金属作为酬劳。有意者请直接请我吃饭。"

谢邀凑过来看了一眼立刻就跑了。

"为了吃饭，老大这也是拼了啊！可是，这有点丢人吧？怎么跟拍卖自己似的？"

许小言嘿嘿一笑："为了吃饱饭，队长那是不在乎一切的。我们赶快吃，吃完了就走吧。不过，我估计，没人会管他的饭吧。昨天他可刚表演过，一年的饭，那可不知道是多少钱，肯定比打造一套千锻一品金属贵。一个月的话，我看还差不多。队长的饭量实在是太夸张了。"

古月看着门口的唐舞麟，眉头皱紧，低下头，快速吃着饭，不知道在想些什么。

此时正是饭点，路过的人络绎不绝。看唐舞麟的人也不在少数，但要说真的感兴趣上来询问的，却是一个都没有。

虽然唐舞麟很低调，没有说自己是五级锻造师，但他才多大啊？就算发育好，看上去也不过是十四五岁的样子。在大陆锻造师界的历史上，都没有出现过这个年纪的四级锻造师。

史莱克学院中，选择机甲设计和机甲制造的学员很多，而要说选择锻造的，却是凤毛麟角。

正如沈熠所说的那样，锻造不容易入门，修行也更艰苦，尤其是前三级的提升速度，比机甲设计、机甲制造慢得多。

机甲设计和机甲制造的职业者都是要有悟性的，在自身魂力达到一定级别后，主要看他们在这两方面悟性如何，悟性好进步就会非常快。但到了三级以上，提升也会很困难。

而锻造不一样，锻造要求的是千锤百炼，也就是说，你悟性再好，没有足够时间的打磨，没有足够的锤数保证，也不可能进步。同时还要有悟性，要对金属有深层次理解。

唐舞麟已经算是天赋异禀了，天生神力，悟性也好。他从六岁开始，用了七年时间，机缘巧合下拥有了金龙王精华，在十三岁就达到了灵锻的境界。

而机甲设计师和制造师在历史上也出现过一些特别优秀的天才，同样是在这个年龄达到了这个层次。当然，设计师和制造师在后面的提升要比锻造师更加困难。

锻造师到了灵锻这个层次，只要一直锻造，肯定能升六级，可设计师、制造师在五级之后，每提升一级都是质的飞跃，所以越往后就越困难。

但因为前期提升速度快，更多人还是选择了设计和制造。还有一个重要原因是，并不是所有的魂师都适合锻造，因为锻造对体魄的要求太高了。而且又那么乏味，哪有设计师和制造师的学习环境好？

"咕噜噜——"唐舞麟饿着肚子在门口站了有十分钟了，看的人虽然多，但依旧没有人理会他。

好饿啊！唐舞麟心中这叫一个郁闷，想着实在不行的话，就只能先回去喝点水压一压，等下午把锻造任务交了，有了一千个贡献点晚上再吃好了。少吃一顿，就少吃一顿吧。

最后这个念头，他是咬牙切齿地认命了的。

"你能千锻？"正在这时，一个有些低沉的声音在他面前响起。

"啊？是啊！"唐舞麟抬头看时，惊讶地发现，站在自己面前的，正是和他一样同为工读生的原恩。

他依旧显得那么普通，正看着自己，目光灼灼。

"一件千锻一品，一千一百个贡献点，不包年。成交吗？"原恩说道。

一千一百个？比学院任务上面给的贡献点要高一些？

"好！但要先付钱，我没钱吃饭。"唐舞麟毫不犹豫地答应了，对他来说，现在没有什么比吃饭更重要的事情了。

"可以。交易手续费你自己出。"原恩道。

"交易手续费？"唐舞麟好奇地看着他。

原恩道："学员间进行贡献点相互转账，要支付百分之一的交易手续费给学院。"

太坑了！这是唐舞麟心中的第一个念头，学院还真是无所不用其极啊！

"那这样吧，也不用花交易手续费了，能省则省。待会儿吃饭你帮我结账就行了。怎么样？"唐舞麟心中暗暗算了算，一千一百个贡献点，如果自己不是像昨天晚上那种毫无顾忌地狂吃，大概作为一天的伙食费也够了。

　　换了以前，他一定不舍得这么奢侈地吃东西，一天吃掉一件千锻一品金属，这已经不是用奢侈能形容的了。

　　但是，经过了昨天的狂吃之后，他却明白，这是一笔自己不能不花的钱。

　　摄取充足的营养对他提升气血有非常好的帮助，就连老唐都说过，如果能一直吃高营养的东西，他在解除前面几道封印的时候会相对容易得多。气血提升，就意味着体质提升，自己又有气血魂环，这样的话，吃东西就变成了一种另类的修炼方式。

　　今天上课的时候沈熠就讲过，魂师的身体强度越好，就越早能够开始尝试融合斗铠。二环魂师也能尝试融合斗铠，但只能是很小的部件。就算有锻造宗师辅助灵锻，那也要身体够强才能融入。

　　成为斗铠师最基本的条件之一就是修为达到五十级，主要因为五十级魂师的身体在魂力的充分改造下已经足够强韧了。而融入斗铠时，自身的身体、武魂和精神力都会受到不同程度的冲击，融入斗铠的部件越多，身体受到的冲击就越厉害，所以修为很重要。

　　既然如此，自己气血之力的提升不但能够帮助解除封印，而且对未来成为斗铠师也有非常大的好处，就算投资的贡献点让他心疼，可对于唐舞麟来说，现在千锻一品已经不是什么难事了。

　　进入灵锻层次，修为提升。千锻一品，他一天完成十件都没问题。

　　有些地方，是不能省的！唐舞麟现在很清楚这一点。

　　"这也可以。"原恩很自然地答应了，事实上，为了节约手续费，也有不少学员是这样做的。

　　唐舞麟赶忙收起那张纸，跟着原恩就进了食堂。他着实有些饿了，但不敢像昨晚那么肆无忌惮了。凭借着在东海学院多年吃甲餐的经验，他挑选了一些营养丰富又相对实惠的饭菜，开始大吃特吃起来。

　　即使他已经十分节制了，这顿饭也吃了四百二十个贡献点。

　　"唐舞麟，我有个问题想问你。"原恩早就吃完了自己的午餐，眉头微皱着向他问道。

第二百零九章
星陨铁

"啊？什么？"唐舞麟干掉第三十份午餐，抹了抹嘴。总算是差不多饱了吧，当然，距离吃撑还有很长一段过程……

古月、谢邈和许小言三人早就吃完饭走了。原恩要给他付钱，所以一直留在这里。

"你真的是人类吗？"原恩认真地问道。

"呃……当然是了，我只是比较能吃而已。"唐舞麟如是说道。

原恩道："可是，暴饮暴食对身体不好吧？"

唐舞麟认真地摇了摇头，道："我可不是暴饮暴食。暴饮暴食指的是偶尔大吃，一下吃很多。而我是每天、每顿饭都吃很多。所以，不算暴饮暴食。"

原恩道："幸好我没答应你包年。不然的话，我的贡献点不够你吃的。走吧，去帮我锻造。"

"对了，我正想问你，哪里有锻造台？"刚刚吃饭的时候他们就已经商量好了，午饭花费的贡献点就相当于原恩先支付给唐舞麟的定金，而唐舞麟一定要帮他千锻一件一品的稀有金属，金属种类任由原恩挑选，而挑选的代价就是买金属的钱由原恩自己出。

然后剩余的贡献点，晚餐再说，如果还没花完，就明天继续。

"学院锻造师协会那里有。不过，如果你不是锻造师协会的会员，使用锻造台是要付费的。"原恩说道。

"锻造师协会？学院有自己的锻造师协会？"唐舞麟惊讶地问道。

"有的。学院有很多协会。这些都是学员们自己成立的，租用学院的场地，各个协会自成体系。你们新生应该很快就会收到各个协会的邀请，而参加协会本就是修炼的一部分。要修炼第二职业，你必须要加入协会才行。你如果是锻造师的话，不妨加入锻造师协会。"

正在两人说话的工夫，突然，从食堂门口急匆匆走进来一个人。

唐舞麟他们正走向门口准备离开，刚好被这人挡住了去路。

这是一位看不出年纪的男子，一头乱蓬蓬的火红色长发，整个人身上似乎都带着一股灼热的气流。他的身材不高，大约只有一米七，但是，他的肩膀实在是太宽了，而且那粗壮的手臂，简直要比唐舞麟的腰围还粗上许多。他站在那里，就像是一座碉堡。

一脸的火红色大胡子，令他看上去宛如雄狮。才一进门，他就低吼一声。

"谁是唐舞麟，给我出来。"这一声低吼震得这能够容纳千人的食堂"嗡嗡"作响，所有人的目光都不自觉地落在他身上。

唐舞麟此时距离这位红发男子不过就十步左右，他被对方的强大气场震得全身一阵发麻，不禁心中骇然。什么实力才能如此强悍？

"我、我是。"唐舞麟下意识地举起手。这位堵在门口，他也出不去啊！而且他自问应该是没有得罪过这个人。

"你就是？"那人撩起脸上的乱发，露出一双红光闪烁的眼眸。这下他们能看清楚了，这人大约五十岁，有些不修边幅。

"跟我走！"红发怪人一步就到了唐舞麟面前，抬手就向他肩膀抓去。

"你是谁？"唐舞麟双手下意识一抬，就向对方的手架去，同时后撤，左腿提起，做出一个攻防一体的动作。

但是，这一切在那只大手探过来之时都成了无用功。

他的双手碰到对方的一只手，就像是碰到了铜墙铁壁，被轻而易举地弹开，然后那只大手就抓在了他的肩膀上，就像是在那一瞬间，对方的手臂变长了似的。然后唐舞麟就觉得一阵天旋地转，不知被什么东西直接带出了食堂。

"喂！"原恩叫了一声，赶忙奔跑着追了上去。他的千锻一品金属还没有拿到呢。

周围的景物飞速倒退，唐舞麟只觉得全身仿佛被一股火热的能量包围，想要挣扎根本就做不到。但也就是几次呼吸的时间，他只觉得身上一轻，双脚落地时，已经来到了另一个地方。

这是一个硕大的房间，房间内乱糟糟的，两旁是几排金属架子，看到这些架子，唐舞麟不禁眼前一亮，架子上摆放着各种各样的稀有金属，其中有一些特别珍贵的，哪怕是在东海城锻造师协会那边，他也是偶尔才能从老师那里见到。

房间中央有一个巨大的锻造台，锻造台本身的体积绝对是唐舞麟见过的最大的，而且银光闪闪，一看就不是凡品。

这是一个巨大的锻造工作室？

看上去好像真的是这样的。

"你能灵锻？"背后传来红发怪人低沉的声音。

唐舞麟回过神来，转身看向他："你是谁？为什么要抓我来这里？"

红发怪人道："你先告诉我，你是不是能够灵锻？"

唐舞麟道："幸运地成功过一次。"

红发怪人眉毛一挑："好，那你就再幸运一次给我看看。"

一边说着，他一边抬手指向锻造台。

唐舞麟却摇了摇头："不，我暂时不会再尝试灵锻了，上次只是很侥幸才成功的，我自身修为不够，成功概率会很低，一个不好，会伤及本源。魂力提升到三环之前，我不会再尝试了。"

"你连三环都没有？"红发怪人愣了愣，挠了挠头。

唐舞麟道："是啊！我今年十三岁，一定要有三环修为吗？"

"弱了点。"红发怪人认真地点了点头，"那千锻吧。我看看。"

唐舞麟心中一动，计上心来："那这样好了，您让我千锻也可以，我有个要求。"

红发怪人揉了揉自己的一头乱发："跟老夫提要求？你倒是第一个。行啊！说吧，什么要求？"

唐舞麟道："您要允许我在这里随便挑选稀有金属，然后锻造成功后我要将它带走。"

"好。"红发怪人丝毫没有犹豫，就点头答应下来。

唐舞麟道："那您告诉我一下这个锻造台怎么使用，这么先进的锻造台，我以前没用过。"

红发怪人带着他来到锻造台前，简单地讲了几句。唐舞麟从事锻造这么多年，经他一点拨，顿时就明白这锻造台的各种功能了。

"那我现在就开始了。"一边说着，他一边转向旁边的金属架子，然后快步走了过去。

刚刚答应过要为原恩千锻一件一品的金属，现在就有稀有金属送上门来，这可是件好事。其实，当初唐舞麟代表东海城锻造师协会参加比赛获得的奖品中，就有一些稀有金属，但他想那是自己的，能不用当然还是不用好了。

他的小金库中可是有不少存货的，除了攒钱购买那四种天材地宝，以及为唐门完成任务换取的贡献点之外，他还会择机从东海城锻造师协会购买一些稀有金属作为自己的储备。

这是每一位锻造师都会做的事情。

唐舞麟走到旁边的架子前，看着那一块块珍贵的稀有金属，他脸上浮现出一丝笑容，然后就毫不犹豫地从最下面一层抱出来两块。

"咦，那个不行。"红发怪人一看他抱出来的两块稀有金属，就立刻说道。

唐舞麟抱出来的两块金属看上去都是灰扑扑的毫不起眼，甚至就像两块普通的石头。

"您不是说，可以让我随便挑选吗？现在后悔了吗？"

"总之，这两块不行。而且，我只是让你千锻一次，你拿两块稀有金属做什么？"红发怪人一脸心疼，很显然，他并不是一个善于掩饰情绪的人。

唐舞麟道："为什么不能拿两块啊？我们锻造要讲求一个效率，千锻的话，我一般都是两块一起进行，这样能够节约时间啊！在保证成功率的情况下，这样效率才高。"

一边说着，他一边把两块稀有金属抱到了锻造台上，并且飞快地安装进了煅烧入口。

这个锻造台确实先进，能够同时煅烧五块稀有金属，也就是说，实力足够的锻造师，通过它能够进行持续的锻造。同时，这个锻造台煅烧的温度也要比普通锻造台的更高，因为它是用魂导电池支持煅烧的，非常先进。

"哎，你……"红发怪人跑过来，一副抓耳挠腮的模样，眼看着那两块稀有金属被煅烧，他心疼不已。

唐舞麟扭头向他笑笑。

红发怪人恶狠狠地道："一定要完成千锻，不，至少要达到千锻二品，不然你小子就死定了，你就给我在这里打工，直到你创造出的价值超过这两块星陨铁的价值。"

星陨铁，顶级稀有金属，斗罗大陆本身是没有的，是从陨石中提炼出的，它本身密度极大，重量非凡。最为奇特的是，这星陨铁自身蕴含着一种特殊能量，用它锻造出来的武器或者是机甲，会附带穿透特效。所以，一般来说，顶级机甲都会选择用它来打造锋锐型武器。

但星陨铁的数量实在是太少了，以至于很少有人能够真正获得。唐舞麟之所以认识，是因为慕辰详细地给他讲过各种稀有金属的特性。

这星陨铁虽然看上去灰扑扑的，但如果仔细看就会发现，上面有着细密的暗金色点状纹路，唐舞麟的紫极魔瞳当然不会放过这样的细节。在这个房间中，最珍贵的应该就是星陨铁了，而且，也就只有这两块，难怪红发怪人会心疼。

当然，唐舞麟选择它还有一个原因，那就是星陨铁本身有个问题，它无法通过灵锻被赋予生命。也就是说，它最多也就能够用来制作一字斗铠。这才让它的价值大打折扣，更多的是应用在顶级机甲上，所以斗铠师很少会选择它。

否则，红发怪人说什么也不会允许唐舞麟用这两块宝贝锻造。

很快，煅烧完成，唐舞麟一拍按钮，两块星陨铁先后出现，然后被他固定在锻造台上。

"那我开始了？"唐舞麟扭头看向红发怪人。

红发怪人点了下头："小子，你给我小心点。"

唐舞麟微微一笑，双臂同时抡起，两道淡金色光芒骤然出现在双手之中，然后轰然落下。

一连串密集的轰鸣声响起，唐舞麟眼睛一亮，脸上顿时露出了惊喜之色。

上次在运气绝佳的情况下，他的锻造锤升级到了灵锻，那之后他还没有再次尝试过锻造，此时这一锤落下，甚至不需要去试探，他已经立刻感受到了灵锻锻造锤带来的好处。

现在，这一对锻造锤对他来说，变得轻如无物，这就是灵锻的第一个好处，生命相连，灵锻锻造锤成为身体的一部分，重量自然就不会在他手上体现出来了。但实际上，从它落下之后所产生的反馈中唐舞麟能感觉到，它本身的重量至少比先前重了一倍。

而且，原来唐舞麟一锤落下，能够叠锤两下，现在变成了三下。同时，因为灵锻的生命特性，唐舞麟现在控制起锻造锤来非常容易，他甚至能够感受到，自己居然可以控制每一下叠锤出现时的力度了。

第二百一十章
——灵锻显威——

更为奇异的是，他的魂力会自然而然地流入这对灵锻沉银锤之中，所以沉银锤落下时不仅是有强大的力量，同时还可以按照他的心意，输出魂力来挤压那块金属。

所以，当这对灵锻沉银锤落下的时候，唐舞麟首先感受到的就是一种"一切尽在掌握之中"的美妙感觉。一锤落下，要比以前四五锤的效果都要好。

星陨铁密度极大，锻造起来是相当不容易的。可唐舞麟这一锤落下后，两块星陨铁在叠锤加上灵锻沉银锤魂力输出的作用下，顿时出现了两个印记，反馈的声响也清晰地传递给他。

这就是灵锻啊！不仅能够帮助自己提升锻造效果，同时，还能成为自身和金属之间的桥梁，将金属的反馈告诉自己，让自己能够在第一时间感受到这块稀有金属的感知，从而更好地进行后面的锻造。

当唐舞麟这对灵锻沉银锤落下的一瞬间，站在他身后的红发怪人也是眼睛一亮，眼眸中顿时露出了惊讶之色。

灵锻沉银锤？

但是，他很快就皱起眉头来。难道说，这小家伙之所以能够完成高难度锻造，就是因为有了这对灵锻沉银锤吗？对于一名锻造师来说，如果有人能够为他打造一对灵锻沉银锤的话，确实是能够在早期锻造中获得巨大优势的，但是，这也必然意味着锻造的根基不稳。

但接下来唐舞麟的锻造，很快就改变了他的猜测。

灵锻沉银锤再次举起，落下，同时，唐舞麟的身体开始原地旋转起来。

唐门绝学，乱披风锤法！

这是唐舞麟从唐门中换取出来的，它可利用锻造师的身体旋转，借力打力。锻

SOULLAND

173

造师每一次旋转，锻造的力量都会有所叠加，但反震力也是巨大的。

唐舞麟之前进行灵锻的时候，就是借助了这套锤法的威能。凭借自身的天生神力和金龙王精华提升的血脉力量，他的身体变得极其强大，就算这样，他现在也只能连续完成乱披风锤法四十八锤。

传说中，乱披风锤法最高可以用到八十一锤，那绝对是非常恐怖的存在。在四十八锤这个境界，唐舞麟已经停滞了半年之久，无法再提升一锤，可见到了后面，力量有多么巨大。

"轰、轰、轰……"一连串的轰鸣声震耳欲聋，一声大过一声，节奏感、韵律感，还有那完全融入锻造之中的精神状态，无不显示着唐舞麟的锻造水平。

灵锻沉银锤可以由别人帮忙打造，但这种锻造节奏是要经过千锤百炼才能拥有的啊！

两块星陨铁不断地变化着形态，上面的那层灰色也开始出现变化。似乎是受到了灵锻沉银锤的影响，两块星陨铁很快就散发出淡淡的金色，外面的灰色开始悄无声息地消失，体积则在缓慢缩小。

那天锻造沉银的时候，唐舞麟只是几锤就完成了百锻，但这两块星陨铁他足足用了十六锤，而且还是在灵锻沉银锤叠锤特效的作用下，才完成了百锻提炼。

轰鸣继续，没有任何停顿，乱披风锤法使他落下的双锤越来越重，两块星陨铁上的光芒也随之变得越来越强。唐舞麟挥动的沉银锤已经开始发出低沉的"嗡嗡"声，就连这锻造室内的气流都被带动起来了。

"轰、轰、轰——"轰鸣声中，唐舞麟脚下不知不觉间已经升起了两个魂环，魂力的注入、输出，再加上灵锻沉银锤本身的特性，他的锻造变得更加有力，也更有效果了。

如果是晋升五级锻造师之前，想要完成这两块星陨铁的锻造，唐舞麟只能先单独锻造一块，这样才有把握，而且还需要更长的时间。

但现在，他有灵锻沉银锤辅助，更重要的是，有了上次灵锻成功的经验，一些灵锻的手段用在千锻上，顿时出现了事半功倍的效果。

"轰！"第四十八锤落下，唐舞麟的身体还在旋转。以前每次到了这个时候，他就已经无法控制住力量了，但这次不知道为什么，他很有信心。一直围绕在他身边的两个紫色魂环突然消失了，取而代之的，是一个金色魂环，浓郁的气血之力奔涌而出，唐舞麟自身的力量猛地提升了一个档次，灵锻沉银锤抢起，落下！

"轰——"第四十九锤。

两道金光也在同一时间冲天而起。千锻有灵，一品功成。

两道金灿灿的光芒足足持续了十几秒才渐渐衰弱，而唐舞麟手中的灵锻沉银锤上，似乎也有轻微的龙吟声响起，锤身内的金龙纹理若隐若现。

唐舞麟若有所思地站在那里，整个人都陷入沉思之中。

原来如此……

当唐舞麟第四十九锤落下的时候，红发怪人深吸一口气，那两道金芒升起，他那一双暗红色眼眸也随之被照亮。

"我明白了。"唐舞麟突然兴奋地大叫一声，高兴得蹦了起来。

"你明白什么了？"红发怪人有些怪异的声音传来。

"提升到灵锻之后，我的锻造锤需要气血之力来激发，效果才更好。而且锻造时出现了第二个特效——反馈。它可以将落锤时碰撞产生的力量通过血脉相连反馈给我，这样就能进一步节省我自己的气力，从而能够坚持更长的时间。"

在最后一锤时金龙王血脉产生的反馈，令唐舞麟全身都有种热血沸腾的感觉。那一瞬增强了力量，分明可以让他在后面的锻造中得到更好的效果啊！

如果是这样的话，自己的灵锻成功率一定会有所提高，而且，消耗会相应降低。到了三环，再灵锻的话，成功率一定不会差的。

看着唐舞麟一脸高兴的样子，红发怪人沉声道："好吧，你过关了。从现在开始，你就是我们史莱克学院锻造师协会的一员，就这么愉快地决定了。"说完，他不知道从什么地方摸出一枚黑乎乎的徽章，直接往唐舞麟左胸上贴。

"咦？等一下。我还没答应啊！"唐舞麟吓了一跳，但红发怪人出手速度极快，他只觉得胸口一热，那块徽章就已经贴了上来。

"你没有不答应的资格。作为一名锻造师，你不加入锻造师协会，还想去哪里？"红发怪人一副理所当然的模样。

唐舞麟苦笑道："还有这样硬来的啊？您还没告诉我，您是谁呢。"

"我？"红发怪人一撩挡住眼睛的红发，自豪地道："本座就是史莱克学院锻造师协会会长——枫无羽！八级圣匠。怎么样，服不服？"

八级圣匠？这四个字的震撼力还是相当大的，原来史莱克学院也有圣匠级强者啊！

"服了。"唐舞麟老老实实地说道。

"服了就赶快拜老夫为师吧。看在你多少还有那么一点天分的分上，老夫就勉为其难收你为徒。以后跟着老夫混。"枫无羽说道。

史莱克学院果然是怪物多啊！唐舞麟道："对不起啊！我有老师了。不能拜您为师。"

"有老师了？是谁？有本座实力强吗？"枫无羽眼中露出几分焦急之色，追问道。

唐舞麟道："我老师也是一位八级圣匠，是东海城锻造师协会会长。他应该比您要年轻一些。"他没有说慕辰比这位枫无羽实力强，但用年龄隐隐地提到了双方的差距。

枫无羽愣了一下："是慕辰那小子？你竟然是他的徒弟，这小子是走了什么狗屎运？"

唐舞麟眉头一皱："是我运气好才对，有幸拜在老师门下学习锻造，我还有另外一位锻造老师——邝天老师。得益于两位老师的指点，才有了今天的我。您身为史莱克学院锻造师协会会长，总不能让我背叛师门吧。"

"这个……"枫无羽喃喃道，"背叛一下，似乎也没什么大不了吧。虽然慕辰那小家伙在锻造方面的天赋不错，可惜，他自身的实力差了些，勉强依靠那些外物晋升到魂斗罗境界就很难再提升了。没有封号斗罗级别的修为，这辈子想要成为神匠我看是难了。但老夫不同啊！老夫修为比他强啊！你看、你看……"

一边说着，他一边释放出自身魂力。

枫无羽体内涌现出一层淡淡的红光，紧接着，那灼热的气流使整个房间内都有一种难以形容的炽热。

唐舞麟只觉得如身在锻造炉一般，下意识地后退几步，体内气血奔涌，这才勉强抵抗住高热。但他的瞳孔下一瞬就收缩了。

从枫无羽脚下，一个个魂环升起。

紫色、紫色、紫色、紫色、黑色、黑色、黑色、黑色、红色！

九个魂环，赫然是九个魂环，而且最后一个还是十万年层次的存在。单从魂环配比上来看，这位的实力，丝毫不逊色于蔡老啊！

他怎么也没想到，这位把自己抓来的怪人居然也是一位封号斗罗，而且毫不夸张地说，绝对是封号斗罗中的强者。

再加上自家师祖，史莱克学院的封号斗罗也太多了吧。以前自己连想都不敢想的存在，这么几天就见到了三位，而且都是魂环配比绝佳的强者。

随着魂环的出现，枫无羽的身体似乎也膨胀了几分，但他依旧保持着原本的样子，让人看不到他的武魂是什么。这就是封号斗罗可怕的地方，他可以任意地控制自己武魂展现出的形态。

"怎么样？厉害吧。有了我这样的老师，在大陆上你就可以横着走了。谁要是敢欺负你，老夫就帮你教训他！"枫无羽恶狠狠地说道。

这位的头脑似乎不是那么正常啊！唐舞麟心中暗暗苦笑。不过，他也没有再直接拒绝，古月和蔡老的前车之鉴他还记得很清楚。面对这些史莱克学院的老怪物，还真的要小心应对。

"前辈，您真是太强大了。但是，我总不能因为您的强大就背叛师门。如果我今天背叛了我的老师，那么，将来不一样能够背叛您吗？"

"那不可能，你遇不到比我更强的锻造师了。至少从战斗力上来说，是这样的。"枫无羽毫不犹豫地说道，"就算是慕辰那个家伙，论修为也是不如我的。"

唐舞麟有点无可奈何了，面对这位，他真不知道该说什么才好。

"那这样吧，回头我请示一下我的老师，如果他同意的话，我再拜您为师？至于咱们这锻造师协会，我就加入了。反正我未来很长时间都要留在咱们学院的，您也不怕见不到我，是吧。"

枫无羽挠了挠头："好吧……好吧。你这小家伙真麻烦。不过，有能力的人，麻烦点也是应该的，就像他们也总是说我麻烦。"

"前辈，那我先回去了？"唐舞麟试探着说道。

枫无羽挥挥手道："走吧，走吧。不过，在学院里你就不许再加入别的协会了啊！"

"是！要是谁强迫我加入他的协会，我就提您的名字，管用吗？"唐舞麟眼含深意地问道。

枫无羽眼睛一瞪："当然管用了。谁敢抢我的人！"

唐舞麟转过身，走到锻造台前，将两块星陨铁拿起，很不客气地收到自己的储物戒指中。

两块千锻一品的星陨铁，本身已经变成了暗金色，通体闪耀着点点星光，就像是夜空一般绚丽。这次可是赚到了。

原恩不是说，学院可以买卖东西吗？这两块千锻一品的星陨铁不知道能换多少贡献点。这下就不用愁吃饭的问题了。

"回头我再去找你。"在出门之前，身后传来枫无羽的声音，令唐舞麟脚下一个趔趄。

被一位圣匠级大师看上，当然是好事。可被这位性格有些怪异的圣匠看上，真的是好事吗？

总算是出了门，唐舞麟发现，自己好像是在主教学楼的高层，至少是四层。他拍拍胸脯，刚才真的有点被吓到了。

封号斗罗啊！不知道这位的封号是什么，回头问问老师去。

他对主教学楼还不够熟悉，好不容易才找到楼梯，正当他准备下楼的时候，迎面却碰到了原恩。

"我找你半天了，你果然在这边。没事吧？"原恩问道。

唐舞麟摇摇头："我没事。"

原恩目光落在他胸口上："你加入锻造师协会了？"

唐舞麟低头一看，顿时有些哭笑不得，只见他的胸口处挂着一个小黑锤子，没错，是枫无羽贴在他身上的，就是这么一个看上去有点粗糙的小铁锤。

"算是加入了吧。"唐舞麟苦笑道。

"由枫老亲自帮你加入协会，也挺不错的。看来，你真的有锻造的天赋。"原恩点了点头，似乎是松了口气。

"疯老？"唐舞麟的嘴角撇了一下，那位还真是有点疯啊！

第二百一十一章
——泰坦巨猿武魂——

原恩道："正好不用走了，锻造师协会就在四层。你加入了协会，就可以免费使用协会的锻造台了，但所需要的稀有金属要自己配置才行。"

"哦？锻造师协会原来就在这里。那你带我去看看。"初来史莱克城，他确实需要一个属于自己的锻造台，而且刚刚进入灵锻层次，在锻造方面他还需要更努力。

之前枫无羽那间锻造室是在最里面的，原恩对学院似乎十分熟悉，带着他朝着一个方向走去，很快，唐舞麟就看到了一个大牌子。

锻造师协会！

五个大字很有气势。

推门而入，首先映入眼帘的是一个巨大的柜台，柜台足有二十多米宽，上面的窗口有十五个之多，其中，有三个窗口后面坐着看上去年纪不大的工作人员，他们应该就是学院的学员。

原恩低声道："现在是午休时间，等到了下午这里就会变得热闹了。锻造师协会是很吃香的，因为，学院所有的第二职业中，锻造师的数量是最少的，但大家对锻造的需求又很多。"

唐舞麟恍然大悟。

"你好，我是新生唐舞麟，我是来加入咱们锻造师协会的。枫老刚刚给了我一枚徽章，我想来看看，是不是还需要办什么手续。"唐舞麟来到一个有人的窗口，很客气地问道。

窗口后面是一名青年，看上去十八九岁的样子，他看了一眼唐舞麟胸口处的徽章，道："枫老亲自吸收你加入协会？"

"是啊！"唐舞麟实话实说。

"好吧。那你有没有锻造师职业徽章？我给你登记一下。咱们史莱克学院锻造师协会和其他的协会规则差不多，越是高级的锻造师，资格也就越……"他的话才说到这里，就已经说不下去了，因为，唐舞麟手中拿着一枚令他眼睛发直的徽章。

那是一枚底色为橙色的徽章，上面有四颗亮黄色的星星。

四级锻造大师？

在史莱克学院锻造师协会，四级锻造师当然是不少见的，但是，这么年轻的四级锻造师，他还是第一次见到啊！

相比于学院内的其他协会，锻造师协会这边的会员的年龄普遍偏大，因为锻造师的水平确实是需要时间积累的。

他刚看到唐舞麟的时候已经很好奇了，此时唐舞麟又拿出这枚四级锻造师徽章，更令他震撼莫名。这不会是真的吧？

他接过唐舞麟手中的徽章，放入仪器之中。

无论是什么职业，相应的职业徽章都会清楚地记录职业者自身的所有信息。

"唐舞麟，男，出生于傲来城，东海城锻造师协会会员，四级锻造师。曾获得天海联盟大比锻造师少年组第二名。共计完成各种锻造任务……"

念到这里他已经念不下去了，仪器中投射出来的照片，和眼前这位一模一样。

徽章是造不了假的，而且，在史莱克学院，造假也没有任何意义，因为太容易被揭穿了。

四级锻造师？站在唐舞麟身边的原恩也瞪大了眼睛，从枫无羽抓走唐舞麟的行为来看，他感觉得到眼前这位在锻造方面应该很有天赋，他万万没想到的是，唐舞麟竟然是一位四级锻造师！

四级职业者，别说是在新生中了，就算是在四年级都不常见，到了五年级、六年级，这种层次的职业者才会比较多。

捡到宝了啊！四级锻造师，那是至少能完成千锻二品的存在啊！

"请您收好。"青年将徽章递还给唐舞麟，态度明显客气了很多。身为锻造师，他要比原恩更了解锻造界，十三岁就成为四级锻造师，意味着，这位是史无前例的人才啊！很可能是因为他的锻造能力才被学院破格录取的。

"您是工读生吗？"青年问道。

唐舞麟点了点头。

青年脸上露出恍然之色："那我给您讲一下咱们锻造师协会的一些待遇吧。您作为锻造大师，可以获得如下待遇：首先，您可以获得一间专属的锻造室，规格大概是二十平方米，随着您职业等级的提升，还可以获得更高的待遇。同时，每个月，协会会免费提供给您十块标准大小的稀有金属。您在协会内购买任何稀有金属，都可以享受八折贡献点的优惠。

"您还可以在协会内通过完成任务来任职。简单来说，如果您愿意通过协会接受锻造委托任务的话，协会将只收取百分之五的费用，剩余的全归您所有。每个月您只要完成三个任务，协会还将发给您两千个贡献点作为工资。当然，前提是您完成的任务要符合您的职业等级的要求。

"如果您在学院中遇到其他问题，也可以申请协会帮助。"

加入锻造师协会的好处还真不少啊！唐舞麟现在越来越觉得，这些年自己在锻造上吃的苦没白吃，无论到了什么地方，只要有门手艺都会很吃香啊！

唐舞麟道："那我愿意接任务，请先给我一个锻造工作室。"能够有一个专属的锻造工作室，对他来说是很重要的，以后他就可以在这里练习锻造，完成各种锻造任务了。

史莱克城一定也是有唐门分部的，他准备回头问问舞老师，然后就去史莱克城中的唐门分部报到。这样一来，以后他就主要接史莱克学院和唐门的锻造任务了。一边完成任务，一边积累自己的锻造能力，争取在一年内先稳定自己五级锻造师的水平，以争取能够从容地进行灵锻。

"请您稍等。"

没过多久，唐舞麟被带到了四层一个楼道之中。楼道两侧是一个个小门，楼道不宽，但很长，一直向深处延伸过去，看上去就像是筒子楼。

那名青年告诉唐舞麟，每个协会都有属于自己的地盘，这两旁的房间就是各位四级及四级以上锻造师专属的锻造工作室。工作室进行了隔音处理，所以，无论里面发出多大的声音，都不会传出来，不会影响到其他锻造师的锻造。

唐舞麟的工作室号码很好记，八十八号。

"这是您的工作室门卡。工作室是免费提供给您的，需要购买稀有金属的话您随时可以过来，接任务也是。我们都会在第一时间为您处理。"

"好的，那就麻烦你了。"

打开大门，唐舞麟带着原恩走进了工作室。工作室内一切都很整洁，两边有两个金属架子，架子当然是空的，中间有一个锻造台。这个锻造台虽然没有枫无羽的锻造台那么大，但也是非常标准的那种，唐舞麟很熟悉。

　　除此之外，房间中就没有其他东西了。整个房间的墙壁都是由金属制作而成的，充满了金属质感。

　　虽然不大，但还真是挺好的，以后，这里就属于自己了。

　　唐舞麟在来之前已经将这个月的十块稀有金属领取出来了。四级锻造师的待遇，还真是很不错呢。

　　虽然这十块免费的稀有金属都是属于那种最普通的，价值并不算高，但这可是白给的啊！不要白不要。

　　他把这十块稀有金属摆上了架子，再把自己收藏的一些价值不算很高的稀有金属取出来，也摆了上去。顿时，锻造室就不再显得那么空荡荡了。

　　"你选吧，稀有金属。"唐舞麟指着架子上的稀有金属道。

　　原恩愣了愣，道："我不太懂。我想打造一对全套，你帮我推荐一种吧。"

　　唐舞麟惊讶地看着他："打造全套？你是准备用来制作斗铠吗？"

　　原恩点了下头。

　　唐舞麟苦笑道："你这个恐怕比较困难。因为你施展武魂的时候，身体会变大。对了，你那武魂是什么？好厉害。方便说吗？"

　　"泰坦巨猿。"原恩犹豫了一下后，还是说了出来。

　　"泰坦巨猿？"唐舞麟瞪大了眼睛，他当然听说过。泰坦巨猿号称森林之王，是魂兽中的王者。他还是第一次见到拥有这种武魂的魂师。

　　"那怎么办？"原恩问道。

　　唐舞麟道："最好的办法就是用灵锻金属。灵锻会让金属融入你自身，无论你身体有多大的变化，它都会随着你的变化而变化。今天我们班辅导员讲过，斗铠是与武魂融合的，所以，一字斗铠其实并不能算是真正的斗铠。不过，我还不太了解斗铠的制作方法，不知道一字斗铠是不是也可以随着魂师身体的变化而变化。"

　　原恩道："是可以的。但其中的制作过程非常复杂。这样吧，你给我挑一种延展性比较好的金属，千锻。"

　　唐舞麟想了想，道："那就用和我的锻造锤一样的金属吧。沉银的延展性很好，而且，它整体的品质是属于中上等的。至于如何制造斗铠，你就只能找机甲设计师和机甲制造师了。"

　　"好。"

千锻沉银对于唐舞麟来说再容易不过了，因为原恩是他来到史莱克学院的第一个客户，所以他很大方地让原恩观看了他千锻的过程。

看着面前银光灿灿的金属，回想着先前升腾而起的银光，原恩目瞪口呆地看着唐舞麟："你、你这也太快了吧。"

唐舞麟道："你这可是赚到了哦。千锻有灵，这是千锻一品。只收你一千个贡献点，不贵吧？"

原恩接过千锻沉银，小心翼翼地收好，点了点头，道："不贵。如果你能答应我一直用这个价格帮我锻造，我就告诉你一个关于学院的秘密。"

唐舞麟心中一动，毫不犹豫地道："好啊！但我还有几个关于工读生的问题想问你，你就一起告诉我好了。我保证以后就按照这个价格为你千锻，但只限你一个人。"

"成交。"原恩痛快地答应。

唐舞麟其实从他的话语中就已经听出来，自己这次千锻一品恐怕是卖亏了，但是，初来乍到，多获得一些信息也是非常关键的。更何况，原恩只是一个人，能用多少千锻一品金属？

"千锻一品金属，从学院那边买的话，最低级的也要两千个贡献点。"

唐舞麟嘴角抽搐了一下："可是，我们工读生那里的任务列表里，显示的酬劳就只有一千个贡献点啊！"

原恩道："那是因为你没有加入锻造师协会，加入协会后，抽成不就只有百分之五了吗？对于我们工读生来说，除了每个月必须要完成的一些工读生任务之外，没有人会额外去教务处接任务，那很坑人的。"

唐舞麟道："好吧，我认了。幸好知道得还不算太晚。我要问你的问题是，我们工读生到底有什么秘密？为什么所有人在听说我是工读生之后，态度都显得很怪异？"

原恩道："那是因为，我们工读生本来就是一群怪异的存在。学院招收工读生是这样的，一般来说，那些完不成入学考试，但有一技之长的人，可以成为工读生，或者是一些有着特殊武魂的学员也可以成为工读生。在史莱克学院，工读生中出现顶级存在的先例非常多。譬如，你刚才见过的枫老，就是工读生出身。当年他就是凭借着锻造技艺，在三十四岁的时候，才从外院毕业。本来他是没资格进入内院的，但在三十四岁时，他成功突破了六级锻造师壁垒，完成了第一件魂锻作品，晋升为七级圣匠，成为大陆最年轻的圣匠，这才被学院破格录取进入内院。之后二十年，他从当初的六环修为，一直晋升到了九环封号斗罗。现在作为八级圣匠，他是学院内锻造水平最高的存在，地位超然。

"在普通学员眼中，我们工读生是绝不能得罪的，因为他们都不知道我们擅长的是什么。工读生要么无法毕业，一旦毕业，有百分之三十都能考入内院。这个比例要比普通学员高。当然，我们受到的磨炼也更多。

"学院最初在建立工读生制度的时候，是为了给那些在某方面拥有特殊天赋，但整体实力不强的学员创造进入史莱克学院的机会。但到了现在，通过历代工读生的努力，工读生三个字，在外院已经是强大的代名词了。"

唐舞麟这才恍然大悟，为什么那天教务处老师在得知自己是工读生的时候，说了那句"别给工读生丢人"。

这么看来，蔡老让自己和伙伴们成为工读生，并不仅仅是为了惩罚啊!

第二百一十二章
慕辰辞职？

"还有别的问题吗？"原恩问道。

唐舞麟道："还有一个问题就是，你的实力这么强，为什么没有被内院录取啊！你今年多大？"

"我十五岁，我十二岁就进入了学院。至于我为什么没有被内院录取，就不能告诉你了，这是我的秘密。"

说到这里，原恩眼中闪过一丝落寞："好了，没有别的事我要回去了，我还要继续去完成任务。对了，我是三级机甲设计师。你将来如果有什么设计方面需要帮忙的也可以找我。我也给你便宜点。"

唐舞麟笑道："就不能免费吗？"

原恩道："免费？史莱克学院崇尚的始终都是多劳多得、少劳少得的按劳分配制度。想要收获，就必须要有付出。"

"行了，别那么认真。走吧，我也要回去呢，咱们一起走吧。"

这趟总算是收获颇丰，加入了史莱克学院锻造师协会，起码让自己的生活变得轻松多了，而且自己吃饭的问题也解决了。

"东西你已经拿到手了，别忘了我的晚饭。"

"你实在是太能吃了。"原恩有些无奈地说道。

两人出了主教学楼，朝着工读生宿舍那边走去。刚穿过树林，原恩突然抬起头，朝着一个方向看去。

唐舞麟的感知显然不如原恩，他感受到原恩的变化后，才随着原恩的目光看了过去。

就在树林边缘，面对着工读生宿舍的方向，端坐着一人。

一身墨绿色的校服，一头金发整齐地梳拢在脑后，从侧面看，唐舞麟分明觉得有些熟悉。

原恩停下脚步的同时，那名金发少年已经扭过头来，看向他们。

看到他的正面，唐舞麟顿时认出了对方。

这不是昨天晚上那个在饮料吧非要人家魂导通信号码，后来不惜买下了整个饮料吧的人吗？哦，对了，还是一个有翅膀的天使。

看到唐舞麟他们，他双手按地弹起，大步走了过来。

"你们有没有见到一个有红头发的女生？或者说，你们工读生宿舍这边，有没有一个红头发的女生？"他目光灼灼地看着唐舞麟和原恩，身上隐隐有压迫力传来。

他还在找那个堕落天使武魂的魂师？唐舞麟心中一动，是啊！昨天那少女不是说过她也是工读生吗？

他下意识地看向原恩，原恩是二年级学员，显然要比他更了解工读生。而且，这个叫乐正宇的人也是二年级的吧，那他应该跟原恩是同一个班级的啊，竟然不认识吗？

原恩淡淡地道："不认识，也不知道。请让开。"一边说着，他一边大步向前走去，丝毫不在意乐正宇就在自己面前。

乐正宇眼中光芒一闪："我已经在这里等了半天了。你们既然是工读生，怎么会不知道？"他抬手按向原恩胸前。

原恩眼神一变，身上骤然迸发出了那天面对谢邀时的恐怖气势，身体一侧，肩膀就朝着乐正宇当胸撞去。

乐正宇眼中闪过一抹惊讶之色，他虽然是外院学员，但实际上，他在外院学习的时间并不长。如果不是因为家族要求，他早就应该进入内院了。考入史莱克学院后，他就进入了家族密室闭关，直到武魂彻底觉醒，天使出现之后才返回学院，直接从二年级上起，这也是他不认识原恩的原因。

面对对方的撞击，乐正宇也不示弱，肩膀一沉，向原恩对撞了过去。

唐舞麟眼神一动，下意识地退开两步，别溅一身血啊！

"砰！"低沉的撞击声响起，就像唐舞麟想象中的那样，乐正宇直接被撞击得飞了起来，闷哼了一声，在空中荡了起来。

金光一闪，洁白的双翼从背后舒展开来，乐正宇这才稳住了自己的身形，但整个右肩明显有些颤抖。

神圣天使武魂再厉害，擅长的也不是力量啊！而泰坦巨猿最恐怖的就是力量，而且能够直接凭借力量压爆空气进行攻击。在纯粹的力量上，唐舞麟与他交手都没什么自信，恐怕也要催动黄金龙体才能抗衡。

乐正宇这样正面撞击上去，不吃亏才怪。

"你！"乐正宇惊怒交加地看着原恩。

原恩冷冷地道："这里是工读生区域，请你离开。在学院私斗的后果你知道吗？"

乐正宇眼中光芒连闪，冷哼一声："学院不允许私斗，但鼓励切磋。有本事，跟我上切磋擂。"

"无聊！"原恩淡漠地说，理都不理乐正宇，很自然地向工读生宿舍走去。

"你！"乐正宇大怒，胸口起伏着，但他也知道，这里不是发作的地方，于是冷哼一声，"你们这里有邪魂师潜伏，不把她找出来，对你们工读生也很不利。"

原恩停下脚步，回头看向他："邪魂师？学院都没说我们这里有邪魂师，你凭什么这么说？"

乐正宇沉声道："亲眼所见。"

原恩淡然道："那你就自己想办法证明吧。还有一点我要提醒你，按照学院规定，工读生宿舍楼只有工读生能进，如果你贸然进入，我们对你动手，受到处分的只会是你自己。"

学院还有这规矩？唐舞麟在一旁听得目瞪口呆，他越来越觉得，当一名工读生也不错。

"你……工读生有什么了不起的！"乐正宇不屑地冷哼一声。

"那你就进来试试。你这句话，我可以理解为是在向所有工读生宣战。"原恩毫不退让。

乐正宇脸色微微一变，工读生的情况他还是知道一些的，在史莱克学院，工读生里出的人才一向很多，不说现有的工读生，光是那些已经毕业的工读生就已经是非常恐怖的势力了，更别说内院的精英了。

"总有办法的！"乐正宇双眼微眯，脸上突然浮现出一丝笑容。他轻轻拍动背后的翅膀，飘然落地，然后眼含深意地看了原恩一眼，大步离去。

唐舞麟走到原恩身边："我们工读生这边真的没有一个红发的女子吗？"

原恩眉头微皱："为什么你也这么问？"

唐舞麟将那天在饮料吧看到的一切简单地说了一遍。听了唐舞麟的话，原恩的表情略微有些变化，但他很快就摇了摇头，道："我可以确定，没有这样的人。我先回去了。"

看着原恩离去的背影，唐舞麟心中微微一动。随着血脉之力的提升，唐舞麟的感知比以前强了许多，不知道为什么，他总觉得原恩在刻意掩饰着什么。

唐舞麟回到宿舍，伙伴们都不在，不知道出去做什么了。他突然想起一件事，赶忙拿出自己的魂导通信器，拨通了一个号码。

"老师，我考入史莱克学院了。"一听到慕辰的声音，唐舞麟立刻喜悦地道。

"考上了！哈哈，不愧是我的徒弟。"慕辰爽朗的笑声传来，听得出他确实很开心。

唐舞麟在锻造方面的天分毋庸置疑，唯一有可能制约他未来发展的就是他自身的魂力修为。但到了史莱克学院就不一样了，只要他能够从史莱克学院顺利毕业，一定能够成为一个优秀的魂师，他在锻造界自然也能走得更远。

他现在还不到十四岁就能做到这种地步，看来前途是一片光明呀。

"老师，还有件事我要告诉您。"唐舞麟迟疑了一下，但还是决定告诉慕辰。

"什么事？"

"我突破了。"唐舞麟眼中光芒闪烁。

"突破三十级了？不会吧，我记得你临走前才二十六七级，怎么会这么快就突破了？你是不是吃了什么天材地宝？"慕辰惊讶地道。

"我说的不是这个，我是说我锻造突破了。那天我试着灵锻了一下，没想到竟然成功了。"唐舞麟道。

慕辰不知道在想些什么，没有吭声。

"老师，您还在吗？"

"在，说说当时的情况吧。"慕辰并没有表现得太过兴奋，这让唐舞麟有些诧异。难道自己十三岁就成了灵锻师不值得老师高兴吗？

"那天我们参加考试……"唐舞麟详细地将那天自己灵锻的过程讲述了一遍，包括自己在进行灵锻时的感觉。他希望老师能够帮自己分析分析，目前自己的锻造水平达到了怎样的层次。

"你这是厚积薄发啊！"听完了唐舞麟的讲述，慕辰长长地舒了一口气，"但是太危险了。你记住，在你达到三十级之前，万万不可再次灵锻了。过几天我就去史莱克城，到时候见面再说。"

"是。老师，您也要来史莱克城吗？"唐舞麟惊喜地道。

"嗯，在一个地方待的时间长了，就想换换环境，史莱克城确实是个不错的选择。还是要恭喜你，虽然你只是完成了一次灵锻，但是从现在开始，你已经是一个五级锻造宗师了。十三岁就成为宗师，你是最优秀的。"

"谢谢老师。"唐舞麟喜悦地说道。

他又和慕辰聊了来到史莱克城之后的见闻，包括那个枫无羽圣匠。慕辰大多时候都只是安静地听，并没有什么表示。

东海城。

慕辰挂断魂导通信器后，内心并不平静，他很快又拨通了一个号码。

"给我订三天后前往史莱克城的魂导列车票，要两张。"

不能坐视不管了，再这样下去，恐怕自己的徒弟都要被人家抢走了。想到这里，他又拨通了一个魂导通信号码。

"我是慕辰，请帮我接会长。"

"他在开会？好，你帮我转告他，我要辞职。"

……

唐舞麟安静地待在宿舍，完全不知道自己给慕辰带去了多大的刺激。现在他对史莱克学员有了一些了解，加入了锻造师协会之后，贡献点也有着落了，他目前最重要的就是提高自身修为，尽快达到三十级。

唐舞麟整整一下午都在冥想，虽然玄天功的修炼速度并不算特别快，但可以让他打下牢固的根基。

晚餐时唐舞麟果然又见到了原恩，原恩帮他付了餐费，他再次开始用另类的修炼方式进行修炼。

为了避免被其他人注意，他找了一张在角落里的桌子，并且拉着伙伴们一起坐，同时给大家介绍了一下原恩。

"原恩学长，我们工读生现在一共有多少人啊？"谢邀听了工读生的传奇之后，双眼放光，向原恩问道。

原恩看了他一眼，道："本来是有六个人的，但是今年有两个学长毕业了，两个学长考入了内院，还有一位学长退学了，所以在你们来之前，就剩下我一个。现在加上你们四个，一共五个人。"

“原来只有你一个人？”唐舞麟惊讶地看着原恩。他清楚地记得，那天那个红发少女给出了代表工读生的徽章，并且被执法者认可了。可是，如果工读生只有原恩一个人的话，那岂不是说，红发少女是不存在的。

　　那几个看上去像是住了人的房间，现在也应该是空的了。

　　正在这时，一个人走到他们面前：“只有你一个？你骗谁，那个红头发的呢？”

　　原恩眉头皱起，抬头看向端着餐盘的乐正宇：“你还真是阴魂不散啊！”

　　乐正宇一脸正气地道：“铲除邪祟，是每一位神圣天使魂师的职责。你最好别帮她隐瞒，不然的话，一旦被我抓到她的小辫子，也会让你吃不了兜着走。”

　　“这里不欢迎你。”原恩冷冷地道。

　　乐正宇突然笑了，然后不客气地拉过一张椅子坐了下来：“为什么不欢迎我啊？工读生的餐费要自己付的吧，我来请大家吃饭好了。”

　　“不用了。”唐舞麟道。

　　乐正宇瞥了他一眼：“工读生都很有骨气嘛。”

唐舞麟道："这和骨气无关，我们今天的饭菜都已经付过钱了。"

乐正宇愣了一下："那就明天。"

古月脸色一沉："廉者不受嗟来之食！"

乐正宇脸上的笑容更加浓了："那如果我也是廉者呢？不好意思各位，以后我们就是伙伴了。我今天下午刚刚向学院申请了，已经获得批准，现在我也是一名工读生了。"

原恩眉毛一挑，看向乐正宇。

乐正宇一脸得意地看着他。

这家伙，竟然也来当工读生？唐舞麟顿时觉得，工读生的生活要变得不平静了。

"我吃饱了。"原恩端着餐盘起身离去。

乐正宇笑眯眯地看着他离去的背影，一脸得意："现在我也可以进工读生宿舍楼了，如果她真的在那里，我就一定能把她找出来。"

"你这人还真是无聊透顶啊！"谢邈没好气地道。

"我怎么无聊了？"乐正宇不服气地道。

谢邈道："你不无聊干吗非要找那个人？学院的执法者不都说了，她不是邪魂师，就算你找到她，又能怎样？"

乐正宇道："堕落天使武魂拥有者，怎么可能不是邪魂师？我一定能够找到她是邪魂师的证据，到了那时候，她将无所遁形。你们等着瞧吧。"

说完，他起身准备走，但被唐舞麟抬手拦住了。

"等一下。"唐舞麟沉声说道。

乐正宇道："干什么？"

唐舞麟面带微笑地看着他，道："那天你在饮料吧把那里买下来的时候，其实我们也在，所以事情的经过我们都看到了。我想问你一个问题。"

"你们也在？哦，我好像有点印象，就在我隔壁桌是吧。那你们说说，那个家伙像不像邪魂师？"

唐舞麟道："这个和我们没关系，我想问你的是，既然你这么有钱，是不是贡献点也不少啊？"

乐正宇得意地道："那是，我们神圣天使家族怎么会缺少贡献点呢？事实上，我们在史莱克内城还有不少生意，贡献点多的是。"

唐舞麟正色道："那你需不需要锻造金属什么的？我是一个锻造师。你也知道，我们工读生都比较穷。"

"你是锻造师？你能锻造什么？"乐正宇脸上带着一丝轻蔑。

唐舞麟微微一笑："你看。"说着，他掏出了自己的四级锻造师徽章递给乐正宇。

乐正宇出身神圣天使家族，自然是见多识广的，看到唐舞麟的四级徽章，他顿时呆住了："你是四级锻造师？"

"嗯。"唐舞麟点了点头。现在他还没有拿到五级徽章，所以对外还是说自己是四级锻造师。

"你今年多大？"乐正宇眼神一闪。

"十三岁。"

"啊？工读生里果然多怪才啊！你们都是今年的新生？"

"是啊！你呢，你多大？"唐舞麟问道。

乐正宇道："我十五岁，是二年级的学员。不过我一年级的时候正好在家族闭关，没怎么来学院上过课。"

唐舞麟恍然大悟，原来如此，难怪同为二年级学员，他不认识原恩。

"那以后就找你锻造了！"乐正宇笑眯眯地站起身，"不过，你虽然已经是四级锻造师了，可还是要努力啊，到了五级才是真的强大呢。"

目送乐正宇离去，谢邀有些不满："老大，这家伙这么嚣张，你跟他套什么近乎？"

唐舞麟微笑道："他现在也是工读生了，以后抬头不见低头见的，何必闹那么僵。更何况，说不定他未来能够给我们提供更多的贡献点呢。"

"晚上咱们干什么去？"谢邂跃跃欲试地道。他才来这里，对这里的一切都十分好奇。

古月道："我要去史莱克城的传灵塔分部报到。"

唐舞麟心中一动："我们也该去唐门分部报到才是。可是，要先找到舞老师才行。"

"那就明天下课问舞老师好了。今天晚上咱们出去玩吧。"谢邂道。

唐舞麟正色道："虽然我们现在已经考入了史莱克学院，但你们应该看得出，在这个学院，竞争是非常激烈的，一个不好，我们就会落下。而且，史莱克学院十分重视第二职业，因为想要成为斗铠师，斗铠至少要有一部分是自己亲自制作的。所以，大家如果有闲暇时间，还是要多在自己的第二职业上花点心思。

"谢邂，你的玩心要收一收了，学院里有各种第二职业的协会，我建议你先去加入协会，然后通过协会的帮助来提升自己的第二职业。"

许小言和古月都是以机甲设计作为第二职业，谢邂则是以机甲制造为第二职业。古月的第二职业已经到二级了，而谢邂和许小言的才到一级，所以当时入学考试没有考第五项，对他们来说也不完全是坏事。

谢邂顿时像泄了气的皮球，道："那好吧，那就先去加入协会好了。"

唐舞麟看了谢邂一眼，心中暗暗叹息，看来来到史莱克学院也没有完全激发出谢邂的紧迫感。

晚饭后，唐舞麟直接回了宿舍，他现在要抓紧时间修炼，同时要给自己制订一个时间表了。每天上午上课，下午则抽出两个小时锻造，然后进行各方面的修炼，至于升灵台，他目前倒是不用再去了。现在他们几个的魂灵承受能力都接近饱和，提升修为才是最重要的。他要早一点把自己的魂力提升到三十级，拥有了第三魂环之后，他就可以再次尝试灵锻了。

灵锻成功了一次并不意味着他就完全掌握了灵锻，还需要多加练习，不断地积累经验，让灵锻的技巧更加熟练。

他现在已经是五级锻造师了，在帮别人灵锻的时候，可以要求对方购买稀有金属，而且即便锻造失败也不用承担锻造失败的后果。

这就是成为五级锻造师的好处，毕竟灵锻失败率是非常高的，如果灵锻还要保证成功率，那么就没有人愿意给其他人灵锻了。

这也是乐正宇说锻造师只有到了五级才是真的强大的原因。那时候，唐舞麟就可以一边完成任务收取酬劳，一边通过任务来练习灵锻了，还可以积攒足够多的贡献点，可以购买解除封印的灵物和辅助修炼的物品。

这样就可以形成一个良性循环，他的修炼速度会更快。

唐舞麟以前在东海城锻造师协会的时候就知道，完成灵锻任务获得的酬劳是千锻的十倍。他虽然不知道史莱克学院这边是什么情况，但想来也不会差太多。

唐舞麟相信，在史莱克学院这样的地方，势必会有很多人需要灵锻金属，只要他好好练习灵锻，到了那时候，几乎整个外院的学员都会是他的客户。

有了明确的计划，唐舞麟就清楚在不同阶段，对自己最重要的是什么了。

"今天选班干部。"蔡老依旧没来，负责讲课的还是沈熠。舞长空则是站在讲台旁边不远处，冷冷地看着全班学员。

"在史莱克学院，实力至上。你们的心性都达到了学院的要求，所以我们相信，任何一个人成为班干部都能做得很好。因此，你们将进行一场较量，最后的获胜者将成为班长。其他表现优异的学员，由我和舞老师评定后，分别担任其他班干部。班干部包括一个班长、两个副班长、一个锻造委员、一个设计委员、一个制造委员以及一个修理委员。"

七个班干部？

"不要小看班干部，班长和副班长代表全班，是全班的领袖，其他方面的委员则代表本班所有与其第二职业相同的学员，同时班干部还会获得额外的贡献点。班长每个月可以获得一千个贡献点，副班长每个月可以获得六百个贡献点，其他委员每个月可以获得五百个贡献点。

"二十五岁之前只要能够成为斗铠师，就可以直接从外院毕业并且参加内院的选拔考试。三十五岁之前成为斗铠师可以从外院毕业。无法成为斗铠师，就不能在外面宣称自己是史莱克学院的学员。今天，我先宣布其中一个班干部的人选，那就是锻造委员——唐舞麟。"

对于这一点，唐舞麟一点都不意外。

"起立，让所有同学认识一下你。"沈熠说道。

唐舞麟站起身，向后转，面向所有同学。

这些年龄在十三岁到十五岁之间的少男少女看着他，表情各不相同。女生们都很乐意，原因很简单，他帅啊！

唐舞麟现在虽然只有十三岁，但身高已经有一米六五了，只比成年人矮一点而已，再加上长期锻炼，因此身体健硕，脸上还时常带着阳光的笑容，很容易给人好感。

男生们可就不那么友善了，能够考入史莱克学院的都是天之骄子，多少都有些桀骜不驯。

"老师！"一个坐在后排的男生突然举起手来。

"说。"沈熠淡淡地道。

"为什么他不需要比试就可以成为锻造委员？"这个男生还不到十五岁，站起来身高居然有一米九，比许多成年人还要高出不少。他虽然身材十分魁梧，但说话瓮声瓮气的，而且眼睛非常小。

"你叫杨念夏没错吧？之所以锻造委员不需要比试，是因为在这方面，唐舞麟不可能有竞争对手，他已经是一个四级锻造师了。"沈熠的话顿时让全班沸腾了起来。

四级锻造师？一个不到十四岁的四级锻造师？这也太夸张了吧。

杨念夏也愣了一下，他之所以会提出异议，自然是因为他在锻造方面是比较强的，但是他远没有达到四级锻造师那种程度啊！

他现在已经是一个三级锻造师了，在锻造这个行业，在他这个年纪能够达到这种程度已经是非常罕见了，可是他没想到，一山还比一山高啊。

他惊讶地看向唐舞麟，虽然有些不服气，但终究还是坐下了。

唐舞麟向他点了点头，面无表情。

"还有谁有疑问吗？"沈熠的目光扫过全班。

第二百一十四章
组队进入

　　此时大家看唐舞麟的目光已经有所不同了，原本那些对他有所质疑的人看向他的目光瞬间变得友善起来。他们不知道的是，唐舞麟虽然还没有拿到五级徽章，但已经达到五级锻造师的水平了。

　　这里是史莱克学院，大家在相互竞争的同时，也希望可以互相帮助。对于在某一方面特别厉害的人，绝大多数学员都会保持善意，毕竟大家未来想要成为斗铠师，总是需要别人帮忙的。

　　这些来自天南海北的学员，多少都从师长那里听说过一些关于史莱克学院的传说，他们很清楚在这里需要的是什么，也知道提升自我才是最重要的。

　　见没有人再有异议，沈熠微笑道："好，那就这么决定了。其他职位都需要比试。稍后我们将先开始竞选班长和副班长。我先带你们去大演武场，在那里，你们将进行一场混战。想要成为班长很简单，只要你是最后站着的那个人，你就是班长，倒数第二个、第三个倒下去的就是副班长。我要提醒大家的是，不用想着装死这种事。只要你们的四肢或者是躯干全部着地，就将被清出场地。

　　"当然，如果你本身就不想争夺这个职位也无所谓，毕竟班长的好处也不是太多，还要承担不少责任。不过成为班长后，未来在考入内院的时候可以加分，在学院中也多了一些话语权。你们应该知道，海神阁的各位长老，几乎都担任过班长或者副班长的职务。全学院只有六个年级，也只有六个班级，一共就只有六个班长。班长能够进入内院的概率，总是要大一些的。"

　　这样的好处还不是太多？

　　唐舞麟这会儿还是站着的，他能够清楚地看到，听了沈熠的话之后，几乎所有人的眼睛都亮了起来，当然他自己也是如此。

　　没有人不想崭露头角，尤其是在史莱克学院，无论能不能做到，总要争取一下。

"好了，给你们一刻钟的时间准备。当然，你们也可以组队作战，一切都随你们，我们只看结果。"

唐舞麟心中一动，立刻明白了沈熠老师的意思。这绝不仅仅是考验他们的个人实力，全班一共一百零一个学员，想要脱颖而出成为班长，绝不仅是凭借实力就可以做到的。

能考上史莱克学院，意味着这里没有弱者，除了实力之外，智商将起到更重要的作用。

唐舞麟悄然坐下，并且用眼神制止了想要来跟自己说话的谢邈。他目视前方，用只有他们能够听到的声音道："谢邈、小言，你们各自去找队友，明白吗？"

许小言的脸上顿时露出了一丝笑意，谢邈也只是愣了一下，然后嘴角微微动了一下。

唐舞麟没有让古月也这样做是因为他太了解古月的性格了。古月的骨子里是十分高傲的，她不可能去主动找人组队。

他们四个人之所以不组队，原因很简单，他们四个人就坐在一起，说明他们四个人本就是一体的，加上他刚刚成为锻造委员，十分惹眼，很容易被大家群起而攻之。

想要在稍后的大混战中获得足够好的成绩，那么，首先就要在所有人的视线中淡化自己。

班里很快就热闹起来，几乎所有人都在和身边的人交谈，试图寻找伙伴。

班长和副班长的名额只有三个，大家找的伙伴自然也就不会多，人多了，这名额就不够分了啊！

原本相互之间还十分陌生的学员，迅速变得熟络起来。

"我可以加入你们吗？我不想当班长什么的，只是我比较怕疼。我是控制系魂师，可以辅助你们，等只剩咱们团队的时候，我就主动退出好不好？"

许小言本就长得漂亮，再装出一副楚楚可怜的样子，很容易获得其他人的信任。果不其然，很快她就加入了一支人数相对较多的团队，加上她共有七个人。

趁着队友不注意，她向唐舞麟递出一个得意的眼神。

另一边谢邈也很顺利，敏攻系魂师在混战中的生存力本就很强，他直接拉了两个和自己同类型的敏攻系魂师组成了一个三人的小团体，还给自己的团体起了个名字，叫"捡漏"。

"你好，你真的是四级锻造师吗？"正当唐舞麟在一旁观察的时候，先前质疑过他的杨念夏凑了过来。

"嗯，是的。"唐舞麟取出了自己的四级锻造师徽章给对方看了看。无疑，这大个子也是锻造师。同为锻造师，而且又在同一个班，他们以后肯定会有很多交集，所以唐舞麟对他也就格外客气。

"那我们组成一队吧。我是力量型魂师，武魂是暗金熊。"杨念夏的性格直爽。

暗金熊？听到这个武魂，唐舞麟不禁吃了一惊。

暗金熊可是暗金恐爪熊的分支，因为从没有魂师拥有过暗金恐爪熊武魂，所以暗金熊被誉为是熊类魂兽中最强的。它几乎拥有暗金恐爪熊的所有特性，攻击力和防御力都超强，绝对是最好的肉盾。

唐舞麟虽然也可以作为强攻系魂师，但如果多了这么一个"盾牌"顶在前面，生存力无疑会大大增加。

当下，他毫不犹豫地点头道："好啊，欢迎加入。我叫唐舞麟，这位是我的同伴古月。我是控制系魂师，古月擅长远程攻击、辅助、控制，她是元素类魂师。"

"你好。"杨念夏向古月伸出手，但古月只是向他点了点头。除了唐舞麟之外，她从不让别人接触到自己的身体。

唐舞麟微笑道："古月就是这性格，杨念夏你别在意啊。"

杨念夏呵呵一笑，摸了摸头："没事，没事。对了，你多大啊？这么小就能成为四级锻造师，真了不起，有机会咱们切磋切磋锻造。"

"没问题。我十三岁，你呢？"

"我十四岁。"杨念夏说道。

两人脸上的表情都有些惊讶，杨念夏自然是因为唐舞麟小，而唐舞麟则是因为这家伙如此大的块头才十四岁。

"我们三个的组合也不错。稍后咱们怎么干？我安排战术不太行，你们擅长吗？"杨念夏兴冲冲地问道。

大家才进入史莱克学院，彼此之间还不够熟悉，这场竞选班长的混战实际上也是他们展现实力的好机会，展现出的实力越强，自然就越容易受到学院的重视，同时在学员中的威望也就越高，所以每个人都跃跃欲试。

唐舞麟微笑道："这个简单。你不是暗金熊武魂嘛，暗金熊最擅长防御和力量，你只需要做好这两点就可以了，剩余的交给我和古月。我来负责控制，把人拉到你面前，你自然就能解决对手了。古月负责远程攻击和从旁辅助。"

对于这个组合，唐舞麟还是非常满意的，他一点都不担心杨念夏的实力。能够考上史莱克学院，已经是很好的证明了，像自己这种二环进入学院的少之又少，所以他起码也有三环吧。

想到这里，他脑海中突然闪过一道身影，那个红头发的堕落天使不也是二环吗？而且那人和自己一样，也是两个紫色魂环。乐正宇是三个紫色魂环，看起来，无论是神圣天使还是堕落天使，在身体强度和精神力方面，都足以支撑他们完成升灵。

一刻钟的时间很快就到了，在沈熠和舞长空的带领下，一年级一百零一个学员浩浩荡荡地出了教室，向主教学楼另一边走去。

教学楼实在是太大了，想要弄清楚这里的布局，恐怕要几年时间才行。

他们被带到了一个宽敞的圆形大厅之中，但这个圆形大厅并不大，他们一百多个人站在这里都显得有些拥挤，更别说待会儿还要动手了。

"稍后，你们将进入一个虚幻的空间，类似于升灵台那种空间。现在所有人都退到地面的白圈之外。"

按照她说的，一年级所有学员后退，将圆形大厅的中间空了出来。

沈熠走到一旁的墙壁边，也不知道她是如何操作的，墙壁上那些很像魂导法阵的花纹亮了起来，紧接着，地面裂开，一个个椭圆形的球状物纷纷钻出来，然后裂开。

每一个椭圆形的球状物都有两米多高，裂开之后，里面是一个座舱，看上去非常奇特。

"每个人选一个坐进去，稍后你们将出现在一片森林之中。森林不大，你们很快就会见到其他人。同一个小队的学员坐在距离接近的模拟舱内，你们有三分钟的时间来完成这一切。进入模拟舱后，系好安全带。"

太先进了！

唐舞麟心中暗暗赞叹：这分明就是小型的升灵台啊！史莱克学院果然非同凡响，恐怕在学院中根本不需要再去什么升灵台，这里就可以让他们进行实战演练了。

唐舞麟、古月和杨念夏三人迅速选择了三个靠近的模拟舱坐了进去。当他们系好安全带的那一刻，上面的翻盖自然合拢，视线顿时变暗了。

没过多久，点点星光在模拟舱内亮起，给人一种到了夜空中的感觉。柔和的能量波动包裹着唐舞麟，椭圆形的模拟舱开始旋转了起来。

唐舞麟感觉有些眩晕，当意识开始有些迷糊，并且出现恶心感的时候，他的大脑突然一片空白。

脚踏在实地上后，唐舞麟甚至还没有完全清醒过来，第一个动作就是下蹲。

下蹲能够最大程度地减少自己身体被攻击的面积，与此同时，他运转体内魂力，第一时间让自己的身体恢复正常。

视线渐渐变得清晰了。这是在一个茂密的大森林之中，至少从唐舞麟落下的地方来看，周围没有其他人出现。

进入森林，唐舞麟有种如鱼得水的感觉，在这种环境下，身为植物系武魂魂师的他自然有一定的增幅效果。

他快速闪到一棵大树旁边，蹲在灌木丛之中，同时眼中紫光闪烁。

"唐舞麟，古月，你们在哪里？"正在这时，一个洪亮的声音突然响起。

唐舞麟先是愣了一下，然后脸上的肌肉抽搐了一下，这家伙……

那分明是杨念夏的声音啊！

老师说过，这个森林并不大，周围都是其他同学，在竞争这么激烈的情况下，他这么大喊大叫的，不是第一时间就暴露自己了吗？

唐舞麟身形一闪，弯着腰，迅速向杨念夏所在的方向靠近。唐舞麟现在必须要尽快和杨念夏会合，并且带着他前往别的区域，以避免被其他学员找到群起而攻之。

有了杨念夏那大嗓门的指引，唐舞麟很快就看到了他的身影。

杨念夏站在一片较为空旷的地方，正一脸迷惘地看着周围。这家伙身材高大，实在是太醒目了。

第二百一十五章
——暗金熊武魂——

唐舞麟刚要过去和杨念夏会合，突然，他眼神微微一动，停下了脚步。

一道身影悄无声息地出现在了杨念夏附近，那道身影非常怪异，在其出现的时候，地上只有一个影子，但看不到人。

但当影子来到杨念夏身后的时候，影子突然变成了真人。那人身上闪烁着三个魂环，其中第二个魂环正闪耀着光芒。一根细线迅速绕过杨念夏的脖子，然后从后面猛地勒紧。

这是什么武魂？唐舞麟吃了一惊，但他没有急于去救杨念夏，毕竟，他们这所谓的队友关系并没有多牢靠。有强大的对手出现他还是要小心谨慎一些，天知道杨念夏刚刚的大喊大叫招了多少人过来。

虽然杨念夏的脖子被骤然勒住，但他背后那人的身材较为瘦小，几乎是整个人吊在了杨念夏身上，双脚蹬在他的后背上发力。

这里是虚拟空间，自然不存在真正被杀这种情况，所以那个人也是毫不留情。

唐舞麟看到，被勒住的杨念夏身体一下就僵硬了，毫无疑问，这位出现在杨念夏身后的敏攻系魂师的攻击力一定不弱。

杨念夏还是有所反应的，在身体僵硬的下一瞬，他的手臂猛然向后挥出，击打向对方的胸膛。但是他的手臂显然不够长，因为对方的双脚踩在他的后背上，整个身体向后弓起，他根本够不到。

也就在这时，杨念夏突然做出了一个怪异的动作，他猛地一跺脚，脚下三个紫色魂环同时升起。他的身体突然膨胀起来，原本一米九高的身体一下变大到两米五高，虽然没有原恩的泰坦巨猿那么夸张，但在身体膨胀的同时，他的头发也变成了暗金色。

这家伙……

唐舞麟的瞳孔一下收缩了。

那个从后面偷袭的学员显然意识到了不妙，身体猛地一收，试图远离他。

就在这时，杨念夏身上多了一层暗金色的光芒，第一魂环光芒闪烁。

背后那原本有些虚幻的身影在暗金色光芒的覆盖下变得凝实起来，同时，他所有的动作都在那一瞬间变得迟缓了。

一只大手向后抓出，一把抓住偷袭者的脚，然后那人像布娃娃一样被高高地甩了起来。下一刻，被狠狠地摔在地面上。

白光一闪，那偷袭者已经化为光芒消失了。

完成这一击之后，杨念夏的身体飞速缩小，变回了原来的样子，只是身上的衣服因为先前身体变大而被撑裂了。

"唐舞麟、古月，你们在哪里啊！"他还在继续喊着，一点都没有要停下的样子。

在暗中观察这一切的唐舞麟背脊有些发凉。

史莱克学院的学员果然没有一盏是省油的灯啊！这个杨念夏的实力比自己想象的要强悍多了。他有强大的武魂和诡异的魂技，几乎没有动用多强的实力就解决了一个对手，而且对方缠在他脖子上的丝线根本就没能对他造成任何伤害。

还是先不要出去的好，这个队友实力太强，而且不像他表面看上去那么没有城府，可不是很好的队友人选啊！

"你鬼叫什么？"正在这时，丛林另一侧，有两男一女三道身影走了出来，说话的正是那个少女。

他们都释放出了武魂，全都是三个魂环，两黄一紫。走在最前面的是一个少女，其相貌并不比许小言逊色多少，但看上去高傲得多。她的右臂上缠绕着一条碧绿的蛇，全身散发出一股阴暗的气息。

跟在她身后的两个男学员都是中等身材、相貌普通，但长得一模一样。

看到他们，唐舞麟不禁想起当初自己在天海联盟大比中遇到的那对双胞胎姐妹，当时，他就是在人家的武魂融合技上吃了大亏。

这两个明显是双胞胎，不会也有武魂融合技吧？

因为入学没多久，唐舞麟还没来得及观察其他同学，现在看来，果然都是厉害角色啊！

看到她，杨念夏憨憨地一笑，道："你们好呀，我叫杨念夏，我正在找我的同伴呢。"

少女道："我叫郑怡然，你最好自己退出，省得我动手，让你承受太多痛苦。班长这位置，我要定了。"

杨念夏惊讶地道："可老师不是说，要通过比赛选出班长吗，怎么就变成你要定了呢？"

郑怡然没好气地道："你是不是有病啊？我的意思是没有人是我的对手，我一定会击败所有人，成为班长。好了，不跟你废话了，郑龙、郑虎，送他出去。"

"是，小姐。"她身后的两个少年闪身而出，身上第一魂环同时亮起，两人的气息也随之变得阴暗起来。

他们的脸上同时多了一层绿色，然后迅速匍匐在地，朝着杨念夏同时张嘴，两道绿光直奔他射去。

杨念夏愣了一下，就像是变傻了，根本没有闪躲，还同时释放出了武魂，身体也开始变大。

太自信了吧？灌木丛中的唐舞麟皱了皱眉。

两道绿光落在杨念夏身上，他的身体顿时颤抖了一下，紧接着，身上刚刚出现的暗金色光芒被染成了绿色的。

"啊！有毒！"杨念夏惊呼一声，身体顿时不受控制地颤抖起来。

郑龙、郑虎身形贴地游走，飞快地向他靠近，身上的魂环都显得有些发绿。他们所过之处，地面变成一片焦黑，周围的植物纷纷枯萎。

毒属性武魂可是非常罕见的啊！这郑龙、郑虎能和郑怡然一起考入史莱克学院，明显也是有些本事的，但郑龙、郑虎称郑怡然为小姐，意味着他们应该是从一个毒属性武魂世家出来的。

唐舞麟今天真算是大开眼界了，在东海学院他根本见不到什么特别强大的武魂，可自从进入史莱克学院之后，他都不知道见了多少个了。

眼看着郑龙、郑虎到了杨念夏身边，杨念夏的身体颤抖得越来越厉害了。郑龙、郑虎各自抬起一只脚，在他们的脚尖处不知道什么时候长出了一个绿色的尖刺。那尖刺是透明的，非常绚丽，但联想到他们的武魂，感受可就不会那么美妙了。

他们两人的脚同时朝着杨念夏脖子两侧踢去，毫无疑问，一旦被这剧毒尖刺刺中，杨念夏也就和班长之位无缘了。

唐舞麟依旧没有动，杨念夏并不是他真正的队友，而且他隐隐感觉到，以杨念夏的智商，不会看不出他们有多厉害。

　　"剧毒啊！好可怕！"杨念夏一边剧烈地颤抖，一边哭喊着。

　　但是，眼看着那尖刺就要刺中他脖子时，突然，他那原本不停晃动的手臂如同闪电般伸开来，分别抓住了郑龙和郑虎的脚脖子。

　　一抹微笑浮现在杨念夏面庞上："可那又算得了什么呢？"

　　他猛地一跺脚，一团绿色光芒骤然从他身上爆发开来。刚开始那光芒是绿色的，但到了后面渐渐变成了暗金色的。

　　那暗金色光芒似乎蕴含着奇异的震荡力，在它的震荡之下，郑龙和郑虎的身体一下子就软了，失去了战斗的能力。

第二百一十六章
——碧蛇郑怡然——

杨念夏双臂一挥，将两人的身体狠狠地摔在地面上。郑怡然还没反应过来，郑龙郑虎就已经化为两道白光，消失不见了。

"你——"郑怡然目瞪口呆地看着杨念夏，她怎么也没想到，郑龙郑虎两兄弟的剧毒居然对这个大个子毫无作用。

"郑怡然同学，你好，我是杨念夏，请指教。"杨念夏没有给她思考的时间，脚下猛地发力，像猛虎一样朝着郑怡然冲了过去。

"你找死！"郑怡然大怒，身上光芒一闪，全身蒙上了一层绿色。和之前郑龙、郑虎两兄弟相比，她身上的绿色就要明亮多了。缠在她手臂上的小蛇通体光芒大放，张口就朝着杨念夏喷出一团绿色浓雾。

"嗷！"杨念夏口中发出一声怒吼，一股强烈的暗金色气流骤然吹出，将那团绿色浓雾吹散。转眼间，他已经到了郑怡然近前。

郑怡然眼神冰冷，丝毫没有要闪避的意思，眼看着杨念夏一拳就要命中她的身体，突然她身体一软，就像是失去了骨头一样，手臂则一伸，贴上了杨念夏的拳头。

奇异的一幕出现了，郑怡然身上青光闪烁，根本看不清她动用的是第几魂技。转眼间，她已经缠了上去，将杨念夏的身体缠得结结实实。

她的右手变成了绿色，直奔杨念夏的脖子戳去。与此同时，那条小蛇身上迸射出宛如翡翠般的光芒，一口浓雾朝着杨念夏当头喷去。

"嗷！"杨念夏又是一声怒吼，身上第三个紫色魂环亮起。他的身体骤然增高到三米，全身暗金色毛发竖起，就像是一根根钢针。与此同时，一股强盛的暗金色光芒从他体内爆发开来，使得郑怡然的攻击无法直接落在他身上。

和郑龙、郑虎相比，郑怡然的实力显然强了不少，她牢牢地缠绕在杨念夏身上，哪怕在那暗金色光芒的震荡下也没有被甩开。

正在这时，一只手掌悄无声息地出现了，轻轻地拍在郑怡然身上。郑怡然身体一颤，清晰可见的冰瞬间覆盖她的全身，将她完全冻住了。

杨念夏将郑怡然摔在地上，看着她化为光芒消失了。

出现在杨念夏身边的是一个身材高挑的少女，她留着一头披肩黑发，不算很美，但有种特殊的气质，正是古月。

空间闪现，寒冰封印，在她的辅助下，原本十分难缠的郑怡然一下就被解决了。

杨念夏的身体迅速缩小，很快就变回原来的样子，然后向古月比出大拇指。

古月淡然一笑，似乎只是做了一件很简单的事情。

她似是无意地回眸，目光正好落在唐舞麟藏身的地方。唐舞麟心中暗叹，这精神力达到了灵海境就是不一样，感知实在是太敏锐了。古月一定是发现了自己，但她没有招呼自己出去，他当然还是不要露面比较好。

"古月，我们接下来怎么办？"杨念夏慈慈地道。

古月道："你刚才不是做得很好吗？继续。"说完，她自然地朝着唐舞麟藏身的灌木丛走了过来。

"可是，我的魂力会一直消耗啊！"杨念夏一脸委屈地道。

"那随便你。"说着，她弯腰钻进了灌木丛中，来到唐舞麟身边。

就在这时，唐舞麟眼中突然闪过一道寒光，右臂宛如闪电般骤然探出。

一声轻鸣响起，一道身影被直接从灌木丛中震了出来。

那是一双利爪，眼看就快要抓到唐舞麟和古月的后背了，但被唐舞麟的右手直接击飞了。

周围所有的灌木丛突然像是活了一样，一根根蓝银草如同利刃般刺出。

两道身影同时浮现，僵在了半空中。两道长度超过一米的青色风刃从他们身上掠过，他们立刻化为光芒消失了。

唐舞麟依旧没有回头，只是脸上露出一丝微笑，右手背在身后，向古月竖起了大拇指。

在唐舞麟身后不远处，一道身影正匍匐在那里，手指从身边的蓝银草上抬起。他显得非常安静，就像是已经与周围的环境完全融为了一体。

此人正是谢邈，他和两个同伴组成的临时战队已经打败四五个对手了。敏攻系魂师的攻击力本来就强，而且他们速度很快，都是突然发动偷袭，战胜对手的成功率非常高。

就像刚才那样，他的两个同伴已经摸到了唐舞麟身后，发起攻击之前没有半点征兆，要不是谢邀报信，差点就得手了。唐舞麟和谢邀都不会传音，但他们在一起时间太久了，自然有交流的暗号。

当谢邀发现隐藏在灌木丛中的唐舞麟时，立刻捏住了身边的蓝银草，因为他知道，唐舞麟在森林中有通过蓝银草感知周围一切的能力。

有所察觉的唐舞麟在古月走向自己的时候，悄然比出了只有他们才明白的手势，这才顺利解决了那两个敏攻系魂师。

敏攻系魂师在高速攻击的时候，防御力必然是较弱的，所以那两个偷袭唐舞麟的敏攻系魂师惨了，而且他们根本没有察觉到谢邀的动作。

不是他们战斗力不强，而是在那种情况下，偷袭者被反偷袭，他们根本没有完全发挥实力的机会。

发现这边动静的杨念夏刚要过来就看到空中消失的两道白光。他的瞳孔略微收缩了一下，但很快就恢复了正常，伸出右手，朝着唐舞麟他们这边比出大拇指，然后飞快地跑了过来，弯腰钻进灌木丛。

"你，你是什么时候到的？"他看到唐舞麟的时候，也是一脸惊讶。

唐舞麟微微一笑："刚才到的啊！"

杨念夏憨笑道："哦，那你们帮我看着点，我恢复恢复魂力。"

就这么一会儿的工夫，他们已经先后淘汰了六个人，而且，对手的实力都不俗。其中实力最强的无疑就是郑怡然了，她的毒属性武魂相当强横，只是运气不好，刚好遇到了刀枪不入并且有很强抗毒能力的暗金熊武魂魂师，以及元素系武魂魂师古月，不然的话，她没有那么容易被淘汰出局。

杨念夏似乎一点都不担心唐舞麟和古月对他动手，自如地盘膝坐下，开始通过冥想恢复魂力。

唐舞麟和古月对视一眼，两人也不吭声。唐舞麟悄然催动蓝银草扎入地面，和周围的植物气息相连，并且将魂力注入部分植物，让植物的气息变得浓郁一些，从而掩盖他们的气息。

渐渐地，轰鸣声、喊叫声不断从四面八方响起，显然，交手的不仅是他们这边。

全班一百零一个学员争夺三个名额，战况之激烈可想而知。大家都是天之骄子，谁心中没几分傲气，谁不想在今天这场混战中展现出自身实力，给辅导员留下好印象。

……

"师兄，你说最后谁会成为班长？"沈熠看着房间里的大屏幕，向身边的舞长空问道。

舞长空道："唐舞麟。"

"唐舞麟？这么肯定？"

舞长空点了点头。

"可古月的实力明显比他强，而且，有好几个学员的实力也都相当强，他并没有什么明显的优势啊。这一批新生中确实有很多资质很好的，有些甚至考入内院都不成问题，只是现在内院收人实在是太严格了，要先通过外院的学习生活锻炼这些孩子，才使得他们没有直接进入内院。难道你认为唐舞麟能战胜他们所有人？"

舞长空摇了摇头："不是武力，是智力。唐舞麟的天赋在这些学员中绝对不是最好的，古月比他强自不用说，就算是谢邈和许小言也都不比他弱。其他学员中，更是有不少天赋比他好的，但是他们之中没有一个比唐舞麟更适合做班长。"

沈熠的神情有些怪异："因为他够腹黑吗？"

舞长空摇摇头，道："不，因为他身上有一种我从未见过的领袖气质。"

"一个十几岁的孩子有领袖气质？你会不会太夸张了？"沈熠难以置信地道。

舞长空摇摇头："不夸张，你仔细注意就能发现。他跟了我三年多时间，我也是逐渐发现的。他有的时候是有点腹黑，但他最优秀的地方在于，在面对任何情况的时候，都能做出正确判断。你看到的只是他腹黑的一面，但是当他的伙伴遇到困难的时候，他总是第一时间挺身而出。而且难得的是，他往往能很好地帮自己的伙伴解决难题。

"他有大局观，掌控全局的能力比同龄人高出不止一个层次。就像他们那个小团体，如果指挥者不是唐舞麟的话，整体战斗力至少要下降两成甚至三成。有他在，他们就是一个整体。

"他有一种特殊的气质，能让身边的人团结在一起，并且对他心悦诚服。谢邈和古月骨子里都非常桀骜不驯，可他们只要跟唐舞麟在一起，都会诚心实意地让他当队长。因为很多事情他做到了，令他们由衷敬佩。所以，看下去吧，我相信他一定会成为班长的。"

沈熠若有所思地道："那我们就拭目以待吧，我也很期待他的精彩表现。"

远处，灌木丛突然分开，一个人从里面钻了出来。他全身是血，显然是经过了一场苦战。他的背后长着一对白色的翅膀，这翅膀和唐舞麟见过的神圣天使翅膀并不同，上面没有羽毛，而是长满了白色毛发，带有些许黑色的纹路。

他的身上同样布满了这样的纹路，如果不是因为他是人形，真的会被误认为是一只老虎。

他身材高大，身上虽然有多处伤口，但奔跑起来依旧像风一样快。

云从龙，风从虎。他拥有的是虎类武魂，而且还是背生双翼的虎类武魂——插翅虎，单从这一点来看，就说明他不好对付。

他刚刚冲出灌木丛，后面就飞射出几道身影。对方一共三个人，三个人各有特点，为首的一人全身漆黑，而且被一股漆黑的气流围绕着，甚至让人看不清他的样子。

和那气势惊人的插翅虎魂师不一样，他没有发出半点声音，但他所过之处，周围的光线都会被他吞噬。

他身体一闪，速度非常快，背后带出了一串残影。前面的插翅虎魂师似乎并不能真的飞起来，因为在他右边的翅膀上有一个极大的豁口。

眼看着那黑影就要追上插翅虎魂师了，一道乌光瞬间亮起。唐舞麟距离他们有五十米，此时都感觉全身一寒，那并不是身体上的寒冷，而是来自灵魂深处的寒意。

这是什么武魂？

第二百一十七章
——不死徐愉程——

插翅虎魂师自然也感受到了恐惧，他猛地在空中一翻身，全身白光大放，身上的第三个紫色魂环光芒闪耀。他的身体骤然膨胀起来，毛发表面浮现出一层刺目的金光，然后他突然在空中掉转身形，朝着空中的黑影攻击过去。

远处一片黑暗，插翅虎魂师和那道黑影似乎都被那片黑暗吞噬了。

下一刻，"砰"的一声，插翅虎魂师倒飞而出，狠狠地摔在地上，原本就已经受到重创的翅膀，完全折断了。

黑影从黑暗中缓缓走出，身上的黑雾略微淡了几分，此时唐舞麟他们才看清这个人的样子。

那是一个脸色苍白的少年，相貌也没什么出奇的地方，只是一头灰发比较引人注目。他的眼眸也是灰色的，整个人仿佛来自另一个世界。

他的右手握着一柄巨大的镰刀，镰刀的柄足有三米长，刀刃的长度也超过了一米五。刀刃上有许多暗紫色的花纹，人的目光不自觉地会被吸引，可是一旦仔细去看，就会有灵魂被吸扯进去的感觉。

这是……

灰发少年将手中的镰刀高高举起，一步步走向插翅虎魂师。

"做人留一线！"插翅虎魂师厉喝道。

黑芒闪动，白光消失！

看上去实力相当强的插翅虎魂师竟然就那么被击败了。

直到这时，后面跟上来的两道身影才来到这个灰发少年身边。

"队长好厉害！"一个少年向灰发少年比出大拇指。

灰发少年的表情十分淡漠，并没有什么情绪变化："走。"

唐舞麟他们几乎是屏住呼吸看完了整个战斗过程，眼中全都是震惊之色。

他们震惊不仅是因为这个灰发少年展现出的强大实力，更是因为他身上的魂环。

他的魂环都是黄色的，没有一个千年魂环，但是他有四个魂环啊！

他最多也就十五岁，十五岁的四环魂宗，他们实在想不出形容词来形容他。

可是他如此强大，为什么连一个千年魂环都没有呢？这实在让人无法理解。

史莱克学院果然无奇不有。

"我认识他，他来自明都。"一个低沉的声音在唐舞麟和古月耳边响起，说话的正是杨念夏。

此时的杨念夏眼中光芒闪烁，已经完全没有先前伪装出来的慈厚的感觉，就像是一只遇到危险的野兽，全身都散发着警惕的气息。

"明都？他是谁？"唐舞麟问道。

"他叫徐愉程，在明都非常有名，是日月皇家魂导师学院的学员。在那里，他有个非常响亮的名号，叫'不死'，人称不死徐愉程。他的武魂是暗魔镰刀，也被称为死神镰刀。你们应该注意到了吧，他虽然修为达到了四环，但一个千年魂环都没有，这是因为他的身体不允许。

"暗魔镰刀之所以不是顶尖的武魂，并不是因为它不够强大，而是因为太强大了，以至于会反噬魂师。所以，他的身体其实是很弱的，哪怕修为到了四环，也不敢融合千年层次的魂环。

"可就算只有百年层次的魂环，他也是极为强悍的。他凭借暗魔镰刀武魂在同龄人之中未逢敌手，是日月皇家魂导师学院十五岁以下第一人。之前我没注意其他同学，没想到他也考入了咱们班。

"这下可麻烦了！和他一起的那两个应该也是来自日月皇家魂导师学院的。这个学院的历史也有上万年了，据说，在万年前甚至曾经和史莱克学院对抗过，而且还能不落下风。"

不死徐愉程。

这果然是个非常强大的对手，单是四环层次的魂力，恐怕就冠绝一年级了。

这次比试，他们迟早是要和他对抗的，从刚才的情况来看，想要战胜他绝非易事。

"他真的是太强了，我们恐怕没什么机会。杨兄，你能挡住他的攻击吗？"唐舞麟一脸担忧地问道。

杨念夏想了想，道："短时间内应该可以。我认为，对付他最好的办法就是用范围攻击魂技直接压制他。如果我们遇到他，我在正面挡住他的攻击，古月要尽快施展出冰属性的能力压制他。他的身体弱，遇到冰属性攻击，实力很快就会被削弱，所以我们还是有机会的。舞麟，你是控制系魂师吧？"

"嗯。"唐舞麟点点头。

杨念夏道："那我们的组合其实不错，你来控制，我顶正面，古月争取远程攻击。一起加油吧。"

唐舞麟像是松了一口气，眼中闪烁着敬佩之色，道："我有个提议，杨兄，不如你来当我们小队的队长吧。我们来自东海城，那边实在是有些闭塞，所以我们远不如你见多识广。而且杨兄实力也强，由你来当队长，才能带领我们战胜更多对手。如果最终获得胜利，你就当班长，我们能当上副班长就满足了。"

杨念夏微微一笑，拍了拍唐舞麟的肩膀，道："好说，好说。放心吧，我一定会保护好你们的。"

古月低下头，杨念夏没看到的是，她的嘴角在轻微地抽动着……

唐舞麟心悦诚服地向杨念夏道："杨兄，那我们现在怎么办？"

杨念夏道："我的武魂还可以，恢复速度很快，现在我已经恢复得差不多了。咱们也是时候出去了。班长虽然是生存最久的那一个，但如果是躲藏到最后的，也很难让其他学员信服。毕竟，班长不仅是个名头，还要起到班级的带头作用，所以展现实力还是很重要的。"

"原来如此。"唐舞麟恍然道，"我还以为只要坚持到最后就行呢。"

杨念夏微微一笑："要看到更深层次的东西才行啊。走吧！"说着，他率先向前走去。

唐舞麟轻轻拉了拉古月，让她走在自己前面，跟在杨念夏身后。古月回过头，向他露出一个鄙视的表情。唐舞麟笑了笑，但没有吭声。

他们三人朝着声音最嘈杂的方向悄然靠近。杨念夏走得很小心，不断转变方向，借助较大的树木掩藏自身。

不远处，一道白光亮起，显然又有人离开了这里。杨念夏突然抬起了手，唐舞麟和古月赶忙停下脚步。

前面不远处，走出来七个人，他们显然是一个团队的。

走在最前面的是一个身材高大的少年，他手中拿着一面盾牌，脚下升起两黄一紫三个魂环。跟在他后面的一个男学员非常英俊，身材修长、皮肤白皙，蓝发、蓝眸，举手投足都显得十分潇洒，有种已经融入自然的感觉。

他无疑是这七个人之中最显眼的，一头蓝色长发披散在身后，有种出尘的气质。舞长空也是蓝发，但两人的气质截然不同，舞长空是冷傲男神，但这个少年的脸上则一直带着温和的微笑，仿佛一切尽在他的掌握之中。

哪怕只是从远处看都能感觉到，这个人是这个团队的核心。

在这个少年两侧也是两个少年，他们身形矫健，动作十分敏捷。在蓝发少年身后的正是唐舞麟他们的熟人——许小言。

许小言一脸乖巧的样子，巧笑嫣然地跟在那蓝发少年身后，不时和他在说着什么。

远远跟在唐舞麟他们身后的谢邈此时已经爬上了一棵大树。当他看到远处那队伍中的许小言时，嘴角微微抽搐了一下，喃喃自语："果然是人生如戏，全靠演技啊！"

杨念夏向唐舞麟和古月比了个手势，悄悄地蹲下身体，收敛自身气息，尽可能地不将自己暴露。

竟然出现了一支七人的团队，这恐怕是人数最多的团队了，看他们队伍的组合，还有行进时每个人的位置，分明是一支非常成熟的队伍。

杨念夏转过头，向唐舞麟低声道："竟然有七人小队，这下可麻烦了。魂师小队三个人、五个人、七个人都会产生不同的战术，七个人是最好的组合，进退有度又不冗余。我们先不要和他们碰面，希望他们的团队会被逐渐削弱。"

唐舞麟低声问道："你认识他们吗？那个女孩我是认识的，是和我们一起从天海联盟那边过来的，叫许小言。她的武魂是冰杖，擅长冰属性控制，和古月的能力有点像，但没有古月厉害。其他人我就不认识了。"

杨念夏道："我只是知道中间那个家伙。他非常难缠，恐怕比不死徐愉程还要难缠。"

"哦？"唐舞麟一脸惊讶地看着杨念夏道，"比那个暗魔镰刀还厉害？"

杨念夏摇摇头，道："不是厉害。他的个人战斗力是比不上徐愉程的，但他是控制系魂师，身边总聚集着一群人。他来自天斗城，叫骆桂星，三环修为，是空间元素属性控制系魂师，精神力特别强大，据说已经接近灵海境层次了。我参加入学考试的时候和他一组，这家伙最后获得了九十三分，据说是近五十年来的最高分。以他的能力，就算直接考内院都是没问题的。他的空间类魂技控制能力超强，在有人配合的情况下，会非常麻烦。"

空间系？唐舞麟下意识地看了一眼古月。

第二百一十八章
───班上的第一天才───

元素类魂师本就少见，最基本的四大元素就是水、火、土、风，而光明、黑暗、空间又被称为上三元素，也就是元素类里面最强的。其中，空间系最为神秘，朝着控制系的方向发展，想想都觉得很强。而且骆桂星是单一的空间元素属性控制系魂师，其魂技必然不弱。

"骆桂星也有个绰号，叫'禁锢'。禁锢骆桂星和不死徐愉程可以说是我们这一届最优秀的天才，据说都是被内院内定了的。之前古月帮我击败的那个女孩也很有名，她叫郑怡然，绰号'碧蛇'，是个毒魂师，武魂是碧鳞蛇皇，最擅长混战。一对一她是有点吃亏的，再加上她比较自大，才会被我们打败。对了，你们听说过大陆风云榜吗？"

"大陆风云榜？那是什么？"唐舞麟茫然地摇头，这个他是真没听说过。

杨念夏像是看怪物一般看着他："你不知道？看来，你们东海城的消息果然闭塞。大陆风云榜是由传灵塔发布的一个专门针对我们魂师的排行榜，宗旨是为了促进魂师界发展，促进魂师提升自身修为。大陆风云榜分为多个榜单，主榜单就叫斗罗大陆风云榜，上面记载着最强大的一百位斗铠师。

"子榜单有好几个，包括锻造、机甲设计、机甲制造、机甲修理方面的榜单，还有少年天才榜。少年天才榜被称为斗罗大陆风云榜的后备榜单，凡是能够登上少年天才榜的，只要不出意外，未来一定会成为斗罗大陆风云榜上的存在。

"进入少年天才榜的要求是年龄要在十八岁以下，然后从天赋、实力、第二职业、魂力等级等多方面对其进行评价。少年天才榜上一共记载有三十个人，其中绝大部分都在咱们史莱克学院。十五岁以下上榜的有七个人，其中不死徐愉程排名第十九位，禁锢骆桂星的排名在第十七位，碧蛇郑怡然排名第三十位。"

唐舞麟是第一次知道这个榜单的存在，心中一动，问道："杨兄，你实力这么强，一定也在这七人之列吧。我看，你就比那郑怡然实力强。"

杨念夏呵呵一笑："我也是勉强上榜的，我排在第二十七位，大家都叫我'暗熊'。"

暗熊？

唐舞麟心中暗笑，这位果然是暗熊啊，心思细腻，而且擅长隐藏自己。

"其实这个排名并不是绝对的。你看，徐愉程修为最高，排名却不如修为只有三环的骆桂星。而且咱们班排名最前的还不是骆桂星，十五岁以下上了少年天才榜的，有一个甚至排在了第九名。"

"第九？"这下唐舞麟是真的吃惊了。

那骆桂星可是空间元素属性魂师，竟然还不是全班排名最高的，那那个人该强大到什么地步啊。

杨念夏神情凝重地点了点头："我们这个班据说是史莱克学院外院百年来最强的新生班级。一般来说，史莱克学院的新生班级能有两三个人进入少年天才榜就很不容易了，而我们班有五个。

"最强的那个叫舞丝朵，她有多强我不知道，只知道她来自星罗城，也是四环修为，但不像徐愉程是四个百年魂环，她的四个魂环都是千年的。她被誉为星罗百年罕见的天才，同时她还是四级机甲修理师，可谓全才。这点倒是和你很像，你不也是四级职业者吗？可惜你魂力弱了点，不过二环魂力能成为四级锻造师也挺不容易的。"

古月看着唐舞麟的目光有些异样，她本来对于唐舞麟刻意和杨念夏一起行动有些不以为然，尤其是唐舞麟还把姿态放得那么低。

但现在看来，唐舞麟是对的，至少他们从杨念夏口中对这一届的新生有了较为全面的了解，知道新生中最强的五人都是谁了。

"那舞丝朵有什么绰号吗？"唐舞麟问道，从绰号中多少能够了解一些对方的能力。

"舞丝朵的绰号是'幽冥'，据说她可是个大美女。从她的绰号上来看，我也不知道她的能力是什么。"

幽冥舞丝朵，禁锢骆桂星，不死徐愉程，暗熊杨念夏，再加上一个已经被淘汰的碧蛇郑怡然。

这五个就是新生班级最强的五个人了，全上了少年天才榜。

唐舞麟看向古月，他深信，如果古月展现出全部能力的话，也一定能登上这个少年天才榜，而且排名一定不会低。

古月白了他一眼，但眼中闪过一丝骄傲。

唐舞麟心中暗叹：史莱克，这就是史莱克学院啊！身边每一位同学的实力都比自己强，这样的学习氛围，一定能激励自己更努力地修炼了。

他喜欢这种感觉。

班长他当然想当，但并没有到非当不可的地步，他更希望能够在这场竞选中感受到同学的实力。

现在已经有所收获，而真正的战斗恐怕才开始。

等到骆桂星小队完全不见了踪影后，杨念夏这才起身，带着唐舞麟和古月朝着相反的方向行进。

比试从开始到现在，已经过去了半个小时。

正在这时，天空中突然传来一个洪亮的声音："目前参赛人数剩余四十八人，森林缩小百分之五十。"这声音像是沈熠的。

唐舞麟的耳边还回荡着这个声音，眼前的景物却突然发生了变化，原本的一切都扭曲了。

才过了半个小时就缩小森林？唐舞麟下意识地拉住了古月。

当四周恢复如常时，他们已经出现在了另一个地方。

唐舞麟清楚地看到，面前一下多了很多人。

杨念夏还在他们前面，而且随着光影闪现，在他们面前三十米外正是之前被他们避开的骆桂星小队。不仅如此，在他们左前方还有一个女学员，右前方有两个男学员。

在这不大的区域中，一下就出现了十几个人，这……

第一个反应过来的是骆桂星，他低喝一声："清理战场。"

在他的队伍中，最前面的那个手持盾牌的少年直接朝着距离他们最近的那两个男学员冲去。他一动，七人小队同时行动起来。

"我们跑？"唐舞麟向杨念夏问道。

杨念夏向他摆了摆手："不用跑了，好机会。"

说着，他突然大步朝着左前方那个女学员跑去。

唐舞麟注意到，这个女学员身材高挑，一头棕红色的长发披散在身后。她的皮肤很白，眼睛很大，气质清冷，有种生人勿近的感觉。

看到杨念夏、唐舞麟和古月三人向自己跑过来，她并没有退避，反而迎了上来，也没有释放出自己的武魂，显得非常随意。

"联合对付骆桂星小队。"距离那个女学员不到二十米的时候，杨念夏突然大叫一声。

那女学员愣了一下，双眼微眯，似乎在权衡利弊。

"好！"她的声音十分动听。她立刻转身，看向骆桂星他们，同时朝着骆桂星小队冲了过去。

"准备战斗。"杨念夏向唐舞麟、古月沉声喝道。与此同时，他大喝一声，身体瞬间膨胀。他的武魂已经释放出来了，暗金色毛发涌出，他大步奔向前方。

唐舞麟脚下的两个紫色魂环也升了起来，蓝银草涌出，紧紧跟在杨念夏身后。

古月则在唐舞麟身边，手中一道道青光亮起，分别落在唐舞麟和杨念夏身上，让两人的身体变得轻巧起来。

杨念夏惊讶地回过头来，风属性？

之前她施展过冰元素的能力，现在又施展了风元素的能力，难道她是双生武魂？

不过他只惊讶了一下就专心应敌去了，毕竟他从没听过少年天才榜上有古月这个名字。

两道银光分别出现在那两个男学员的脚下，骆桂星团队最前方的少年突然加速，他手中的盾牌撞击在其中一人身上，但没将对手撞飞，而是将其吸在了盾牌上。

后方，许小言手中冰杖一挥，一道冰矛落在另一个男学员身上，两道刀芒闪过，被盾牌撞击的男学员也化为白光消失了。

从交手到解决，只是经过了几次呼吸的时间。在杨念夏向那个少女提出联合对抗时，这边已经结束战斗了，动作之快，让人叹为观止。

骆桂星始终面带微笑，但在他身体周围银光缭绕，两黄一紫三个魂环光芒闪烁。七人小队在解决了两个对手之后，很自然地掉转身形。前面那个手持盾牌的少年转而面向唐舞麟他们这边，对准了冲在最前面的少女。

一道银光悄无声息地出现在少女脚下，这次唐舞麟看清楚了，在那少女身边，空间突然扭曲起来，仿佛在向内压缩。

第二百一十九章
幽冥舞丝朵

空间锁，骆桂星第一魂技。

先前他就是凭借这强大的禁锢能力控制住那两个男学员的。他这空间锁，只能出现在固定的位置，所以需要他做出精准的预判，很显然，他在这方面非常擅长。

空间锁刚好出现在那个少女向前冲的必经之路，以少女的冲势，应该是无论如何也避不开的。

但就在这时，奇异的一幕出现了，那个少女的身体突然变得虚幻了，然后在场所有人的瞳孔骤然收缩了。

一个、两个、三个、四个，整整四个魂环从那少女脚下升起，而且都是紫色的千年魂环。

"舞丝朵！"在场的学员中超过一半惊呼出声，这其中也包括唐舞麟。

才听说这个天才少女的名字，没想到这么快就见到了，同时唐舞麟也判断出，杨念夏一定是认出了舞丝朵，所以才会选择和对方合作。

骆桂星团队虽然是非常规整的多人小队，但是，唐舞麟他们有一个拥有四个紫色魂环、少年天才榜排名第九位的舞丝朵，再加上排名第二十七位的暗熊，未必就没有机会获胜。

魂师即便处于同一等级，实力依旧是天差地别的。能够就此解决掉威胁最大的骆桂星小队，同时还能和舞丝朵建立联系，可谓一举两得。

舞丝朵的身体就像是没骨头一般，在空中轻轻一扭，整个人在刹那间变得虚幻起来。

在她身上，也出现了黑暗的气息，但她的气息和不死徐愉程的那种黑暗气息不同，她身上的气息更加轻灵，显得十分奇异。

身形闪烁了几下之后，她的速度突然加快了，宛如一道闪电，眨眼间就到了骆桂星小队的前面。

骆桂星小队中大多数人都不是第一次配合，那个手持盾牌的少年非常沉稳，身上的第三魂环几乎瞬间就亮了起来。

奇异的一幕出现了，原本快速奔跑、直扑骆桂星的舞丝朵像是被什么东西吸引了一般，在冲锋过程中方向突然出现了变化，直接冲向了那个手持盾牌的少年。

千年魂环技，牵引！

能够瞬间吸引一个对手冲向自己，并且持续十秒，对于防御系魂师来说，这根本就是逆天的神技。

果然能够考入史莱克学院的人，没有一个人是简单的。

一切都是在电光石火间发生的，舞丝朵瞬间到了手持盾牌的少年面前。

"当！"脆响声中，令众人震惊的一幕出现了。

防御系和控制系魂师对敏攻系魂师都有一定的克制力，可眼前发生的一幕，让人不得不张大了嘴。

双方碰撞的一瞬间，那个手持盾牌的少年脸色瞬间变了，然后他连人带盾牌飞了出去。

舞丝朵身上的第一魂环收敛，第二魂环紧接着闪耀起来。她就像一只灵活的猫一般蹿了起来，瞬间无数爪影闪耀，覆盖了骆桂星的团队。

以一己之力，硬撼对方一个团队，这就是史莱克学院外院一年级的天才少女舞丝朵。

两个原本扑向她的敏攻系魂师只能匆忙地挥动他们的利刃，抵挡那些爪影。

但是，修为上的差距实在是太大了，两个敏攻系魂师几乎是同时喷血后退，露出了后面的骆桂星。

但就在这时，一圈旋涡状的银光在舞丝朵面前骤然绽放，舞丝朵的那些爪影仿佛在瞬间被吞噬了，消失在了那银光中。同时，身在空中的她，身体不受控制地向那银色旋涡跌去。

舞丝朵娇喝一声，身体变得更加虚幻了，与此同时，她那仿佛已经透明的身体突然迸发出难以形容的锋芒。

她双手在头顶上方合拢，一把巨大的黑色光刃凭空出现，然后从天而降，悍然斩在那银色旋涡之上。

"轰——"旋涡消失，那黑色的光刃也随之支离破碎。

骆桂星闷哼一声，后退两步，但就在这时，一道道白光从他后方亮起，分别落在他和那两个被震飞的敏攻系魂师身上。

得到辅助后，三人的气息恢复了几分，远处一道牵引之力再次落在了舞丝朵身上。那个手持盾牌的少年此时已经冲了回来，再次挡在了队伍前面。

这就是团队的力量，舞丝朵虽然爆发力惊人，但面对一个团队还是有些吃力的。骆桂星阻挡了她最强悍的连击之后，团队的联合作用开始展现出来了。

一圈冰轮精准地出现在她头顶上方，刺骨的寒意弥漫开来。冰轮在空中化为一丝丝蓝光，让舞丝朵的动作随之迟缓了一下。

许小言现在确实只有两个魂环，但一点也不影响她的控制力。这几年她一直非常努力地修炼，唯恐被自己的伙伴们落下。虽然她在白天不能施展星轮冰杖，但她逐渐将冰杖所拥有的魂技融会贯通，再通过不俗的精神力对魂技进行操控，使魂技的威力更强了。

在对方的防御系魂师和许小言的控制之下，舞丝朵此时的感觉就像是陷入了泥潭。她又刚好发动完一轮攻击，还没有缓过气来，一时间，情况有些不妙。

正在这时，一根晶莹剔透的蓝色藤蔓悄然缠住了她。那藤蔓猛地一动，一股巨大的拉力传来，虽然没能将她一下拉回去，但也让她的身体没被对方吸过去。

一声大喝响起，一个巨大的身影挡在了舞丝朵的面前，这个身影正是杨念夏。突然，他猛地抡起双拳，狠狠地砸在了地面上。

四周瞬间飞沙走石，落在舞丝朵身上的控制都消失得无影无踪了。

大片的冰锥横空飞出，从空中覆盖而下，笼罩着骆桂星等人。舞丝朵身上一轻，腰间一紧，已经被拉到了一旁。

舞丝朵只觉得身上一暖，撞入了一个温暖的怀抱之中。她下意识地扭头看去，看到的是一张非常帅气的面庞。

是他……

她当然认得出，这个人就是刚刚被老师定下来的锻造委员唐舞麟。

"我送你过去。"唐舞麟目光始终注视着骆桂星等人。他双手搂住舞丝朵的腰，身形半转，再猛然发力，顿时，舞丝朵如同腾云驾雾一般飞入空中。

整个过程说起来慢，实际上是在电光石火间发生的。

唐舞麟马上跟了上去，同时身上第二魂环闪烁。蓝银突刺阵随着天空中的冰锥雨迸发而出，向骆桂星他们覆盖过去。

他们几个人终于开始配合了。正面的暗熊杨念夏如同推土车一般冲向对方，身上魂环光芒交替闪耀，暗金色毛发迸发出夺目光彩，直向对方已经回到正面位置手持盾牌的防御系魂师撞去。

防御系魂师的牵引之力落在他身上他还巴不得呢。

这个时候，作为团队核心的骆桂星展现出了惊人的掌控力。

眼看着杨念夏就要撞到那个防御系魂师身上的时候，突然银光一闪，那防御系魂师凭空消失了，杨念夏这一撞顿时落在了空处。

与此同时，两个敏攻系魂师已经从两侧绕出，分别冲向了杨念夏身后的唐舞麟和古月。

第二百二十章
双生武魂舞丝朵

　　杨念夏的能力无疑是克制敏攻系魂师的，就算防御系魂师也未必能够挡得住他。那手持盾牌的防御系魂师再次出现的时候，杨念夏已经到了骆桂星身边。

　　骆桂星眼中银光大放，身上的第一、第二两个魂环同时亮起，然后又是一道银光闪烁，直接落在了杨念夏身上。

　　空间系魂技最强悍的地方就在于其攻击往往让人无法闪避。杨念夏眼前一花，已经被传送到了十五米开外，同时他身上一紧，中了对方的空间禁锢。

　　或许，这短距离传送加空间禁锢只能控制住他两三秒时间，但对于处在对抗中的人来说，两三秒钟有的时候足以决定场上的胜负。

　　杨念夏被传送走，唐舞麟和古月面前没有遮挡了，两个敏攻系魂师立刻将自身实力都发挥了出来。一秒之内，他们就已经冲到了唐舞麟和古月面前。

　　而另一边，骆桂星身边的防御系魂师大喝一声，将手中盾牌立起，挡在骆桂星头顶上方，疯狂地输出自身魂力，化为盾墙护住了骆桂星和许小言。

　　在他们三人身后，团队的另外两个魂师，其中一人双手翻天，一大群火鸟瞬间冲天而起，配合盾墙试图挡住舞丝朵。

　　而另一人就是先前为团队其他人补充了能量的辅助系魂师。他身上一道道白光闪烁，白光所过之处，所有团队成员的魂力似乎都有了提升。这是一个非常强大的辅助能力——魂力增幅，而且是按比例增幅的，这种魂技在一个七人团队中，无疑能够起到巨大的作用。

　　骆桂星脸上的微笑已经收敛了，此时的他显得异常冷静，眼中闪烁着睿智的光芒。

　　毫无疑问，以舞丝朵和杨念夏为首的这个四人团队，是目前为止他遇到的最强的对手。但是，他对自己依旧信心十足，因为他并不是一个人战斗，他拥有一个团队。

他一直认为个人的力量是有限的，团队的力量才是无穷的，而对于一个团队领袖来说，如何能够将一个团队的实力完全发挥出来，才是最重要的，所以他一直在掌控着全场。

天空中的冰锥被大量的火鸟消除了，地面上升起的蓝银草也被防御系魂师在使用盾墙之前，用大地掌控的能力勉强挡住了。

杨念夏被传送走，是骆桂星对整个局面判断的重要一环。舞丝朵无疑是最难对付的，但骆桂星很有信心，以团队的力量还是能够战胜她的。现在他要做的，就是削弱对方的实力，扩大自身的优势。

所以，他们首先要对付的就是对方修为最低的两个人，然后再全力对付和自己一样，在少年天才榜榜上有名的杨念夏和舞丝朵。

蓝光一闪，一根蓝银草藤蔓悄无声息地缠在了古月腰间。唐舞麟用力一拉，古月和他贴合在了一起，然后他又一次发动了蓝银突刺阵，同时身体下蹲，带着古月一起用蓝银突刺阵来打掩护。

冲向唐舞麟和古月的两个敏攻系魂师都很厉害，感受到脚下的蓝银突刺阵后，他们几乎是同时高高跃起，可是下面的蓝银草太过密集，他们已经看不到唐舞麟和古月的踪影了。

另一边，杨念夏已经从骆桂星的控制中挣脱出来了，他咆哮着再次冲向骆桂星他们。

而天空中的舞丝朵，终于展现出了她的强大实力。她摇身一晃，身上第四魂环闪烁，整个人突然一分为三，分别出现在空中三个不同的方位。

三道身影看上去都是透明的，同时向下方俯冲。

与此同时，她身上的第二魂环也亮了起来，和第四魂环交相辉映，漫天的爪影甚至要比升空而起的火鸟还多。

硬碰硬！

这姑娘明明以速度见长，没想到她居然又一次选择了硬碰硬的战斗方式。

一连串的轰鸣声在空中响起，骆桂星脸色微变，他知道，在修为上，舞丝朵的优势太明显了。

释放出火鸟的魂师和防御系魂师同时闷哼一声，身形晃动了一下，但在辅助系魂师的增幅下，总算是勉强顶住了舞丝朵这全面爆发的一轮攻击。

银色旋涡重现，能够抵挡住舞丝朵的，也只有骆桂星这个千年魂环技了。

但是，就在那银光刚刚出现的一瞬间，舞丝朵身上的第二、第四两个魂环光芒突然收敛，取而代之的是闪耀的第一魂环。她的速度骤然加快，在空中化为一道流光，径直向那个辅助系魂师冲去。

幽冥突刺！

这才是她真正的目的，自始至终，她都十分冷静。

但就在这个时候，一根锋利无比的冰矛突然从旁边射来，刚好处于幽冥突刺的必经之路。

冰矛异常凝实，上面蓝光闪耀，毫无疑问，被它命中绝不是一件舒服的事情。舞丝朵如果要连续施展几个魂技闪避，自身魂力必然会受到影响。

骆桂星甚至想向身后的许小言竖起大拇指了。

虽然许小言的修为只有二环，但在今天这场争夺班长的战斗中，她已经不止一次展现出她的实力了。她总能在最合适的时候出手，根本不需要骆桂星指点，就能和同伴们配合得天衣无缝。可以说，她在团队中起到了重要的作用，因此才能在这么短的时间内以二环修为得到其他伙伴的认可。

但是，也就在这时，所有人都没想到的一幕出现了。

舞丝朵嘴角露出一丝冷笑，面对那锋利的冰矛，她竟然不闪不避。她身上的四个紫色魂环突然消失，然后出现了一个紫色魂环，同时全身迸射出一道刺目的白光。她的身体瞬间膨胀了几分，接着一层白色毛发覆盖在她全身。

眼看着冰矛就要落在她身上，那个紫色魂环瞬间闪亮。舞丝朵反手一拍，一下将冰矛拍得粉碎。

同时她轰然落地，一掌拍在那个辅助系魂师的头顶。白光一闪，辅助系魂师结束了这场比拼。

"双生武魂！"骆桂星脱口而出。

是的，在那一瞬间，舞丝朵突然从原本的四个魂环切换到一个魂环，并且武魂大变，这种情况只有一个可能，那就是，她拥有双生武魂！

幽冥舞丝朵竟然是双生武魂？知道这件事的人绝对不多。

不仅骆桂星大吃一惊，杨念夏也骇然。难怪人家排名那么高，原来她还有双生武魂啊。

落地之后的舞丝朵没有闲着，她全身覆盖着一层金灿灿的光芒，虽然此时只有一个魂技，但是她的修为可是达到了四十级的，这可相当于一个第四魂环的威能啊！

她强悍地冲向那个释放火鸟进行远程攻击的魂师，丝毫不惧对方的火鸟攻击。

间不容发之际，银光一闪，那个远程攻击魂师被骆桂星出手救走了，然后出现在了另一侧。但是，骆桂星毕竟也只是一个三环魂师，他的能力是有限的。这边他出手救了同伴，就顾不上防御另一边冲上来的杨念夏了。

手持盾牌的防御系魂师只能咬牙迎上去，盾击！

第二百二十一章
——自体武魂融合技——

　　杨念夏之前被骆桂星传送开了，那种发不出力的感觉让他非常难受，此时好不容易近了对手的身，哪里还会手下留情。

　　"轰——"

　　盾牌支离破碎，防御系魂师直接被撞飞了。而就在这时，一根蓝银草悄无声息地缠在了这个防御系魂师的腰间，将被击飞的他重新拉了回来。

　　杨念夏补上一拳，使其化为白光消失在空中。

　　之后，杨念夏回头看去，发现不知道什么时候，唐舞麟和古月站在了他的身后，而那两个属于骆桂星团队的敏攻系魂师已经消失了。

　　他们干掉了那两个人？

　　杨念夏心中十分惊讶。唐舞麟不过是一个二环的控制系魂师，真的能控制住那两个三环的敏攻系魂师吗？这可是史莱克学院啊，没有一个人的实力是弱的。

　　不过，在这紧张的时刻，他也只能是产生这么一个念头罢了，毕竟大家暂时还是同伴。

　　两个队员先后离开，再加上两个敏攻系魂师落地后莫名其妙地消失了，骆桂星的脸色已经变得难看起来了。但他依旧没有放弃，一个银色旋涡以他的身体为中心骤然向外迸发而出。这次旋涡产生的不再是吸引力，而是强大的排斥力。

　　无论是后方冲上来的舞丝朵，还是前方正面硬冲的杨念夏，都被这股排斥力挡住了。

　　"我们走！"骆桂星身上银光大放，在旋涡之中，许小言、火鸟魂师一起隐入，眼看他们就要被传送离开了。

　　正在这时，骆桂星身体周围的银色光芒变得紊乱起来，空间旋涡之中仿佛有什么东西被打乱了。

不好！

空间的力量是可怕而神秘的，但最怕的就是其脱离掌控。其他元素脱离掌控无非就是元素紊乱，只要释放出来就好了，但空间属性力量失控后，想要摆脱它谈何容易。

原本应该带着他们传送离开的空间能量突然爆开，天空中出现了一道道裂痕，那恐怖的能量波动吓得杨念夏和舞丝朵掉头就跑。

骆桂星不甘地怒吼一声，下一刻，他的身体已经被那空间之力吞噬了。

和他一同被吞噬的还有那个火鸟魂师。

实际上，这是骆桂星大意了，因为他的精神力和魂力的消耗都很大，导致他对空间的掌控出现了一些问题。

身影一闪，一个人落在地上。

她毫不犹豫地举起双手，高声喊道："我投降，我投降了！你们谁赢了我就跟谁。"说话的正是许小言。

骆桂星团队在短时间内被击败，七人只剩一人了。舞丝朵神情不变，杨念夏虽然松了一口气，但他的双眼依然紧紧地盯着舞丝朵。

不计算许小言的话，他们现在面对舞丝朵是三对一，而先前在对抗骆桂星团队的过程中，舞丝朵是出了大力的。她连续使用强大的千年魂技，加上切换第二武魂再用魂技，就算是四环修为，消耗绝对也不小。

现在正是最好的时机啊，只要能够战胜舞丝朵，那么他成为班长基本上就是板上钉钉的事情了。

舞丝朵双眼微眯看着杨念夏，身上金光闪烁，丝毫没有要离开的意思。

"机不可失！"杨念夏大喝一声，然后悍然朝着舞丝朵冲了过去。

他很清楚，如果让舞丝朵恢复过来，以舞丝朵四环实力，就算是他加上唐舞麟和古月，都未必是她的对手，现在趁着对方虚弱将其战胜，才是最重要的。

在冲向舞丝朵的时候，他还不忘向地上的许小言道："我们人多，跟我们。"

许小言不过是二环修为，他还真没将她看在眼中。不过为了保险起见，利用一切可以利用的资源，哪怕只是牵制一下舞丝朵也行，他还是没有放弃拉拢许小言。

但是，他没有注意到的是，当他扑向舞丝朵的时候，唐舞麟和古月都没有动，只有坐在地上的许小言答了一声"好"，像是答应了他的要求，可她手中的冰杖甚至都没抬起来。

"轰——"

两个身影猛地碰撞在了一起。

不得不说，暗金熊武魂的力量确实惊人，而拥有敏攻系武魂的舞丝朵和他碰撞在一起，瞬间被撞击得倒退数步。

杨念夏信心大增，身上的暗金色光芒更耀眼了，第三魂环光芒闪耀，他的身体骤然膨胀到三米高。他可没有丝毫怜香惜玉之心，抡起双臂，狠狠地向舞丝朵砸去。

就在这时，舞丝朵的身体突然变得轻灵起来，黑色光芒重新出现在她身上。

武魂切换？

杨念夏眼中闪过一丝喜色，他一点都不怕舞丝朵切换回原来的四环武魂。从先前的战斗中，他已经看明白了，舞丝朵的第一武魂是敏攻系的，虽然威力大，但消耗也不小。现在她已经消耗这么多魂力了，还怎么跟他拼？

暗金熊武魂除了力量惊人之外，防御力也是超强的，杨念夏对自己很有信心，他相信舞丝朵是破不了他的防御的。

自己这边还有唐舞麟和古月辅助，战胜她应该不困难。

就在杨念夏面露喜色、认为胜利在望的时候，突然舞丝朵的身上出现了奇异的变化。

她身上虽然出现了那层黑色光芒，但原本的金色光芒也没有消失，两者重合在一起，一层奇异的光芒骤然从她体内迸发出来。

不仅如此，她身上的白色毛发似乎变得晶莹剔透了。她一弯腰，顿时化为一只奇异的白虎。

"这是什么？"杨念夏的眼神呆滞了，这种情况是他闻所未闻的。

这不可能是武魂真身啊！就算她的武魂是白虎，武魂真身也要七环魂圣级别的强者才能施展，她才不过是四环魂宗，怎么可能……

他的念头只是一闪而过，那只身长超过五米的幽冥白虎已经一跃而起，一爪拍击在了他身上。

杨念夏根本没办法闪避，瞬间化为白光消失在半空之中。

唐舞麟和古月看到这一幕，都露出了惊骇之色。

"这是……自体武魂融合技？"

武魂融合技是指两个魂师武魂的契合度极高，在彼此接触的时候，武魂相互融

合产生的强大威力。就像当初唐舞麟和古月面对的那对双胞胎姐妹，她们就是在局势不利于她们的时候，凭借武魂融合技瞬间扭转了战局。

而此时舞丝朵所展现出的能力和武魂融合技极其相似，可是此时她的身边并没有能和她一起施展武魂融合技的伙伴啊。

唐舞麟只能想到一种可能，那就是她施展的是自体武魂融合技，也就是说，舞丝朵自身的双生武魂相互融合，形成了一个武魂融合技。

自己施展武魂融合技的消耗无疑比和别的魂师一起施展武魂融合技的消耗更大，但那毕竟也是武魂融合技，威力不容小觑。

杨念夏的防御力那么强都被她瞬间击败了，其他人就更不用说了。

"走！"唐舞麟毫不犹豫地道。

古月瞬间反应过来，银光一闪，带着唐舞麟瞬间没入森林中消失不见。

他们当初吃过武魂融合技的大亏，这种时候，怎么会正面和舞丝朵硬拼。

果然，在他们消失的那一瞬间，一道黑白双色光芒掠了过来，下一秒，幽冥白虎出现在了他们之前所处的位置上。

"我投降！"坐在地上的许小言高举双手，毫不犹豫地道。

幽冥白虎在下一瞬变得虚幻起来，光影一闪，舞丝朵现出了真身。

她的脸色显得有些苍白，但站在那里，依旧有种王者气概。

她刚才用实力证明了，在这个班级，她是当之无愧的第一强者。她不仅有四个紫色千年魂环、双生武魂，还有在斗罗大陆上从未出现过的自体武魂融合技。这个年龄阶段的魂师拥有其中一项就很了不得了，更别说她全部拥有了，难怪还不到十四岁的她能够在少年天才榜上排到第九位。

"你，你没事吧……"许小言试探着问道。

舞丝朵转过身，瞥了她一眼，冷冷地道："我现在很虚弱，魂力已经消耗殆尽了。你现在动手正是时候，来吧。"

许小言连连摆手："怎么会，我是乘人之危的人吗？我才不会那样对你呢。我说了投降，我就是你的人了啊！"

看着她一脸笑意、毫无城府的样子，舞丝朵皱了皱眉，原地坐了下来。

"那你为我护法，我要冥想了。"说着，她真的闭上了眼睛。

这下轮到许小言傻眼了，心中暗想，我这戏是不是演得有些过了啊？

远处，唐舞麟和古月在树林之中正好看到了这一幕。

古月皱眉道："现在怎么办？"

唐舞麟微微一笑："不急，刚刚这边的战斗有这么大的动静，应该会吸引其他人过来的，我们在这里等机会就是了。舞丝朵的自体武魂融合技虽然强，但消耗一定是巨大的，她现在对我们已经构不成威胁了。有她在这里吸引其他人过来，我们的机会也会更多。而且，她既然敢这样明目张胆地坐下冥想，或许还留有后手。我们与其冒险，不如在这里等下去，让别人来试探她的后手是什么。"

古月摇了摇头："等下去我愿意，但是我不希望她被打扰。"

唐舞麟惊讶地看着她，问道："为什么？"

古月淡然道："我要和最强状态下的她战斗。"

唐舞麟笑了："你啊，还是那么要强。好吧，那我们就为她护法。"

"你们俩心真大，让我现在去解决她，不是正好吗？"谢邀不知道什么时候已经到了他们身边，事实上，他一直都隐藏在暗处，悄然看着战场上发生的一切。

唐舞麟摇摇头，道："不，我刚刚想明白了，古月是对的。如果我们趁着舞丝朵虚弱的时候击败她，她会心服口服吗？那是不可能的，其他学员同样也不会心服口服。在史莱克学院，想要当班长的话，实力还是第一位的。只有展现出足够强大的实力，才能让其他学员服气。所以，舞丝朵是我们必须要光明正大战胜的对手。但是古月，你要答应我一件事。"

"什么？"古月问道。

唐舞麟道："我知道你不服气，但是不可否认的是，拥有四环修为并且有自体武魂融合技的舞丝朵，在个人实力上确实是在我们之上的，想要战胜她十分困难，所以，让我们共同应战好吗？"

古月笑了笑："我们的对手不仅是她。舞麟，班长对你重要吗？"

唐舞麟愣了一下，心中微动，然后笑了："我懂了，谢谢你的提醒。接下来让我们共同面对！"

"队长，你为什么把我排除在外啊？"谢邀没好气地道。

唐舞麟低声向他说了几句，谢邀歪头想了想，道："有道理。好，我没问题。嘿嘿，你记得补偿我就好。"

唐舞麟向他翻了个白眼："就算没这事，还能缺了你的吗？"

森林里渐渐变得安静下来，出乎唐舞麟意料的是，周围并没有再出现其他人。

"现在只剩下十二个人了，森林缩小。"沈熠的声音再次响起。

周围光线再次发生变化，当一切重新变得清晰时，唐舞麟、古月、谢邀、许小言，以及坐在地上冥想的舞丝朵都出现在了同一个区域。

他们依旧是在森林之中，但四周的环境显得有些怪异。

周围是茂密的大森林，但他们所处的直径百米左右的圆形区域没有树木，地上长满了蓝银草，就像是一个巨大的擂台。

在这个区域之中，正好有十二个人。

唐舞麟他们四个加上舞丝朵在一边，而在他们左前方有三个人，为首的一人手持暗魔镰刀，正是不死徐愉程。另外一边的四个人全身是血，魂力波动很微弱。

唐舞麟恍然大悟，难怪先前他们没有等到其他人过来，原来整个森林里只剩下十几个人了，其中还有四个受了重伤。

徐愉程是第一个发动攻击的，他如一道闪电，直扑那四个重伤的学员。他的两个同伴也紧接着飞射而出，看得出，他们的体力和魂力都消耗不大。

徐愉程的两个同伴并没有冲向那四个受了重伤的学员，而是面对着唐舞麟他们，准备从侧面掩护徐愉程。

他们这个班共有一百零一人，战斗进行到现在，只剩下他们这十几个人了，即将展开的将是最终的决斗。

唐舞麟和伙伴们都没有动，只是默默地看着徐愉程冲过去。

那四个学员显然没有什么招架之力，在暗魔镰刀的攻击下，纷纷化为白光消失了。

现在只剩下八个人了，对方只有三个人，而唐舞麟他们这边有五个人。

唐舞麟的双眸一直紧盯着徐愉程。

这场比拼进行到这个时候，计谋已经不再重要了，现在要拼的就是实力。不展现出自己的实力，如何服众。

徐愉程也转了过来，面容冷峻地看向唐舞麟，缓缓地举起了自己的暗魔镰刀。

他的两个同伴也都释放出了自己的魂环，当他们看到唐舞麟身上只有两个魂环时，嘴角不禁露出了讥讽之色。

古月走在唐舞麟身后，谢邂跟在唐舞麟身边，在谢邂后面是许小言。

双方都没有说话，谁都知道，这将是决战。

至于坐在地上的舞丝朵究竟是什么状况，徐愉程不清楚，在他心中，就只有击败对手这一个选择。

"你节省魂力。"唐舞麟扭头向古月说，"徐愉程交给我。"简单的六个字，却显示出了唐舞麟此时极强的自信心。

从进入这个大森林后，为了团队，为了自己的伙伴，他始终没有展现出真正的实力，所以即便到了现在，他依然处于最佳状态。

他并不是不想战斗，他也想展现自己的实力，但他不能，因为他要为整个团队考虑。

但到了现在，他已经不需要顾忌了，他想看看，自己和这些少年天才榜中的人相比，究竟有多大的差距。

古月的问题让他从队长的角色中走了出来，班长重要吗？和能够与同龄人中的强者决战相比，当班长又算得了什么？

两道灰色身影突然变得虚幻起来，从徐愉程两侧围了过来。他们两个都是敏攻系魂师，那徐愉程无疑是强攻系魂师。

第二百二十三章
最终碰撞

古月突然停下了脚步，没有再跟上去，她对唐舞麟充满信心。是的，她不打算出手帮唐舞麟对付徐愉程了。

这也正是唐舞麟希望的，他要一对一，对战四环魂师徐愉程。

毫无疑问，在所有新生中，要论个人实力，徐愉程恐怕仅次于舞丝朵。他的大局观或许不如骆桂星，但个体实力一定是在骆桂星之上的。

舞长空一直教导唐舞麟他们，要不断与真正的强者对决才能更好地激发自身的潜能。

对于唐舞麟来说，面对徐愉程绝对是一个巨大的挑战。

古月此时已经转过身，看向了盘膝坐在那里的舞丝朵，然后自己也盘膝坐了下来。她要用自己最好的状态迎战舞丝朵。

只要能够和强者较量，就算失败又何妨？只有和这样强大的对手较量过，才能真正成长。

此时他们都选择了自己的对手，胜负对他们而言已经不再重要，重要的是过程。

谢邈身上金光一闪，全身散发着光明的气息。然后他摇身一晃，分出一道身影，扑向一边的灰色身影，分明是要以一敌二。

许小言闭着双眼，举起手中的冰杖，轻微地挥动了一下，嘴里似乎在念叨着什么，但她并没有释放魂技。

左侧的灰色身影突然变得凝实起来，他的武魂是一对暗银色的钢叉，前端锋锐，可以锁各种武器。

双叉猛地在空中一转，顿时，一圈灰色光晕释放出来，向谢邈套去。

他不是敏攻系魂师，而是控制系魂师！谢邈第一时间做出了判断。

谢邀眼看就要落入那灰色光晕之中了，突然，他的身体晃动了一下，奇异地离开了光晕的范围。与此同时，金光一闪，他手中的光龙刃已经到了对方脖子的侧面。

唐门绝学，鬼影迷踪步！

另一边，谢邀的分身也是身形闪烁，施展出了鬼影迷踪步，缠向对方。

蔡老那天的批评他是用心听了的，他凭借着光龙分身和影龙分身，可以同时分出六道身影，甚至可以同时攻击六个目标，但是，他根本没办法同时控制好六道身影，这有修为不够的原因，也有精神力不够的原因。

那天听了蔡老的话之后，谢邀仔细思考了这个问题，也进行了尝试。他发现，以他现在的修为，同时控制两道身影已经是极限了，尤其是在施展鬼影迷踪步的时候。

但同时控制两道身影并且施展鬼影迷踪步，不仅可以让他很好地控制分身，甚至对他提升精神力都有好处。

此时施展两道分身，他只用了光龙刃，甚至连魂技都没有用，而是全心全意地施展鬼影迷踪步缠住对手。

那两道看上去很快的灰色身影果然都是控制系魂师，他本以为，自己对付敏攻系魂师不成问题，更别说还是施展了分身的敏攻系魂师。可谁知道，对手不但速度奇快，而且步法极为诡异，一时之间，还真的被对方给缠住了，无法脱身。

看着走向自己的唐舞麟，徐愉程站在那里一动不动，脸上始终没有露出任何表情，看上去就像是来自冥界的使者。

他面色苍白，目光森冷，手中的暗魔镰刀散发出淡淡的黑色气流。

一根根蓝银草随着唐舞麟的行进从他脚下冒出，朝着四面八方蔓延开。小草蛇金光盘绕在他的手臂上，一双金灿灿的眼眸盯着徐愉程。

不断进化让金光看起来已经没有了残次品的样子，此时它全身覆盖着金色的鳞片，通体晶莹，眼中也多了几分灵动。

就在两人相距十米的时候，唐舞麟动手了。一根根蓝银草宛如一条条蓝色的蟒蛇，直奔徐愉程扑去，唐舞麟自己也脚下发力，冲向对手。

徐愉程双眼微眯，暗魔镰刀在身前悄然划过，一道漆黑如墨的光晕荡漾开来，斩向扑向自己的蓝银草。

那一根根蓝银草就像是活过来了一般，突然紧贴地面，避开了那些黑色光晕。

那黑色光晕转眼到了唐舞麟面前，如果仔细听甚至能听到空气中传来的"哧哧"声。

唐舞麟没有闪避，右手突然抓出，金色利爪出现，和那黑色光晕碰撞在了一起。

黑色光晕瞬间被撕开了一个缺口，在空中开始溃散。唐舞麟一步跨出，一跃而起，向徐愉程撞去。

第一魂技，发动。

地面上的蓝银草随之升起，向徐愉程缠绕而去。

徐愉程终于动了，他闪电般飞起，手中的暗魔镰刀在空中幻化出一道道虚影，刹那间，就像是有无数黑色光芒以他的身体为中心爆发开来。

一根根蓝银草在空中断开，而那分散的黑色光芒又突然向内收缩，冲向唐舞麟的身体。

巨大的压力从四面八方袭来，暗魔镰刀以攻击力著称，一旦被其命中，结果可想而知，但唐舞麟不能后退。通过对徐愉程的观察，唐舞麟发现，徐愉程战斗的时候很重视气势，一旦气势被徐愉程压制住，再想要战胜他可就困难了。

唐舞麟一声大喝，身上的两个紫色魂环突然变暗了，一个金色魂环随之出现。

激昂的龙吟声响起，他全身被笼罩在强盛的金色光芒之中。

他的金龙爪和金龙鳞片都变成了灿金色的，在那一瞬间，就连小草蛇金光身上的光芒都变得强盛起来。

黄金龙体！

唐舞麟的双手在身体周围猛地一转，他的气血之力瞬间爆发，刹那间，他就像是一颗小太阳，在空中绽放出了夺目的光彩。

那一道道黑色的光芒仿佛遇到了一个金色旋涡，顿时变得扭曲起来，在唐舞麟双手的带动下偏离了原本的轨迹。

唐门绝学，控鹤擒龙！

与此同时，唐舞麟双眸之中，紫光瞬间绽放。

身在空中的徐愉程已经高高举起了暗魔镰刀，并且幻化出了巨大的黑色光影。此时他身体一滞，原本已经闪耀着的第三魂环突然变暗了。

唐舞麟身下的一根蓝银草突然变成了金色，它在地面上一撑，猛地将唐舞麟托起，让他从那黑色的光芒中穿出。

黑色光影掠过唐舞麟的身体，留下了一道道伤痕，但绝大部分威力都被黄金龙体挡在了外面。

暗魔镰刀是长兵器，近身攻击时无法释放出太大的威力。唐舞麟瞬间追到了徐愉程身前，金龙爪直接朝着徐愉程当胸抓去。

徐愉程此时已经从紫极魔瞳的精神冲击中恢复过来，面对已经到了近前的唐舞麟，依然不动声色。

徐愉程右手一松，暗魔镰刀自然向下滑落，然后他又迅速抓住暗魔镰刀的刀刃向下一挥，正中唐舞麟的金龙爪。

第二百二十四章
千钧破镰

"当！"脆响声中，一层黑色光芒顺着金龙爪向唐舞麟身上蔓延，而徐愉程则是身体后仰，借力倒飞。

不过，他倒飞出去的时候，身形明显有些不稳，显然是低估了唐舞麟的力量。

一旦被拉开距离，凭借着暗魔镰刀强大的威力，唐舞麟就很难再有机会了，毕竟唐舞麟无论是在速度还是在攻击力上都不占优势，魂力修为又远远低于对手。

此时发动蓝银草缠绕已经来不及了，而且徐愉程有暗魔镰刀护体，蓝银草的缠绕技能是不可能作用在他身上的。

其实，徐愉程现在心中也很吃惊，不过他吃惊的是唐舞麟的力量。

虽然唐舞麟身上出现过奇异的金色魂环，但无论怎样，他也就两个魂环，也就是说，魂力修为只有二环。

刚刚的碰撞徐愉程对自己是很有信心的，虽然是借力拉开距离，但同时，他准备将唐舞麟劈飞再补上一刀。

可是，唐舞麟身上爆发出的力量完全超出了他的想象，在这种近距离碰撞的情况下，吃亏的居然是自己，而且他还差点控制不住自己的身体。

可惜，唐舞麟一定认为自己擅长的是长兵器，其实暗魔镰刀不仅可以远距离战斗，也可以化为短兵器使用。

虽然唐舞麟能够在短时间之内通过爆发达到和他同层次的战斗力，但一定无法持久。

这些念头在徐愉程心中瞬间闪过，他的判断不可谓不精准。可惜，他不知道唐舞麟此时和他想的截然不同。

距离吗？

唐舞麟没有尝试发动蓝银草去缠绕他，而是再次挥出了金龙爪。

蔓延在金龙爪上的黑色光芒在黄金龙体强大的气血之力的冲击下瞬间溃散，与此同时，金龙爪挥出的瞬间，五道暗金色光芒在空中一闪而没。

这一幕，吸引了所有人的目光，也包括刚刚结束冥想、睁开了双眼的舞丝朵。

他们看到唐舞麟一爪击飞徐愉程之后，右爪上撩，五道暗金色光芒划破长空，瞬间追上了徐愉程。

徐愉程虽然感觉到了不妙，但已经有些晚了，他能做的只是猛然回过身，横起自己的暗魔镰刀，全面催动魂力进行抵挡。

"砰！"巨响声中，徐愉程被瞬间击落，倒在了地面上。

但是，他不愧是少年天才榜榜上有名的强者，手中的暗魔镰刀虽然出现了一道道裂痕，但总算是将唐舞麟的金龙爪挡下来了。

他喷出一口鲜血，脸色更加苍白了，双腿也在巨力的压制下，深深地陷入泥土之中。

唐舞麟从天而降，金龙爪抡起，悍然拍向徐愉程，徐愉程只能继续用暗魔镰刀去抵挡。

唐舞麟的攻击速度并不算快，但每一下都势大力沉，徐愉程的身体明显在往地下陷，他手中的暗魔镰刀上的裂痕更是在不断变大。

更可怕的是，他的口鼻开始出血，然后是耳朵、眼睛……

"砰！"金龙爪第五次落下，徐愉程猛地喷出一口鲜血，然后白光一闪，他的身体消失无踪，在那一瞬间，他的暗魔镰刀也同时消失了。

这……

在场所有人都张大了嘴。

那可是不死徐愉程啊，少年天才榜排名第十九位的徐愉程。

就算他在之前的对抗中魂力消耗不小，他也是四环魂宗级别的强者，在整个一年级也只有两个四环魂师啊。

他居然就这么败了？

就在徐愉程被唐舞麟击败的同时，谢邈也爆发了。

徐愉程的两个伙伴眼看着徐愉程被唐舞麟击败，都是一愣。就在这一刹那，一直在旁边没有出手的许小言突然动手了。

一根冰矛电射而出，径直向左侧的那个学员飞射而去，同时她眼中紫光一闪，看向了右边的那个学员。

许小言无疑是最会把握时机的，她知道自己的武魂不如伙伴们，所以就在这方面下了很多的功夫。

冰矛的攻击角度非常刁钻，如果那个学员想要闪躲，就势必会落入谢邀的攻击范围。

谢邀的光龙风暴原地旋转，然后化为一片光刃，和许小言前后夹击那个学员。徐愉程的失败带来的冲击，再加上谢邀和许小言同时爆发，这个学员一时有些反应不过来，瞬间化为白光消失了。

另一个学员的情况也差不多，受到紫极魔瞳影响，他的身体直接僵住，被谢邀用光龙匕击败了。

谢邀能缠住他们，除了因为对自身第三魂技有所领悟之外，更重要的原因是他保存了实力。

徐愉程不擅长谋划，一直都只是凭借自身强大的实力硬打硬冲，所以他和两个同伴的消耗都不小，这才导致那么快就被淘汰出局。

唐舞麟身上金光收敛，黄金龙体消失，脸色也显得有些苍白。

刚才和徐愉程那一战看上去轻松，可实际上，他已经绝招尽出了。

杨念夏对徐愉程的评价唐舞麟记得很清楚，徐愉程的身体很弱，甚至承受不了千年魂环，所以从一开始，唐舞麟就选择和他硬碰硬。魂力强又如何？在纯粹的力量碰撞下，就算自己吃亏，力量反震也同样会影响到徐愉程。

所以他毫不犹豫地爆发出了金龙恐爪，再悍然连击，凭借着黄金龙体提升的力量，就这样战胜了徐愉程。

唐舞麟的脸上露出了一丝淡淡的微笑，然后缓步走向自己的伙伴。谢邀站在那里，并没有像平时那样因为胜利而兴奋，而是若有所思。

唐舞麟没有打扰谢邀，他知道谢邀一定是有了新的领悟。

舞丝朵依旧坐在那里，目光灼灼地看着唐舞麟。最初的时候，她一直认为唐舞麟不足为惧，尽管他的魂环全是千年魂环，但毕竟只有两个魂环啊！

后来唐舞麟从骆桂星的陷阱中将她救了出来，虽然给她留下了很深的印象，但是她也没把他放在心上。而眼前发生的一切，让她真正明白，什么叫作扮猪吃老虎。这家伙隐藏得也太深了，不说别的，单是刚刚击败徐愉程就说明他的力量绝对不在杨念夏之下。

"队长。"许小言向唐舞麟道。

古月也从地上站起身，站在了他的另一边。

　　舞丝朵何等聪明，哪里会看不出这几个人之间的关系。

　　原来骆桂星团队中的那个女学员也和他们是一伙的。

　　"来吧！"舞丝朵站了起来，冷冷地说道。她并不认为自己没有机会，一对四，又如何？

　　唐舞麟扭头看向古月，古月也正在看着他。从她的眼神中，唐舞麟已经明白了她的意思。

　　他拉了拉许小言，道："我们在一旁观战就好了。"

　　"啊？"许小言惊讶地看着他。

　　唐舞麟微笑道："相信古月。"

　　"好。"许小言答应一声，向古月道，"古月姐，加油哦。"

　　"嗯。"古月点了一下头，然后上前三步，目光平静地看向舞丝朵。

第二百二十五章

——— 一对一 ———

"一对一？"舞丝朵脸上露出一丝惊讶之色。古月跟那三个人明显是一伙的，在这个时候竟然选择一对一和自己战斗？她不是辅助型魂师吗？

"对，一对一。"古月点了点头。

"好。"舞丝朵冷哼一声，四个魂环一一升起，身体重新变得虚幻起来。她脚尖轻轻点地，直奔古月冲去，几乎瞬间就到了古月面前。

唐舞麟站在不远处，先前和舞丝朵是战友的时候感受还不算深刻，此时眼看着古月对战她，哪怕自己并不是舞丝朵的攻击目标，他依旧能够感受到舞丝朵的速度和攻势带来的压力。

舞丝朵势在必得的一爪落空了。

黑色爪影闪烁的同时，银光也出现了，舞丝朵眼看着自己的利爪从古月身上掠过，抓到的却只是虚影。

十米外，古月脸色平静地站在那里，两黄一紫三个魂环闪耀着。

她的三个魂环几乎是同时亮起来的，她的双手在空中挥舞，不同属性的元素也悄然跳跃着。

舞丝朵的修为达到了四环，对于元素能量的感知力要超过在场的其他人。她只觉得以古月身体为中心出现了一个旋涡，这个旋涡疯狂地吞噬着空气中的一切能量元素，就连自己体内的魂力都有种被牵引着的感觉。

这是……

古月双手一搓，一枚冰锥向舞丝朵射去。

这枚冰锥和一般的冰锥完全不同，它有三种颜色，最前面是蓝色的，中间是银色的，最后则是红色的。

当它飞射出来的一刹那，红色的那部分猛然炸开，舞丝朵只觉得眼前一花，那冰锥就已经到了她面前。

但她不愧是顶级的敏攻系魂师，右手利爪瞬间挥动，拍击在了那枚冰锥之上。

冰锥炸开，寒意弥漫，与此同时，舞丝朵只觉得自己身体周围的空气都变得扭曲起来。她全身一紧，有种被捆住了的感觉。

这是……

带有三种元素的冰锥？

在舞丝朵吃惊的同时，古月的攻击还在继续。同样的冰锥再次出现，依旧射向舞丝朵。在火焰的加速下，古月的冰锥的攻击速度不知道比正常的冰锥快了多少倍，甚至让人连闪躲的时间都没有。

舞丝朵只能勉强挥动利爪去抵挡，冰锥上附带的空间之力虽然没有骆桂星的空间锁那么强，但对她的速度也有一定影响。

舞丝朵眼中寒光一闪，第四魂环闪烁，摇身一晃，分出了一道身影。

两道身影同时向古月两侧狂奔而去，试图攻击古月。

古月原地旋转，以她的身体为中心，青色龙卷风升起，向周围扩散开。舞丝朵眼前一花，古月又消失了。

青色的龙卷风原地旋转，当古月再次出现时，同时还出现了鹅毛大雪。大雪飘落而下，将古月紧紧护在其中。

青色的龙卷风牵引着雪花，两者之间竟然形成了巧妙的联系。

舞丝朵隐隐感觉到，时间耗得越久对自己越不利。

"噗——"瞬间加速的舞丝朵悍然冲入雪花之中，但是，一堵土墙适时地挡住了舞丝朵的攻击。

这个对手的武魂太不一般了，她已经施展出几种元素的攻击了？

不过，舞丝朵的攻击何等强悍，土墙瞬间裂开，可是，古月的身影又一次消失了。

崩碎的土墙被越来越强的狂风席卷，像是掀起了一场风暴，完全挡住了舞丝朵的视线，将她笼罩其中。

唐舞麟挡在谢邀身前，避免古月的魂技影响到他。

古月对元素控制的能力又提升了，三种元素融合对她来说已经不成问题了。她甚至还有效地利用了对手的攻击来辅助自己，这样不仅可以节约魂力，还能进一步加快元素融合的进程。

这风暴本身的攻击力并不强，只能凭借多种元素的特性逐渐消耗舞丝朵的魂力，但在这三种元素的覆盖下，舞丝朵完全看不见，也感受不到古月所处的位置。

舞丝朵当机立断，第一魂环亮起，认准一个方向发起冲锋，她想，先冲出对方的控制范围再说，古月的这种多元素融合的风暴总不能持续太长时间吧。

幽冥突刺是舞丝朵的第一魂技，能够瞬间让她的速度提升两倍以上，同时能凝聚魂力与武魂融合，让她发出强悍的爆发性攻击，用来突围是再合适不过的。

凭借魂力护体，舞丝朵顶着寒风的冲击，冲到了五十米以外。

视线变得清晰了，她承受的压力也随之减轻，冲出来了！

但就在下一瞬，她突然感觉到身后有些异样，还没等她反应过来，周围光线开始扭曲，下一刻，她就已经再次回到了风暴的中央。

四面八方的风暴似乎瞬间向内挤压而来，让她不堪重负。

唐舞麟所在的位置正好是舞丝朵先前突围时的方向，所以他看得非常清楚。

舞丝朵突围是成功了，但也就在同一时间，古月悄无声息地出现在了她的背后，然后银光一闪，两人同时消失了。

唐舞麟眼中闪过一抹喜色。

古月的武魂非常强大是毋庸置疑的，但她的问题也很明显，那就是缺少爆发力。虽然她也能凭借元素融合爆发出强大的攻击，但这需要一定的时间。

想要战胜古月，最好的办法就是一上来就爆发，抓住机会一击制胜，时间拖得越长，古月的优势就会越大。她的元素潮汐、元素融合两大神技能够以较少的魂力调动天地元素为自己所用，那是很可怕的技能。

舞丝朵最吃亏的就是她不了解古月，毕竟像古月这样的武魂极为罕见。以舞丝朵的实力，如果一上来就施展幽冥白虎的话，就算古月有瞬间转移能力，在她的范围攻击下，也很难发挥出应有的实力。

但现在不一样了，局面已经被古月掌控，即使舞丝朵能够通过幽冥白虎突出重围，但那幽冥白虎对自身的消耗无疑是巨大的，她根本就不可能坚持太久。

如今变成了消耗战，胜负基本就没什么悬念了。

事实也是如此，而且唐舞麟还高估了舞丝朵，因为她现在根本就用不了幽冥白虎。

她拥有幽冥白虎这种自体武魂融合技多么威武霸气，但是天地之间，冥冥之中自有规则，强大的能力背后一定有强大的制约，就像徐愉程的暗魔镰刀影响了他的身体。

　　舞丝朵的幽冥白虎使用一次之后，至少需要三天时间来恢复才有可能再次使用，现在她哪里用得出来啊！

　　她看上去魂力已经恢复得差不多了，可实际上，终究还不是最好的状态。

　　白光一闪，武魂切换。

　　随着白色毛发出现，舞丝朵全身都蒙上了一层金光，身形也变得魁梧起来。这次，她不是迅速冲击，而是凭借着暴增的身形，一步步向风暴外走去。

第二百二十六章
最终胜利

可是，迎接舞丝朵的是一堵堵竖起的土墙。这些土墙并不算坚实，以她的实力，可以轻松地用拳头将它们轰碎。可问题是，每轰碎一堵土墙，她就要耽误一些时间，而风暴又始终压制着她。

轰碎的土墙直接进入了风暴之中，她的视线越来越模糊，到最后根本看不清方向了。

舞丝朵心中是憋屈的。虽然她是敏攻系魂师，但最喜欢的是硬碰硬的战斗方式。此时的她，宁可和古月硬碰硬，也不愿意像现在这样。

要是还能使用幽冥白虎，她当然有信心可以瞬间突围。以幽冥白虎所能迸发出的强大攻击力，她相信，对手根本就不敢靠近自己，那样的话，她还有反败为胜的机会。

可现在……

时间一分一秒地过去，空气在风暴中变得混浊，那风暴不断吸收着外界的能量元素补充自身，所以能量持续攀升着。

光芒一闪，脸色苍白的古月出现在了唐舞麟身边。

"走，我控制不住了。"元素潮汐到了一定程度，就会脱离古月的掌控，疯狂变化，一直到彻底爆发为止。

为了战胜舞丝朵，古月不敢有丝毫保留，到了最后，自然就是控制不住自己制造出来的风暴了。

至于舞丝朵，已经不需要再考虑了，古月是三环修为，凭借着元素潮汐凝聚而来的能量已经远超过她自身所能掌控的范围，其威力十分强大，而完全迷失于其中的舞丝朵的结局可想而知。

四个人掉头就跑，古月苍白的脸上露出一丝淡淡的微笑。

她成功了，成功地掌控了局面，虽然战斗过程中还有些不尽如人意的地方，但终究还是她赢了，在一对一的情况下，她战胜了舞丝朵。

正在这时，天地变得扭曲，一道道光影闪烁，照在他们四个人身上。光芒扭曲，强烈的精神冲击让他们的大脑暂时陷入了空白。

不知道过了多长时间，当他们重新恢复意识时，周围已是一片安静。

当唐舞麟他们从各自的舱位中出来的时候，有近百双眼睛盯着他们。回到这里，就意味着能够通过屏幕看到剩下的人交手的过程。

很多人的目光是复杂的，譬如身材魁梧的杨念夏。他看着唐舞麟，眉头紧皱，和唐舞麟目光相对时，脸上更是露出了苦笑。

骆桂星是看上去最平静的一个，他坐在不远处，双手抱膝，若有所思。

郑怡然兴趣十足地看着唐舞麟，但她的目光瞟向古月时，立刻变成愤恨。

徐愉程脸色依旧苍白，他死死地盯着唐舞麟，双手微微握拳，眼中寒光闪烁。

耻辱！

对于徐愉程来说，输给唐舞麟绝对是耻辱。就算唐舞麟的武魂再怪异，他也只是一个二环魂师，身为魂宗的自己竟然输给了他，这简直是不可原谅的。

舞丝朵在唐舞麟他们之前就出来了，她的脸色就更加难看了。她的目光直接落在古月身上，气息明显有些不稳定。

此时，大厅因为唐舞麟等四个人的出现而变得十分安静。

所有人都盯着唐舞麟他们，尤其是盯着唐舞麟和古月。

无论他们在混战的过程中制订了怎样的战术，最终，他们还是在一对一的情况下击败了不死徐愉程和幽冥舞丝朵。这可是两个四环魂师，全班公认的个人战斗力最强的两个人。

而唐舞麟和古月，一个只有二环，一个只有三环。

"你们四个人实力差距较大，所以我选择了结束。唐舞麟、古月，你们本是一组，现在你们可以决定出谁来当班长，谁来当副班长。"

古月不等唐舞麟反应，毫不犹豫地后退一步，表明自己的立场。

唐舞麟扭头看向她，只见她嫣然一笑。

唐舞麟没有再谦让，有的时候，就是要当仁不让。

沈熠道："谢邈和许小言的表现虽然可圈可点，但你们整体展现出的实力还是有所欠缺。不过毕竟你们坚持到了最后，现在你们有两个选择，一是挑选一人成为副班长，二是选择放弃。不过我要提醒你们的是，班长每个学期都会改选一次。"

"我放弃。"许小言毫不犹豫地说道，她知道以自己的实力是当不了副班长的。不仅如此，她还果断地走到了骆桂星身边，像是在表明自己的立场。

谢邂嘴角抽搐了一下，这丫头还真是喜欢演戏啊！

"我也放弃！"谢邂只是略微犹豫了一下，就说出了自己的决定，"当我认为自己有能力成为班长或者副班长的时候，我会提出挑战。"

他显得很平静，完全不同于平日里的活泼形象。先前的明悟让他对自身有了更深刻的了解，而且其他学员展现出的实力确实对他产生了不小的刺激。

沈熠道："好。不过，因为你们坚持到了最后，又放弃了副班长职位，所以，你们两人可以获得两千个贡献点的奖励，你们自行分配。副班长人选往下顺延，舞丝朵，你可愿意担任副班长？"

舞丝朵看了一眼古月，再看看唐舞麟，眼中光芒闪烁，深吸一口气，道："我愿意！"

沈熠脸上露出了一丝微笑："好，那就这么决定了。班长，唐舞麟；副班长，古月和舞丝朵。"

这其实也是她最想要的结果，谢邂虽然实力不弱，但和舞丝朵他们相比还是有些差距的。这场比拼，如果上了少年天才榜的五个人全部出局，很容易造成全班不稳。而选择让实力最强的舞丝朵成为副班长，震慑效果会很明显，至少不服气的声音会少很多。

"接下来进行另外三个班干部的竞选。锻造委员由唐舞麟兼任，其他第二职业委员待定，所有第二职业在二级以上的学员都可以报名参加竞选。"

唐舞麟此时心情很平静，七个班干部名额，他一人就占了两个，无疑在班级中站稳了脚跟。通过这次的比拼，他对身边的同学也有了一定的了解。

正在这时，他看到身边的古月走了出去。

古月要竞选其他班干部？设计委员？

舞丝朵、骆桂星和徐愉程也都走过去报名。

不愧是少年天才榜上的天才啊，不仅个人战斗力强，在第二职业方面也同样优秀。

只有杨念夏一脸苦笑地走到唐舞麟身边："兄弟，你隐藏得可真够深的啊！"

唐舞麟微笑道："运气而已。徐愉程如果不是消耗过大，我想要赢他，绝对不容易。"

　　杨念夏摇摇头："不好说。"

　　"没有报名参加班干部竞选的学员可以离开了。"沈熠的声音传来。

　　杨念夏呵呵笑道："走吧，班长大人，以后还要多多关照啊！"

　　唐舞麟道："相互关照才对。"

　　他很清楚，自己这个班长能不能得到其他学员的认可还不一定，路还要一步一步走。

第二百二十七章
——班委确定——

唐舞麟看向舞长空，悄然递出一个询问的眼神，但舞长空并没有什么表示，就像是完全不认识他一样。

"舞老师这是怎么了？自从来到史莱克学院之后，他就再没给过我们什么指点。"

唐舞麟满心疑惑，但还是和谢邂、许小言一起离开了大厅。

谢邂一出门就飞也似的跑了，他今天的明悟非常重要，要回去认真思考才行。

许小言的眼神有些迷茫："队长，你说我能够在史莱克学院站稳脚跟吗？大家的实力都太强了。"

虽然她坚持到了最后，但她知道自己很大程度上是因为依靠别人才坚持下来的。最初她依靠的是骆桂星团队，后来又和自己的伙伴们会合了，她是在大家的关照下才走到最后的。

许小言很清楚，论个人实力，自己还是很弱的，尤其是在白天的时候。

唐舞麟微微一笑："千万不要妄自菲薄。当年，我的武魂刚刚觉醒的时候，也只是蓝银草啊，但我从来都没想过要放弃，一步步走过来，通过努力，能力才逐渐提升。我相信你也可以的。而且，你的武魂那么奇异，或许随着自身修为的提升，它的特性就会真正展现出来。以你把握战场的能力，一旦武魂有所提升，必然会大放异彩。"

许小言也笑了，点点头，道："我也是这么想的。我一定会好好努力的。"

唐舞麟开心地说："就知道你没那么容易丧失信心。"

唐舞麟回到宿舍时，谢邂已经在冥想了。现在距离吃午饭还有一段时间，唐舞麟也没有耽误时间，立刻盘腿进行修炼。

到了午饭时间，班上的所有班干部都已经确定下来了。设计委员是古月，她和唐舞麟一样，身兼两职。

唐舞麟还是从杨念夏那里才知道，古月已经是机甲设计师了。

古月可从来没说过啊！以前，她可是在谢邈面前否认过自己会学机甲设计的！而如今，在选择机甲设计的众多学员中，她能够力败众人，能力可想而知。

骆桂星以三级机甲制造师巅峰的实力力挫徐愉程，成为制造委员。

而修理委员出乎所有人的意料，是舞丝朵。

很难想象，这么一个娇滴滴的少女，竟然是一个机甲修理师。

千万不要小看机甲修理，要成为一个优秀的机甲修理师，不仅要精通机甲制造，还要精通机甲设计，虽然不必像专业机甲制造师和设计师那样追求极致，但必须要深刻理解这两者之间的关系，才能修理好机甲，而且机甲修理师要达到六级以上才能修理斗铠。

顶级的机甲修理师受欢迎的程度，甚至要超过机甲设计师和机甲制造师，因为这个职业接触和学习的知识更加庞杂，所以选择这个门类的魂师数量相对较少，只比锻造师多一点点。

至此，一年级新生班级七名班干部都确定下来了，班长唐舞麟，兼任锻造委员；副班长古月，兼任设计委员；副班长舞丝朵，兼任修理委员；还有制造委员骆桂星。

午饭的时候，唐舞麟听说其他年级班干部的情况也差不多，毕竟能够担任班长和副班长职位的学员，第二职业一般也都是非常优秀的。甚至还出过一个学员，不仅当选为班长，还同时是设计委员、制造委员和修理委员。

当然，后来那个学员进入了内院，至于发展得如何，他们就无从得知了。

班干部定下来以后，新生在史莱克学院的学习生活也将真正开始。

唐舞麟下午并没有去学院锻造师协会那边，他现在暂时还不缺贡献点，当务之急，还是要尽快提升自身修为，等到了三环境界，就可以再次尝试灵锻了。

他的锻造等级现在已经远超自身修为，所以，提升修为才是最重要的。

提升修为没有什么捷径可走，只有不断地修炼、积累，最后才能厚积薄发。

许小言也是一样，她已经处于二十九级的巅峰了，再跨出一步，就是三环修为了。她很想知道，自己进入三环境界后，白天和夜晚将会多出一个什么样的魂技。

不过，也就在他们认真修炼的时候，工读生宿舍来了一个不速之客。

"我就住这里了。"乐正宇大大咧咧地坐在原恩的床铺对面。

原恩眉头紧皱："这里是我的宿舍，你出去！"

乐正宇冷笑一声："你的？这是学院的宿舍，不是你个人的！我们两个都是二年级的学员，学院安排我住在这里，你还能不让我住不成？怎么，难道你有什么秘密怕被我看到？"

原恩认真地看着他，道："不，我只是讨厌你这个人而已。"

乐正宇刚刚进入二年级就一个劲地挑刺，如果不是因为他之前没有什么学习经历，恐怕今天就要挑战班长之位了。

而二年级的班长，正是原恩。

原恩站起身，向外走去。

"你去干什么？"乐正宇随意地问道。

"要求学院换宿舍。"原恩冷冷地说道，"和你住在一起，会让我感到恶心，从而影响到我的修炼。"

"你！"乐正宇道，"有本事咱们上切磋擂。"

原恩理都不理他，直接推开门，大步离去。

乐正宇十分郁闷，这家伙！

他一直憋着劲想跟原恩较量一场，但原恩始终不接招。乐正宇甚至在班级中主动向他挑衅，本以为当着那么多学员的面，原恩不会不答应，毕竟他是班长，总不能连面子都不要了吧。

可事实证明，原恩在二年级的威望超过了他的想象，所有学员看他的眼神都充满了不屑和鄙夷，似乎没有一个人认为他是原恩的对手。

然后……他被原恩无视了，也被其他学员无视了。

刚开始的时候，他确实想找那个堕落天使的麻烦，但后来打听之后，发现工读生中真的没有那个人。

无奈之下，他向学院举报，可学院给的答复也是模棱两可的，只是告诉他，这件事情学院会处理，作为学员，他的任务是好好学习，之后就不了了之了。

选择成为工读生，乐正宇其实更多的是因为好奇，因为他听说过很多关于工读生的传说。对于自己能否进入内院他一点都不担心，他对自己很有信心。

至于和原恩同一个宿舍，这真的是学院安排的，毕竟他们都是二年级的学员。

第二百二十八章
——神匠震华——

"你竟敢威胁我！"咆哮声在宽敞的银白色房间回荡。

这个房间看上去非常奇特，至少有三百平方米，而且房间里的一切，都是由金属做成的，包括墙壁、桌椅等。

发出咆哮声的是一个中年人，他留着一头黑发，身材高大，相貌英俊，但奇异的是，只从外表看，很难判断出他的真实年龄。

虽然他看上去不过三十多岁，可眼神中充满着远超这个年纪的沧桑感，而且他的鬓角已经全白了，和头上的黑发形成鲜明的对比。

最为醒目的是他那双白皙而修长的手，比正常人的手至少大了百分之五十，而且手上没有突出的骨节，看上去就像是一双放大了的女人的手。

只不过，现在他的情绪明显很不稳定，一脸愤怒。

"是啊，我就是威胁你啊！"在他对面的是另一个中年人，那人笑眯眯地看着他，脸上一副无所谓的表情。

如果唐舞麟在这里看到这一位，一定不敢相信自己的眼睛。平日里温文尔雅的老师，怎么会露出这样一副痞子的样子？

没错，这个脸上挂着微笑，却有几分死猪不怕开水烫味道的中年人，正是东海城锻造师协会的会长，也是整个天海联盟锻造能力最强的一代圣匠——慕辰。

"当初你选择到那鸟不拉屎的地方去，我答应了。现在那边各大城市的协会好不容易整合得不错了，你却告诉我你要辞职。你的脑袋让驴踢了吗？"中年人气急败坏地说道。

不知道为什么，他每次见到慕辰这个家伙，总是控制不住自己的情绪。

慕辰笑眯眯地道："就是因为天海联盟那边已经走上了正轨，不再需要我了啊，所以我才要辞职。我是一个圣匠，我要冲击神匠层次。你是饱汉不知饿汉饥，可我现在正是厚积薄发、努力向上的时候。"

"呸！你到现在连封号斗罗都不是，有什么资格冲击神匠。你把真正的理由说出来，不然我是不会批准的。"震华恶狠狠地说道。

面对这位斗罗大陆锻造师协会的会长，也是整个斗罗大陆上唯一的一个神匠，慕辰一点尊敬的意思都没有。

他一脸无赖地道："随便你啦，爱批不批，反正我就是不干了。走了。"说着，他起身就向外走去。

"你给我回来！"身形一闪，震华就挡住了慕辰的去路。

"我批准你辞职可以，但你总要给我个理由，我也要向协会的高层交代啊！你作为协会的中流砥柱，怎么能就这么离开啊！你让我怎么办啊？我们还是不是兄弟了？你这么对我，你的良心过得去吗？"震华振振有词地说道。

慕辰撇了撇嘴："少来这套，你这套对我没用。咱们认识也不是一天两天了。这样吧，我给你个面子，我也可以不辞职，但我要调岗。在大陆海滨城市待的时间太久，我打算到内陆地区生活一段时间。我看，史莱克城就相当不错。我要去那边的锻造师协会当会长，你要是同意，我就留下，不同意我就自己去了。"

"去史莱克城当会长？这才是你的目的吧？"就像慕辰很了解他一样，他也同样很了解慕辰。

事实上，震华和慕辰从小一起长大，并且是一起进入锻造这个行业的。两人在锻造方面同样天赋异禀，他们是最好的朋友，曾经也是最大的竞争对手。

他们甚至同时喜欢上了一个女人，还发生过无数故事。

一次机会的到来，让两人同时面临选择，最终，震华选择了获得那次机会，而慕辰则选择抱得美人归。

"好吧，那你去吧。但是，我必须要提醒你，史莱克城是什么地方你很清楚，史莱克学院在那里的影响力，让任何协会都处于弱势地位。史莱克学院自己的锻造师协会会长是那个老疯子，你要是去了，可要小心点。那老疯子在锻造方面也就那样，但要说打，十个你都打不过他一个，你可别惹得他恼羞成怒。"

慕辰微微一笑："他恼羞成怒又能如何？我这不还有你撑腰吗？他要是找我麻烦，我就推给你。"

震华嘴角抽搐了一下："我欠你的？"

慕辰眼神突然一凝，然后认真地点了点头："对！"

震华愣了愣，转而苦笑道："好吧，你赢了。宝儿还好吗？"

慕辰微微一笑，眼中闪过一抹甜蜜："她很好。"

震华挠了挠头："你这家伙，总是得了便宜还卖乖，当初要不是……算了，怕了你了，就当我欠你们夫妻俩的。你打算什么时候去史莱克城？"

"立刻。"慕辰毫不犹豫地道，再不去，恐怕就来不及了。某人已经准备抢自己徒弟了。

"小曦也跟你去？"震华问道。

"嗯，她们娘俩都跟我去。你给小曦安排一下，让她也进史莱克学院吧。"

震华嘴角抽搐了一下："我怎么听你说这话，觉得这是一件很简单的事情啊？"

"不简单吗？"慕辰笑眯眯地道。

"简单吗？"震华一脸愤怒，"你吃定我了是不是？"

"是啊！"

"快滚，快滚，我不想看到你。"

"你这是？"唐舞麟看着蹲在水池前清洗墩布的原恩，问道。

早上起来不刚打扫过卫生吗，怎么他还在打扫，难道他有洁癖？

原恩没好气地道："某个人来了，我换房间了，所以要打扫一下。"

"乐正宇？"唐舞麟恍然大悟。

"你知道？"原恩疑惑地看向他。

"嗯，听他说了。你们是一个班的吧。"唐舞麟问道。

原恩点点头："懒得理他。"

唐舞麟道："他在宿舍？"

"在吧。"原恩道。

唐舞麟笑道："那我去欢迎一下咱们新来的工读生。"说完，他朝着原恩原本的宿舍走去。

看着唐舞麟离开的背影，原恩皱了皱眉，不知道为什么，他总是觉得，唐舞麟似乎有些不怀好意。

"嘭嘭。"唐舞麟在那间宿舍外敲起了门。

"谁啊？"乐正宇打开房门，看到是唐舞麟，不禁有些惊讶。

唐舞麟微笑道："听说你搬过来了，特来恭喜你。"

"进来吧。"乐正宇没好气地说道。

他之前围着工读生宿舍这边转了一圈后，就开始后悔了。这里的条件实在是太差了，对于养尊处优的他来说，着实有些难以接受。

但他生性高傲，既然来了，总不能灰溜溜地回去吧。那个原恩能住，自己为什么不能住。

宿舍就一间房，里面一目了然。房间打扫得很干净，当然，这应该是之前原恩打扫的。

乐正宇走到床边坐了上去："没什么招待你的，随便坐吧。我说，你们工读生这条件也太艰苦了吧。"

唐舞麟笑道："不是'你们'，是'咱们'，现在你也是工读生的一员了。没办法啊，我们就是这么苦命。对了，我来找你，是有件事想要问问你有没有兴趣。"

乐正宇道："什么事？"

唐舞麟伸出双手，手上光芒一闪，两块金属出现在掌心之中。

它们出现的瞬间，整个房间都有种光线迷乱的感觉，一道道星芒在空气中折射，散发出淡淡的光晕。

宝光流转，一层层光芒浮现而出，异常瑰丽。

乐正宇眼睛一亮："这是……星陨铁？"他见多识广，星陨铁自然认识。

第二百二十九章
——各有盘算——

唐舞麟微笑道："准确地说，应该是千锻一品的星陨铁。你应该知道，星陨铁品质极高，但生性傲慢，无法真正被生命点亮，所以千锻一品就是极品了。但它是普通机甲顶级的材料，也是一字斗铠顶级的材料，有兴趣的话，你就开个价吧。"

没错，出现在他手中的，正是从枫无羽那里得到的两块星陨铁。他当然也可以选择卖给原恩，但他和原恩关系还不错，不好卖人家高价。

可星陨铁极为稀有，千锻一品的星陨铁，甚至能和很多灵锻金属相比了，不卖高价，他觉得对不起自己啊！

每天吃饭的问题总要解决，更何况他需要大量的营养来增强自己的气血，所以只能找乐正宇了。

"你开价。"乐正宇看向唐舞麟。

唐舞麟手腕一翻，收起两块星陨铁："看来你兴趣不大，那就算了。"说完，他转身就走。

"你等等啊！怎么还是个急性子呢？"乐正宇赶忙叫住唐舞麟。

以他们这个年纪、这个层次的修为，一字斗铠是必经之路，而且在史莱克学院学习，对于高等级稀有金属的需求量是非常大的，更何况星陨铁是可遇不可求的啊！

"我没那么多贡献点。"乐正宇无奈地道，"我刚回到学院上学，钱我有，贡献点没多少。我还没开始赚呢。你也知道，学院的贡献点是没办法用联邦币买的。要不，我直接给你联邦币？"

唐舞麟心中一动，摇摇头道："不，只接受贡献或者是用灵物交换。"

"灵物？你要什么灵物？"乐正宇疑惑地道。

唐舞麟道："我要千年土龙晶，千年冰髓，千年龙灵草，千年生灵草，就这四种。"

"你怎么不去抢！"乐正宇道，"你当我傻吗？这四种灵物的价值加起来，绝对比你的星陨铁的价值高很多。千年生灵草的罕见程度甚至还要超过星陨铁，那可是能延年益寿的灵物，在任何地方都是可遇不可求的。

"任何人服用一株千年生灵草就能延寿五年，这玩意儿在什么地方都是天价。不可能，太多了，这四种灵物，我最多给你找两种。"

"两种？"唐舞麟愣了愣，微笑道，"好吧，毕竟我们都是工读生，大家也都不容易，两种就两种吧。那我要千年生灵草和千年龙灵草，你能找到吗？"

乐正宇眼珠一转："你先告诉我，你这两块星陨铁是怎么来的？"

唐舞麟也不隐瞒，立即将自己如何获得星陨铁的过程讲了一遍。

"你的意思是，这两块星陨铁都是你完成的千锻一品？还是同时？"乐正宇眼神闪烁地问道。

唐舞麟点了点头："这没什么好隐瞒的，不信你去问枫长老。这是我的四级锻造师徽章。"说着，他取出了自己的徽章递了过去。

乐正宇接过徽章仔细观看，片刻之后，他点了点头，道："徽章没问题。好，成交。我帮你找千年龙灵草和千年生灵草。给我一周的时间，这期间你的星陨铁不能卖给别人。"

"一言为定。"唐舞麟微笑地抬起手，和他双掌互击。

当唐舞麟离开乐正宇房间的时候，脸上已经露出了狐狸般得意的笑容。他本来只打算在那四种灵物中要一种的，没想到居然要到了两种。

星陨铁虽然价值不菲，但只是稀有而已，因为不能达到灵锻的品级，总还是有价格的。根据唐舞麟估计，一块星陨铁也就值两三百万联邦币，两块也就五六百万联邦币。

而他要的四种灵物，都是解除第三道封印所需要的，任何一种的价值都在五百万联邦币以上。

乐正宇说得没错，千年生灵草太罕见了，而且几乎没有人会卖，钱再重要，能比生命更重要吗？一直以来，价值最高的天地灵物都是延年益寿类型的。

所以，当乐正宇说最多给他两种的时候，他差点笑出声来。

之前他用了三年多时间才凑够四种灵物解除了第二道封印，现在一下就获得了解除第三道封印所需要的一半的灵物，简直再好不过了。

他在接下来很长一段时间内，会变得轻松许多，进而可以把更多精力用在修炼上。

不过，他没看到的是，当他出门之后，乐正宇脸上也露出了狡黠的微笑，那表情也像只小狐狸。

"这工读生之中果然是人才辈出啊！能够千锻出一品星陨铁，那必然是四级巅峰的锻造水平啊！先让他占点便宜，确立了哥在他心中的地位，那以后还不是有什么好东西都优先找我啊！我们家族最不缺的是什么？就是钱和灵物啊！

"嘿嘿，这小子也就十三四岁，我从来没见过这么年轻的四级锻造师，而且还是四级巅峰水平的锻造师。我一定要让他离不开我！"

他们各有各的想法，谁都觉得自己赚了。

"今天正式上课之前，我先说一件事。锻造委员、设计委员、制造委员、修理委员今天上午下课后，分别统计相应专业的学员数量，然后报给相应的协会。这个不勉强，不愿意加入学院协会也行，不过加入的话，会有一系列的优惠政策。而且学习你们的第二职业，也需要在协会进行，如果不加入协会，要付费学习。当然，只收贡献点。"

沈熠站在讲台上宣布着几个班干部的任务。

"下面，由舞长空辅导员为大家上课。"沈熠向舞长空点了点头，然后让出了位置。

舞老师！

唐舞麟下意识地坐直身体。

舞长空走到讲台后，目光扫过全班，当他站在那里的时候，整个教室内的温度似乎都下降了几度，所有人的目光几乎同时集中在他身上。

"今天是你们第一天正式上课。史莱克学院的教学方式和你们以前所在的学院会有很大的不同。你们武魂的修炼，以及武魂方面的其他问题，课后可以找我或者沈老师沟通、学习。今天这堂课，你们要学习的是机甲制造概论。"

机甲制造？唐舞麟愣了一下，舞老师为什么要讲机甲制造啊？他们未来不是要修炼成为斗铠师吗？

舞长空淡然道："你们之中，有人学习锻造，有人学习机甲设计、机甲制造，也有学习机甲修理的。简单来说，这四种职业的人一起，就可以制造出一台机甲。你们一定很好奇，为什么学院会教机甲制造概论，那是因为，想要成为一名斗铠师，你们首先就需要学习斗铠的基础——机甲！

　　"高端机甲并不比低端的斗铠差，这和机甲的材质和锻造有关。设计决定了它的层次，制造决定了它能否最终实现，而修理则决定它能使用多长时间，这和斗铠并没有什么区别。下面我们首先讲机甲原理……"

第二百三十章
——班内分组——

舞长空所说的机甲制造概论并不是单纯的机甲制造，而是同时涉及锻造、设计、制造、修理四个方面的内容。

一上午的课下来，唐舞麟对于机甲的认识也变得更加全面了。

课后经过统计，全班一百零一个学员之中，只有八个人选择了锻造作为自己的第二职业，据说，这还是这些年来人数最多的一次。

将机甲设计作为第二职业的人最多，有三十四个，机甲制造次之，有三十一个，剩下的都是机甲修理师。相对来说，三大主要的第二职业的人数还算均衡。

"下课，四个班委留下。"沈熠宣布下课。

唐舞麟、古月、舞丝朵和骆桂星留了下来。

"你们稍后去学院的各个协会进行报备、登记。同时，你们还有一个任务，商讨分组事宜。你们要把除了你们四个之外的其他学员，按照锻造、设计、制造、修理四大职业，进行搭配分组。锻造师数量最少，只有八个人，那么，除了唐舞麟还剩下七个人，所以就都分成七个组吧。你们要了解你们自己这个职业的学员的实力，分组的时候，各个小组的实力要尽量均衡。"

唐舞麟点了点头，答应下来。班委可以获得贡献点补贴，但这贡献点显然不是白拿的啊！

"这里有入学登记表，上面记录着每　个学员的第二职业等级、魂力等级和武魂，你们四个讨论分析一下吧。"

其他学员纷纷离去，教室中只剩下唐舞麟、古月、骆桂星和舞丝朵四个人。

看着面前的资料，四个人都保持着沉默。骆桂星很淡定，脸上始终带着唐舞麟第一次见到他时就有的淡淡微笑，让人猜不透他在想什么。

舞丝朵则是一副高冷的样子，双手环抱在身前，冷冷地看着唐舞麟。

古月靠在椅背上，脸色平静。

"这是我们第一次共事，那我就先说吧。"唐舞麟微笑着道。他是班长，这种时候自然要当仁不让。

"按照老师的意思，以人数最少的第二职业决定组数，不算我在内的话，我们锻造这边一共有七个学员，也就是整体分成七个组，每组配一个锻造师。我刚刚简单地看了一下，在这七个锻造师之中，有五个二级锻造师、一个三级锻造师和一个一级锻造师。

"二级锻造师和三级锻造师虽然有差距，但相对来说还好。但一级锻造师会差很多，所以，为了分组的公平，还请你们考虑一下在设计、制造和修理上的人员安排。老师的意思显然是让我们尽量让每一组的实力差不多。"

古月点了点头："我这边没问题，第二职业是设计的人最多，除我之外还有三十三个人，分成五个人一组，剩下的三个人为一组，这样就有七组了，而那三个人就跟三级锻造师一组吧。然后我再根据实力进行均匀分配。"

骆桂星道："我这边也没问题，均匀分配就是了，这并不难。那我们现在就开始吧，早点处理完也好放学。"说着，他向唐舞麟笑了笑。

舞丝朵只是点了一下头，没说什么。

分组这种事并不难，一会儿的工夫，四个人就已经搞定了。

完成分组后，唐舞麟道："那大家先回去休息吧，我把分组的表格交给沈老师。"

骆桂星微笑道："那就辛苦班长了。"说完，起身而去。

舞丝朵面容冷峻，也不打招呼，起身就走。

他们离开后，古月脸上才多了一些表情。她瞥了唐舞麟一眼，道："这班长不好当啊！我看，很多人还是不服气。"

唐舞麟微微一笑："这也很正常，能够进入史莱克学院，大家都是天之骄子，谁还能没点性格？慢慢来吧。如果我的能力达不到，或者有人比我更适合，我就可以不当这个班长了。走吧，我们先去给沈老师送资料，然后回去修炼。"

虽然每天吃饭要消耗唐舞麟大量的贡献点，但他这两天明显感觉到，随着气血提升的加速，他修炼玄天功的速度在加快，魂力提升的速度也明显加快了，这可是好现象。

他想让自己在修炼的时候做到主次分明，现在最主要的就是将修为提升到三十级，那将会是质的飞跃。赚取贡献点反而不着急，等到能够较为稳定地进行灵锻之后，贡献点还会少吗？不说别的，就是一年级这边，未来想要成为二字斗铠师，谁不需要大量的灵锻金属？斗铠制造也不是百分之百能够成功的，而且品质越高的金属，制造失败的概率也就越高。

唐舞麟已经感觉到第二职业等级高带来的好处了，有着锻造宗师的底蕴在，其他资源都可以通过锻造来换取。

所以，他现在给自己制订的计划是，先提升到三十级，然后再完善灵锻。同时他还要学习机甲、斗铠的相关知识，像实战还有其他方面反而可以推后一些。

反正他现在的魂灵已经是千年级别了，三十级的时候不需要附加第二魂灵，金光就能赋予他第三魂技。

沈熠拿过唐舞麟的分组名单，简单地看了一遍后，点了点头，道："很好，你们辛苦了。唐舞麟，身为班长，未来你的责任会越来越重，你要做好心理准备。"

"是。"唐舞麟答应一声。责任重有责任重的好处，那会让他有更多历练的机会。

沈熠眼含深意地看着他，道："史莱克学院一向以培养综合型人才为主，但同时，也会培养一些特殊的专精人才。你在锻造方面有得天独厚的天赋，可不要放松了。听说那天你被枫老抓走了？"

唐舞麟苦笑着点了点头："您放心，我现在已经是咱们史莱克学院锻造师协会的一员了。"

提起疯疯癫癫的枫无羽，唐舞麟也有些无奈，但幸好，自己的老师就快要来了。在锻造方面，唐舞麟对慕辰还是非常有信心的。

"谁叫我？"正在这时，门外传来一个洪亮的声音，留着一头乱蓬蓬的红发的枫老推门而入。

看到唐舞麟，他顿时眼睛一亮："哈哈，正要找你这小子呢，这可真是踏破铁鞋无觅处，得来全不费工夫。小家伙，你先在一边等我。沈熠丫头，我有点事跟你商量一下。"

"枫老好。"沈熠早已经站起身来，恭敬地向枫无羽行礼。

枫老摆了摆手，道："行了，行了，我没那么多事。我要跟你商量的事就和这个小家伙有关。这小子在锻造方面有得天独厚的优势，我要好好培养他，但他不肯拜我为师，这事你说怎么办吧？"

沈熠愣住了，求助似的看向同在一个办公室的舞长空，心中暗想：我怎么知道怎么办，我又不是锻造师。而且，总不能勉强人家吧。

　　舞长空走过来："枫老，您好。您也知道，在第二职业方面，我们作为老师只有建议权，没有决定权，一切还是要看他自己。您在锻造方面这么有资历，难道还不能说服他吗？"他始终都是冷冰冰的，但话语非常犀利，直接将皮球踢了回去。

枫无羽哼了一声："你这小子，出去这些年别的没学会，和稀泥的本事倒是学得不错啊！行，我不跟你们说了。反正我就是来告诉你们，以后不要给他安排太多事，他更多的时间要跟我练习锻造。走了，小子，跟我走。反正你在史莱克学院，叫我一声老师也是应该的，我不管你答不答应，反正我就是你老师了。"

说着，枫无羽一只手抓住唐舞麟的肩膀，拎着他往外走。

唐舞麟无奈地道："枫老，您别拉我，我跟您走就是了，我又跑不了。"

"嘿嘿，那你是答应做我徒弟了？"枫老笑道。

唐舞麟道："您说得对，在学院里我本来就是您的学员啊！"他巧妙地改变了枫老的说法。

"哼，用不了多久你就会明白，跟着我混，可比跟着东海城锻造师协会那个小家伙强多了。"一出门，枫无羽立刻又展现出他风风火火的一面，用手一拉唐舞麟，瞬间提速，只是经过几次呼吸的时间，他们就来到了枫无羽的锻造室门口。

沈熠和舞长空在办公室内面面相觑，沈熠喃喃道："枫老下手挺快的啊！这事儿要不要告诉老师？"

舞长空点了点头："还是要跟老师打个招呼，枫老性格古怪，舞麟这孩子虽然看上去十分聪明，也会做人，但他也有执拗的一面。万一他们起了冲突，有老师在，也好从中斡旋。"

古月向舞长空问道："舞老师，舞麟不会有危险吧？"

舞长空摇了摇头，道："那倒不会，枫老在学院是数一数二的强者，虽然性格怪异，但对锻造非常专注。实际上，他的天赋并不适合锻造的，但就是凭借着自己那份坚持，他四十八岁才开始学习锻造，最终成为八级圣匠。所以，枫老在锻造方面应该有他的一套理论，舞麟跟他学习也并不是坏事。"

"那就好。舞老师，沈老师，那我也先回去了。"

古月出了教学楼，并没有直接返回工读生宿舍。

她想了想，然后向学院外走去。

枫无羽锻造室。

"枫老，我现在不想练习锻造。"唐舞麟无奈地看着枫无羽说道。

枫无羽眼睛一瞪："怎么，有点成绩就骄傲了？我告诉你，在这个世界上，唯有坚持才是成功的关键。'坚持就是胜利'这句话你听过没有？别以为有点天赋就可以骄傲自满，任何一个职业，想要走到顶端，都需要付出无数血汗。"

唐舞麟抬手做出暂停手势："您说的我都明白，我也一直都没偷过懒，但事有轻重缓急啊！现在对于我来说，最重要的不是锻造，而是提高魂力修为。您肯定能感觉到，我现在还不到三十级，魂力等级已经大大制约了我在锻造上的发展。

"坦白说，我现在已经可以尝试灵锻了，这一点您不否认吧？我的身体强度虽然超过同龄人不少，但想要真正灵锻，至少要三十级魂力才行。我很想在您的指导下学习灵锻，可是我魂力不够，没办法啊！"

听了他的话，枫无羽愣了愣，挠了挠头发，道："好像有点道理。是啊，你这小子这等年纪就能到四级巅峰，确实是可以尝试灵锻了。你到三十级就可以灵锻了？"他当年开始学习锻造的时候，本身修为已经极高，所以从来都没有考虑过锻造和魂力之间的问题，现在唐舞麟说出来，他才意识到。

唐舞麟道："我天生力气比较大，身体强度高，一定程度地弥补了魂力不足的问题，三十级应该可以的。"二十八级他都灵锻成功了，到三十级他的魂力将会有质的飞跃，自然是没什么问题的，至少不会有危险了。

枫无羽眉头紧皱，点了点头，道："有道理，有道理。不过，小子，你别以为这样就能阻止我教你锻造。不就是三十级吗？我有办法。不过，需要你付出一些代价。"

"您有办法？"唐舞麟愣了一下，魂力提升难道还有什么捷径不成？

枫无羽嘿嘿一笑："当然有办法。我可以帮你将魂力直接提升到三十级，让你突破。但是，这个代价有点大，需要你自己支付一些费用。这个费用嘛，就用你成为五级锻造师之后的前十件灵锻作品来付。你看怎么样？"

"不用了。"唐舞麟毫不犹豫地拒绝。

枫无羽一愣："你小子怎么回事？哪个魂师不想尽早提升修为，你要知道，我敢说出来，就是保证没有任何副作用的。魂师的年龄和未来成就有着巨大的关系，在同年龄阶段，你的魂力修为绝对不算出色的，还不努力追赶上去，将来差距必然会被拉大。"

唐舞麟一副油盐不进的样子："不用了，枫老，我觉得，我的魂力还是一步一个脚印地提升比较好。我相信，最多两个月，我就能突破三十级了。"

自从解除了第二道封印之后，他的气血之力大增，魂力也突破了二十八级。最近他明显感觉自己的修炼速度加快了不少，就算三十级是个瓶颈，他也有信心在两个月之内完成突破。

而且唐舞麟发现，自己解除封印之后，不仅气血之力大增，魂力修炼的速度也加快了不少，虽然现在魂力等级依然落后于伙伴们，但未来只要自己能够继续解除封印，就一定会追上他们的。

枫无羽还是不够了解唐舞麟，跟唐舞麟不能提钱，十件灵锻作品那是多少钱？保守估计，那至少也值五万个贡献点啊！那能吃多少顿？好几个月的伙食费都有了，他怎么舍得啊！

他宁可自己一点点修炼，也不会愿意付出这么大的代价。所以，他并不是不动心，而是不舍得自己那十件灵锻作品。

"你小子是不是脑袋坏掉了？大不了，这灵锻的材料老夫来出。而且，这对你也是很有好处的，十件灵锻，足以让你在外院扬名了。"

"不用了，谢谢您。"唐舞麟的头摇得跟拨浪鼓似的。

"好小子，我真是快被你气死了！"枫无羽气得吹胡子瞪眼的，但偏偏拿唐舞麟毫无办法。人家不要，你能怎么办？

唐舞麟道："枫老，您别急，我先回去努力修炼，等我突破了三十级后，一定来向您讨教灵锻之法。现在我就先走了。"说完，在枫无羽的怒视下，唐舞麟快步离去。

枫无羽这次没有阻止他，因为唐舞麟说得没错啊！不到三十级，他确实没办法进行灵锻。那天唐舞麟锻造星陨铁的水平，枫无羽看得很清楚，他已经到了四级巅峰水准，再练也不会强到哪里去。

可是，这臭小子怎么就不愿意接受自己的好意呢，直接提升到三十级不好吗？十件灵锻不算贵啊，那些东西自己还要豁出这张老脸才能要到呢，可他居然拒绝得那么干脆。

唐舞麟出了枫无羽的锻造室后松了一口气，他真怕这位枫老疯起来蛮不讲理，那就麻烦了。幸好，枫老还是理智的，锻造当然重要，但那是下一阶段的事。

　　不过，他也很好奇，枫老所说的办法到底是什么呢？能够毫无副作用地帮一个魂师提升魂力修为，而且一举突破瓶颈，估计是什么珍稀的天地灵物吧。算了，不想了，十件灵锻作品，太贵了。

第二百三十二章
—— 看了不该看的 ——

唐舞麟抠门也是没办法的事，他要提升气血之力，还要攒钱购买解除封印所需的灵物，不抠门不行啊！

十六岁之后，他每年都要解除一道封印，而按照现在解除封印需要的灵物来看，越是往后，需要的灵物品质也就越高，所以没钱是万万不能的。

夜幕降临。

工读生宿舍，万籁俱寂。

谢邈睁开双眼，看了一眼旁边床铺上的唐舞麟。唐舞麟正在修炼，在魂力运转下，他全身上下都弥漫着一层浓郁的气血之力，那同样也是强烈的生命力。

和唐舞麟一起修炼，让谢邈有种特别振奋的感觉，他的修为明明要高于唐舞麟，可是，和唐舞麟在一起，他从来都没感觉到自己有优势。

谢邈飘然下床，没有吵到唐舞麟，也没有惊动帘子另一边的两个女生，慢慢出了宿舍。

夜风吹在他身上，让他有种说不出的惬意。

谢邈抬头望着天，眼中闪烁着执着的光芒。

这两天，他一直在思考，特别是经过了那天的比拼之后，他对自己的认识明显深刻了许多。

来到史莱克学院后，他才真正见识到了同龄人中的强者有多强大。在东海学院的时候，他是不可多得的天才，而且那时候他也明白，唐舞麟虽然实力强，但自己如果能更好地发挥出速度优势的话，也未必会输给唐舞麟。

但唐舞麟进步得实在是太快了，一开始他还很不服气，可后来，唐舞麟的实力不断提升，变得越来越强大，他那恐怖的力量、充满破坏性的金龙爪，再加上唐门绝学的辅助，让人不得不甘拜下风。

更重要的是，唐舞麟的大局观让谢邂不得不佩服。

蔡老的话点醒了谢邂，鬼影迷踪步作为唐门最强、最深奥的几门绝学之一，他确实才学到一点点皮毛而已。

谢邂得到蔡老的指点后才发现，一直以来，他根本就没有将自身的优势完全发挥出来。

输在什么地方？输在控制力上，还是输在自己不够勤奋？

后来他开始试着在分身状态下使用鬼影迷踪步，从一个分身开始尝试，他果然在班长争夺战中，获得了不错的成绩。以一敌二，在史莱克学院已经是相当了不起的成绩了，而且他面对的还是两个控制系魂师。

但是，当比拼结束后，沈熠问他和许小言如何决定副班长人选时，他虽然选择了放弃，但其实并不甘心。

为什么沈老师会给出那种选择？是因为自己不够强大！

这是毋庸置疑的，就连自己都对自己没有信心。

想到这里，谢邂不禁攥紧了拳头。但在那天的比拼中，有一件事给他留下了深刻的印象，那就是舞丝朵的自体武魂融合技。

舞丝朵是双生武魂，他也是。虽然他不是真正的双生武魂，两个武魂必须一起提升，但那也是优势啊！光龙匕和影龙匕是息息相关的两个武魂，人家能够施展自体武魂融合技，为什么自己就不行呢？

以他的修为，再加上双生武魂的特性，如果也能拥有自体武魂融合技的话，他相信，那什么少年天才榜，自己也一定能够登上。

所以，这几天他一直在思考这个问题，在修炼的时候也一直往这个方向努力，可还没有找到方法。

刚刚冥想的时候他一直无法静下心来，这才决定出来走走。

夜风吹来，清爽宜人，让谢邂暂时抛开了繁杂的念头。实在不行就去问问舞老师吧，看看舞老师有没有什么办法，能帮自己找到修炼自体武魂融合技的方法。

就这么想着，谢邂在宿舍区溜达起来。出来走走，他觉得心里果然舒服多了。

正走着，他突然看到，前方有一个宿舍的灯亮着。

咦，那边不是没人住吗，怎么会亮着灯？谢邂眼神一凝，难道有贼？

他脚下步伐一轻，悄然隐没在旁边房檐的阴影之中，快速朝着亮灯的房间移了过去。

很快，他来到那房间旁边，凑到窗前向房内看去。

房间里虽然亮着灯，但拉上了窗帘，无法看到里面的情况。

隐约中，谢邂听到有水声。

影龙匕悄无声息地出现在他手中，影龙匕不仅能够隐身，而且还能抑制自身气息外泄。

谢邂将匕首轻轻地从窗户缝中伸进去，挑开窗闩，然后再轻轻地挑起窗帘。

下一刻，他瞪大了眼睛，嘴巴也张得大大的。

房间里站着一个白皙的身影，红色的长发披散在脑后，正在用水清洗身体。

这，这不是她吗？

虽然只能看到侧脸，但谢邂一眼就认出这个女孩正是他们在史莱克城饮料吧见到过的那个女服务生。

当时，就是她展现出了堕落天使的强大武魂和乐正宇产生了冲突。可是，她怎么会在这里？那天她说自己是工读生，这会儿居然真的在工读生宿舍了！

谢邂正想着，一不留神脚下绊到了什么东西，发出了声响。

"谁！"房里瞬间响起一声厉喝，紧接着，一股黑色气流从房间内爆发出来。

"不好。"谢邂心中暗叫一声，身体倒飞而出，紧贴着阴影准备跑。

但就在这时，他突然发现，自己周围的世界完全变成了黑色，一股充满愤怒与狂暴的气息骤然迸发出来。

"砰！"窗户破碎，一道身影瞬间到了谢邂背后。

谢邂的速度在这时不知怎么发挥不出来了，他只觉得周围的世界变得一片泥泞，自己就像是陷入了沼泽之中，怎么也无法挣脱。

无奈之下，他只能回过身，释放出光龙匕。

"当！"脆鸣声中，一股强大的力量传来，谢邂倒飞而出。

红发少女此时已经穿上了史莱克学院的校服，她落在地面上，小脸微红，一双美眸里满是惊怒之色。

看到被自己震退的谢邂，她怒喝一声："混蛋！"右手在身前一圈，脚下魂环光芒闪烁，一柄紫黑色长剑出现在她面前。

她抬手握住长剑，整个人的气势瞬间飙升，锋锐、黑暗、恐惧，多重状态同时朝着谢邂覆盖而去。

谢邂心中骇然，尽管对方只有二环，但他分明感觉到，对方的魂力修为比他强许多。在那黑暗泥泞的空间内，他根本无法反抗，更别说不小心看到了人家洗澡，本就理亏，一时间，真有些茫然无措。

红发少女可不会去猜测谢邂在想什么，身形一闪，便到了他面前，手中长剑从正面斩落。

紫黑色长剑带起的三尺紫黑色剑芒从天而降，在那一瞬间，谢邂仿佛听到了无数鬼哭狼嚎的声音，不仅如此，泥泞的感觉也变得越发强烈了。

她要杀我！

谢邂深刻地感受到了对方身上涌现出的恐怖杀意！大惊之下，影龙匕重新释放出来，一对匕首交替在身前挥舞，身形旋转，双龙风暴！

他宛如陀螺一般旋转起来，往光龙匕和影龙匕上同时输出魂力。他虽然不是真正的双生武魂，但两个武魂依旧让他的战斗力比同级别的魂师强。

可在这个时候，这些优势似乎毫无意义。

第二百三十三章
——— 恐怖的红发少女 ———

"轰——"

轰鸣声中，整个双龙风暴被那强势的一剑劈飞了出去，谢邈的身体旋转着撞在五米外的一栋宿舍楼的墙壁上。

红发少女眼中杀意弥漫，手握长剑要继续追击。

正在这时，整个工读生宿舍区突然光芒大放，一团金光宛如太阳般闪耀。

一个得意的声音随之响起："哈哈，没想到你真的在这里。深夜追杀学员，我看你这次还有什么好说的。"

浓郁的光明气息扫去了空气中黏稠的黑暗能量，一道身影展开洁白的双翼从天而降，挡在了谢邈身前，正是乐正宇。

乐正宇目光灼灼地盯着红发少女："我看你这次还往哪里跑！"

红发少女冷冷地看着他："你滚开。"她的声音悦耳动听，但杀意丝毫不减。

乐正宇冷哼一声："暴露了你那邪魂师的本性了吧。堕落天使，哪有什么好东西，今天就让我替天行道，收了你！"

说着，他身上第二魂环闪耀，一抬手，光明圣剑横空出世。那金光璀璨的长剑和红发少女手中的紫黑色长剑形成鲜明对比。

红发少女目光深邃，向乐正宇道："你真以为我怕了你不成？"诡异的一幕出现了，原木她还只释放出了两个紫色魂环，可此时，卜面的那个魂环光芒一闪，竟然又分离出一个紫色魂环来，变成了三个紫色魂环，与此同时，红发少女身上的气势也随之暴涨。

乐正宇的眼神变得警惕起来，拍打着背后的双翼，吸收着空气中的光属性能量。

他此时已经意识到，对方可以掩盖自身修为。如果是白天，拥有神圣天使武魂的他有信心拿下对方，可现在是晚上，无疑对黑暗属性的魂师更有利，而且对方的修为不在他之下。

就在这时，另外三道身影也已经赶到了，正是唐舞麟、古月和许小言。

唐舞麟一眼看到了正从地上挣扎着站起来的谢邈，立刻冲到谢邈身前，挡住了他。

"怎么回事？"唐舞麟沉声问道。

还没等谢邈回答，乐正宇已经抢着道："还看不出来吗？堕落天使邪魂师趁着夜晚潜入学院，试图袭击我们工读生。唐舞麟，还等什么，跟我联手把她拿下，把她送到学院教务处。"

唐舞麟脸色有些阴沉，因为他看到，谢邈嘴角有鲜血，显然是受伤了。

居然伤他的伙伴，不可饶恕！

此时他也认出了那个红发少女，但还是缓步走到乐正宇身边站定。另一边，古月也走了上来，而许小言则守在谢邈身边，直接释放出了自己的武魂。

现在是夜晚，她正好发挥自身的能力，一道星光在空中亮起，璀璨光芒落下，星轮冰杖！

面对他们四个工读生，那红发少女没有丝毫怯意，她手中长剑遥指谢邈，冷冷地道："我要杀了你！"

说着，她脚下第三魂环亮起，摇身一晃，整个人如箭矢一般直向谢邈冲去。她身在空中，背后双翼完全变成了深紫色，在那第三魂环的作用下，仿佛成了黑暗世界中的一部分。

"圣光普照！"乐正宇第一魂环闪亮，刺目的圣光以他的身体为中心向外迸发。

在圣光的照耀下，唐舞麟他们才看清，那红发少女的身体带出了一连串残影，而且每一道都非常凝实，让人无法看清。

更可怕的是，她身上凝聚的能量波动极为强悍，而且她没有进行任何防御，目标直指谢邈。

这是有多大仇啊，不顾自身安危也要攻击谢邈？

乐正宇身上的第三魂环随之亮起，手中的光明圣剑向那红发少女一指："光明，审判！"

一道巨大的光柱从天而降，笔直地轰了下去。如果红发少女还要继续攻击谢邈的话，一定会被这道强大的审判之光命中。

唐舞麟也出手了，对方要置谢邂于死地，他怎么能不怒？他的右手瞬间被金鳞覆盖，同时一掌拍出，进行拦截。

这里是学院，所以他才有所保留，不然拍出的就是金龙爪了。可就算如此，以他那惊人的力量，就算是一块稀有金属被拍中，恐怕也要四分五裂。

古月身上银光一闪，瞬间到了谢邂身边，双手凝聚出了冰锥。

许小言手握星轮冰杖往虚空一指，一道星轮出现在了地面上。

星轮冰链缠绕！

金光一闪，那红发少女被星轮冰链给拉了下来，无论她的攻击力有多么强悍，在星轮冰链面前，也要凝滞一秒。这就是许小言最厉害的地方。

当初舞长空都被她打断过魂技，吃了点暗亏，更别说这个红发少女了。

审判之光随之落下，被星轮冰链定住的红发少女，避无可避。

"不要伤害她！"谢邂突然大呼一声。

唐舞麟拍出的手掌和古月正准备释放的冰锥同时停住，但乐正宇审判之光还是落了下去。

"轰——"

直径五米范围内，完全被爆发的审判之光覆盖了，强大的冲击力使唐舞麟他们向后跌退。

好强大的神圣天使武魂，这一击的威力，就算不能媲美舞丝朵的幽冥白虎，也是相差无几了。而且看乐正宇的样子，显然还有余力。

他才三环修为啊！

大地一片焦黑，被轰中的地方已经变成了一个深坑。

"你——"谢邂大叫一声，朝着那深坑的方向扑了过去。

但在这时，一道紫黑色的光芒瞬间闪过。

"谢邂小心。"唐舞麟大喝一声，谢邂冲过去的身体猛然停滞了一下，被硬生生地拉了回来。

唐舞麟在来到这里的时候，已经悄然用几根蓝银草分别缠绕在了伙伴们的腰间，这一举动果然在关键时刻救了谢邂一命。

紫黑色光芒从谢邂身前掠过，幸亏有唐舞麟这一拉，那道紫黑色光芒才没有斩开他的身体，只是在他身上留下了一道伤口。

"谢邂！"看着谢邂的伤口喷出鲜血，唐舞麟迅速冲上前去。

此时他再也顾不得太多，金龙爪出现，同时暗金色光芒闪动，他直接就用出了最强攻击——金龙恐爪。

对方是真的要杀死谢邂啊！

谢邂阻止他们对她动手，她反而趁机偷袭，如果不是唐舞麟及时拉住谢邂，恐怕谢邂已经没命了。

这可不是升灵台，不是虚幻空间，一旦被斩成两半，谢邂有十条命也活不过来。

金龙恐爪劈向深坑，而在那深坑之中，原来的红发少女身体突然膨胀，强横的气流随之爆发。剧烈的轰鸣声中，地面龟裂，原本直径五米的深坑直接扩大到了十米，同时震荡得周围宿舍的玻璃轰然破碎。

释放过审判之光的乐正宇看到这一幕也不禁微微张嘴，原本在他眼中，唐舞麟只是一个擅长锻造的新生，能够进入史莱克学院，自然凭借的也是他的锻造能力。

但此时乐正宇明白，自己看走眼了，这家伙的攻击力……

当金龙恐爪挥出的时候，以乐正宇的修为，都感觉到全身一阵发冷，就算是他也没信心能够挡住这一击。

深坑中的红发少女不见了，取而代之的是身高达五米的巨大身影。

第二百三十四章
——斗殴处理结果！——

不过，红发少女现在的情况也不太好，唐舞麟的金龙恐爪不仅力量恐怖，破坏力也同样恐怖，毕竟那是暗金恐爪熊的绝招与金龙爪融合而成的。

在她的右臂以及肩膀处，出现了五道深深的伤痕。

唐舞麟也不好受，巨大的冲击力把他掀飞了，还好古月布下气墙挡住他，才让他没有受到重创。

只是，看到眼前这巨大的身影，在场的人都愣住了。

庞大的身体，恐怖的力量，能够挤压空气进行攻击的攻击手段。

这，这不是泰坦巨猿吗？这是原恩的泰坦巨猿武魂啊！

怎么回事？这究竟是怎么回事？

泰坦巨猿双眸通红，凶狠地看着谢邂，情绪明显非常不稳定。

古月站在唐舞麟身边，身体周围，元素风暴已经出现。另一边悬浮在空中的乐正宇也已经反应过来了，脸色凝重地拍动双翼。

先后承受了自己的审判之光和唐舞麟的金龙恐爪，依旧恍若无事，这实力在自己之上啊！这不是简单的邪魂师！

"你，你是原恩？"唐舞麟的怒火消了几分，疑惑地问道。

正在这时，一道道的恐怖气息从天而降。这些气息来得非常突然，以至于大家都没有反应过来。

首先遭殃的就是悬浮在空中的乐正宇，他在那强大无比的压力下摔了下来，而且还是脸先着地，然后被那强大的压力死死地按在地面上。

然后就是许小言和谢邂。谢邂本来就受了伤，许小言的身体强度一直比较弱，在那压力面前，她很轻易地被压倒在地面。

唐舞麟反应最快，他一把拉过古月，将古月搂在自己怀中，同时身上魂环变化，金色魂环出现，并且黄金龙体爆发，体内气血之力狂涌，但就算如此，在那巨大的压力面前，他还是身体一晃，单膝跪在地上。

原恩在这时展现出了她强大的能力，重压之下，她咆哮一声，身体一弯，四肢着地，就那么支撑住了。她此时身高五米，承受的压力自然要比其他人大得多，但在她的眼眸之中，充满了不甘。

但是，在这强大的压力之下，他们已经什么都做不了了。

两道身影从天而降，落在众人面前。这两个人看上去三十多岁的样子，一个身上闪耀着七个魂环，另一位身上则闪耀着六个魂环，但恐怖的是，他们身上都穿着一身光芒闪烁的铠甲。

斗铠，绝对是斗铠！

六环七环的魂师虽然比他们强大很多，可也没到仅仅凭气息就能压制得他们不能动弹的地步。唯有在斗铠的增幅下，才有可能做到这样啊！

斗铠是能够提升魂师二十级实力的存在，从这两个人身上斗铠的样式以及花纹来看，他们穿的应该是二字斗铠，也就是真正的斗铠。

"怎么回事？工读生为何私斗？"那个七环斗铠师冷冷地问。同时，他发现谢邂受伤了，右手在空中虚点几下，谢邂胸前的鲜血顿时就不流了。

"报，报告！"面部着地的乐正宇挣扎着说道。

那个七环斗铠师双手一挥，顿时，压力消失，一切恢复了正常。

"说！"

乐正宇抬手指着原恩道："是她！她是邪魂师，还拥有另一个武魂堕落天使。她趁夜潜入我们工读生宿舍，攻击谢邂，还要将他置于死地，我们发现之后奋起反抗，所以才会动手的。请执法者将她拿下，严审之下一定会让她招供的。"

七环斗铠师疑惑地看向原恩，道："你是二年级的原恩？"

原恩的身体缓缓缩小，当她变回红发少女的模样时，身上只剩下黑色的紧身衣，校服已经在变身时撑破了。

她取出一件外套套在自己身上，脸色冰冷地看着执法者，道："我是。"

"怎么回事？"执法者疑惑地看着她，"你身为二年级的班长，为什么袭击其他学员？"

"你们问他！"原恩满脸通红，抬手指向谢邂。

谢邂此时的情况不太好，虽然止住了血，但原恩那一剑出手非常狠，此时强烈的黑暗能量正不断地冲击着他的经脉，如果不是他的光龙匕是光明属性，起到了相当不错的抵抗作用，恐怕他的伤势会更重。

"我，我……"他看向原恩，张口结舌，说不出话来。

"先带回去再说吧。"六环斗铠师向七环斗铠师说道。

"好！"

半个小时后。

史莱克学院外院，教导处。

教务处负责日常事务，教导处负责管理学员。

沈熠、舞长空，此时都被叫到了教导处，还有一位中年人，是二年级的班主任。他们都站着，教导处唯一坐着的只有史莱克学院外院的院长，海神阁长老——蔡老。

唐舞麟、古月、许小言三人站在一起，此时三人的脸色都有些古怪。

谢邀胸前的伤口已经由治疗系老师进行了治疗，并且包扎好了，他站在那里低着头。

原恩换上了校服，站在另一边，她的目光始终落在谢邀身上，那样子，看上去就像是要将他吃了似的。

乐正宇的表情最奇怪，他站在唐舞麟身边，面部肌肉不时抽搐一下，脸上有不甘，但更多的是诧异。

"蔡老，事情已经查清楚了，总体来说，这次斗殴事件是误会导致的。"

"误会？什么误会让工读生都参与进去，还弄出一个受伤的来？说说，怎么个误会法？"蔡老的语气分明有些不悦。

七环斗铠师恭敬地道："经过我们调查，事情是这样的：一年级的工读生谢邀晚上走出自己宿舍在外面溜达，因为他不知道原恩夜辉搬了宿舍，误认为有贼溜入工读生宿舍，所以决定去看看。没想到误打误撞看到了正在洗澡的原恩夜辉……"说到这里，他脸上的表情也变得有些尴尬。

是的，原恩的全名叫原恩夜辉。

"之后被原恩夜辉发现，她愤怒之下向谢邀出手。乐正宇是因为发现了原恩夜辉的堕落天使武魂，产生了误会才投入战斗中的，之后唐舞麟他们三个也都误会了，这才导致了这场斗殴事件。"

蔡老听了这位七环斗铠师的解释，表情也变得古怪起来。

"这么说，是谢邀这小子偷看了人家小姑娘洗澡，才导致了这一系列事情的发生？"蔡老冷冷地说道。

　　唐舞麟听她这么一说，顿时吃了一惊，很明显蔡老是站在原恩那边的啊！这要是如此定性，谢邀的麻烦可就大了。

　　他赶忙上前一步，道："蔡老，并不是这样的。谢邀当时也是误以为有小偷进入我们宿舍区，所以才前去查看，他事先并不知道原恩住在那里，真的只是误会。"

　　本来处理这点小事，蔡老根本就不用出面，但她还有另外一个身份，就是一年级的班主任，所以她才在事情发生后出现在这里。

　　蔡老目光平静地看向唐舞麟："这么说，原恩夜辉就被白看了？"

　　"这……"唐舞麟也说不出来了。这事还真是麻烦，说是谁的错呢？没法分析啊！

　　蔡老冷哼一声："这件事已经清楚了。你们六个工读生，没有一个是省油的灯。这才刚开学多久，就闹出这种事情来。谢邀，作为本次事件的挑起者，我不管你是不是故意的，扣五千个贡献点，三个月内必须还清，否则开除学籍。同时，赔偿原恩夜辉精神损失费一万个贡献点，一年内付清。"

　　（作者语：我们的小舞麟正式开始来史莱克学院学习啦，相信这也是大家一直期待的。在史莱克学院，他将遇到什么有意思的事情呢？谢邀和原恩夜辉这件事又会衍化出什么结果呢？未来的史莱克七怪都有谁？你们猜猜吧，下一册会更加精彩哦。我们的小舞麟将在下一册中尝试解除第三道封印，同时，他也会拥有第三个魂技，让我们一起期待吧。）

（本册完）

敬请期待《斗罗大陆 第三部 龙王传说》第5册6月上市！

男神老师PK魔鬼教官

《斗罗大陆 第三部 龙王传说》中的"冷傲男神"舞长空老师是名副其实的校园男神，在《天火大道》里也有一个拥有超高人气的校园风云人物，那就是我们的"魔鬼教官"——蓝绝！下面我们一起来看看他的风采吧。

一身黑色西装的伍君毅表情严肃地站在最前面，冷硬而威严的气势让整个教室内都显得有些压抑。

下面，学员们站成整齐的五排，每一个都穿着合体的黑色机甲作战服。

戴着银色面具的王宏远站在伍君毅身边，看着下面这一个个英姿勃勃的学员，不知道为什么，突然有种热血沸腾的感觉。

正在这时，教室外响起有节奏的脚步声。门被推开，一个人从外面走了进来。

当他走进教室的一瞬间，立刻就成了全场的焦点。

金色面具遮住了他的相貌，一身深蓝色的机甲作战服勾勒出他强壮而完美的身材。当他走进来的 瞬间，一股无比强大的气势奔涌而出。

学员们脸上都露出了好奇之色，心想：这个人是谁？

之前伍主任只是说请来了一位特邀老师，却并没有过多介绍，显然就是这个人了。

金色面具男大步走到伍君毅身旁站定，向他点了下头。

伍君毅同样点了点头，然后转向下面的学员，脸色微微一凝，沉声道："我给大家介绍一下，这位就是我们请来的特邀老师，你们可以称他为教官。这位是助教。"他用最简单的方式介绍了身边的蓝绝和王宏远。

"今天，你们之所以能站在这里参加这个机甲特训班，是因为你们本身的天赋和过去在学院中优异的表现。我能告诉你们的是，从这一刻开始，学院将倾尽全力培养你们，让你们都成为优秀的机甲师和对联盟有用的人。但我也要告诉你们，虽然你们已经进来了，但绝对不是保险的。有谁表现不够好，跟不上大家的脚步，那么很快就会被淘汰。而我相信在不久的将来，如果谁被淘汰了，那么这件事一定会让他后悔终身。所以你们必须付出百分之两百的努力，才能走得更远，才有可能成为真正的强者。下面，请教官讲话。"

伍君毅说完这句话，向旁边跨出一步，将主位让了出来。

金色面具男很自然地走到他之前的位置，那金色面具上露出的双眸闪烁着慑人的光芒。

"大家好。自我介绍就不需要了，我可以预见到，不久后你们肯定都会给我起一个同样的绰号，那就是魔鬼，所以我不介意你们现在直接称呼我为魔鬼教官。在特训开始之后，谁都可以中途退出，但只要是退出的，就永远没有再进来的可能。

能把你们训练到什么程度，我现在不知道，但我可以告诉你们的是，如果你们最终能够从这个班毕业，那么你们就一定会成为一名对联盟有用的人。就说这么多，所有人听我命令，进入模拟舱！"

魔鬼教官？单是这个称呼就让学员们有些犯怵。不过能被挑选出来进入这个班的学员，每一个都是机甲战斗系优秀的机甲师，起码也是特级机甲师，可以说在这个人数只有五十人的特训班中集中了整个华盟国家学院最优秀的人才。

戴着金色面具的无疑就是蓝绝，而戴着银色面具的正是被他忽悠来的助教王宏远。

在下面的学员中，蓝绝看到了许多熟悉的面孔——他的胖徒弟唐笑、唐笑的妹妹唐米，还有站在后面、身体被机甲战斗服勾勒得完美动人的周芊琳。

"能够进入机甲特训班，是我这一生中最幸运的事情，也是最不幸的事情。那段时间的经历牢牢地刻在我的灵魂中，让我真正明白了痛苦的含义。无数次，我曾经想过要退出，要放弃，但是每当这时候，我都会看看身边的人。既然他们能够支撑住，为什么我就不行？我一定可以的。那时候我想如果有一天我能变得强大，第一件事就是击败我们那位魔鬼教官！他比魔鬼更加可怕，简直是恶魔，不，大魔王才对！"

——《华盟陆军上将、
金属之狐唐笑回忆录》

模拟舱对于优秀的学员来说实在是太熟悉了，他们全都利落地进入模拟舱中。

伍君毅拍了拍蓝绝的肩膀，然后转身走了出去，一点都没有要监督他教学的意思。既然请来了蓝绝，他就要给予蓝绝绝对的信任。这是他和徐院长共同的决定。能够请到一位神级机甲师来这里任教，已经是学院极大的荣幸了。这一把他们一定要赌，如果赌成功了，那么这必将成为整个华盟国家学院划时代的一步。

蓝绝向王宏远点了点头，两人各自选择了一个模拟舱，进入其中。

正在这时，教室外面突然跑进来一个人。

穿着一身机甲作战服的谭凌云显得英姿飒爽，但娇俏的面容上带着几分怒气，和要出去的伍君毅撞了个正着。

"伍主任，你这是什么意思？"她一看到伍君毅，立刻怒声说道。

伍君毅做出一副若无其事的样子，问道："谭老师，这是怎么了？有什么事吗？"

谭凌云怒道："您还问我有什么事？您为什么把机甲战斗系所有的优秀学员都调走了？还把我们班的周芊琳也调走了！我刚刚听说要成立一个什么特训班。为什么我一点都不知道这件事？特训班又是怎么回事？"

原来，谭凌云正好下午有课，而且就是教机甲战斗的课，当她点名的时候发现自己班里的优秀学员竟然全都不见了，一个不剩。打听下来，这才得知有特训班这回事，她立刻就风驰电掣地赶了过来。

伍君毅有些尴尬地道："凌云，你先冷静一下。事情来得有点急，我还没来得及通知你，这是我的失误。但是这件事，学院也是不得不为之。因为对于学院来说，这实在是太重要了。这个机会可以说是千载难逢，所以请你见谅。走吧，我们一边走，我一边给你解释。"

谭凌云面露疑惑之色，跟着伍君毅向外走去。

"伍主任，到底是什么情况？这特训班真的有必要吗？"

伍君毅低声道："这件事本来是要严格保密，不能让任何人知道的，但你对学院的贡献极大，对于你的职业操守，我也很认可，所以我可以告诉你。但是请你必须保密，否则的话，将会给学院造成无法估计的损失。"

听他说得这么严重，谭凌云的怒气渐渐消失了。她压低声音问道："到底什么情况啊？"

伍君毅道："我们请来了一位神级机甲师担任客座教授。你也知道神级机甲师的稀有和强大，所以这位强大的机甲师要求对他的身份必须严格保密，不能让任何人知道。他愿意每周抽出一些时间来教导我们的学员。因为一切都是临时起意的，所以才有了这个特训班，也因此没来得及和你沟通。"

"神级机甲师？"这五个字一出，顿时让谭凌云发出惊呼。她那一双美眸瞬间瞪大，一副难以置信的样子。在她脑海中迅速浮现出一道身影来。

伍君毅点了点头，再次确认了他自己的话。

谭凌云顿时觉得自己的心有些乱了，两抹红晕迅速出现在娇颜上，问道："他叫什么名字？"

伍君毅摇了摇头，道："我不能说。这是我答应他必须保密的，否则的话，他会立刻离开学院，你说这对学院来说是不是巨大的损失？"

谭凌云毫不犹豫地点了点头，停下脚步，眼中露出思索之色。

伍君毅道："谭老师，这件事希望你能理解。从学院的角度出发，我们才这样做的。如果给你带来什么困扰，我代表学院向你道歉。"

谭凌云摇了摇头，只经过短暂的思索，立刻道："伍主任，把我们这么多好学生都抽调过来，我不放心。哪怕对方是神级机甲师，我也一样不放心，所以我有个请求。"

伍君毅问道："什么请求？"

谭凌云道："我也要参加这个特训班。如果对方真的是神级机甲师，并且真的很强大，那么就算是我也一样能够学到东西，所以请您批准。"

伍君毅的脸色顿时变得怪异起来，犹豫片刻后，还是点了点头，道："那好吧。你进去吧，现在他们的模拟教学应该已经开始了。我陪你过去，跟那位教官说一声。"

两人回到模拟教室，找了两个空着的模拟舱，迅速进去。

梦网，华盟国家学院教学区。

已经换好机甲的学员重新集结在一起。在梦网中，每个人的机甲都会有所不同。这和他们的财力、实力有关。财力和实力越强的人，机甲自然也就越好。

不过，各种等级的机甲排在一起，就显得有些五花八门了。

更令他们意外的是，在他们正前方有两台看上去特别熟悉又特别低调的机甲。

剑士机甲！那是最基础的教学机甲，也是入门机甲，没有什么比它更简单的了。而这两台剑士机甲中，一个头上顶着小跳蚤的名字，另一个头上则顶着小菜鸟的名字。

这是哪两位教官？他们是来搞笑的吗？

绝大多数学员心中都产生了同样的念头，坐在模拟舱内，表情都变得古怪起来。

当然，绝对不是所有人都这样想。

唐笑兄妹就没笑出来。当唐米看到小菜鸟那个名字的时候，她的第一反应就是咬牙切齿，但很快就反应过来，这个小菜鸟一定就是之前的两名教官之一了。

而唐笑则十分惊喜，没有人比他更清楚小菜鸟是谁。这个特邀老师、魔鬼教官竟然是他的老师！

而且他也最清楚蓝绝刚刚所说的"魔鬼"二字绝对不是虚言。不过，蓝绝老师之前在外面讲话的时候似乎特意改变了声音，所以他才没听出来。

没想到学院竟然能够请动蓝绝老师来教他们机甲作战，这真是意外之喜啊！

这些天，唐笑几乎每天都是在米卡虐他的水深火热中过来的，但他也能清楚地感受到在和米卡的实战中自己的进步有多快。半个月的时间过去了，他能明显感觉到自己停滞不前的异能开始有了显著提升，而且还有一些特殊的感觉，仿佛有一层屏障挡在他面前，而这层屏障马上就要被破开了。

这让唐笑心中特别兴奋。那天力挽狂澜、击溃海灵学院学员之后，他对蓝绝老师越来越崇拜了。连蓝绝老师手下的米卡姐姐都那么强大，老师究竟要强大到什么程度啊？

不过，唯一让他感到有些遗憾的就是，蓝绝老师并没有真的开始对他的机甲操控进行指点。他万万没想到这个遗憾就要在今天这个特训班中弥补了。

"你们是不是都觉得自己的机甲很好？"冰冷的声音骤然在场地内响起。

全场鸦雀无声。五十名学员每一个都是学院精英，也都曾经被誉为天才，心中当然都有傲气，但自然也明白之前伍主任说得那么郑重，这两位戴着面具的教官一定有什么过人之处。

蓝绝淡淡地道："今天的课很简单，我给你们一个任务——击败你们面前的小菜鸟和小跳蚤。只要完成这个任务，你们所有人都能够提前下课。现在我给你们五分钟的时间商量战术，五分钟后，战斗开始。在你们商量的过程中，我和助教会切断与你们的信息联系。"

正在这时，突然，两道光芒闪烁。一台绿色机甲和一台黑色机甲同时出现在训练场中。

号外：
《天火大道》13册已全部上市！
定价：28元/册，全国各大书店有售！